ДЕТЕКТИВ ГЛАЗАМИ ЖЕНЩИНЫ

АННА ДАНИЛОВА

САВАН ДЛЯ БЛУДНИЦ

МОСКВА, «ЭКСМО-ПРЕСС», 1999

УДК 882
ББК 84(2Рос-Рус)6-4
Д 18

Разработка серийного оформления
художника *С. Курбатова*

Серия основана в 1997 году

Данилова А. В.
Д 18   Саван для блудниц: Роман. — М.: ЗАО Изд-во ЭКСМО-
Пресс, 1999.— 432 с. (Серия «Детектив глазами женщины»).

ISBN 5-04-003315-X

«Просто мистика какая-то!» — в ужасе думает сотрудница частного сыскного агентства Юлия Земцова, попав в квартиру своей
клиентки Ларисы Белотеловой. Все обстоит так, как та и рассказывала, — на зеркалах внезапно появляются потеки свежей крови
и то тут, то там Юлия обнаруживает изящные женские вещицы,
принадлежащие явно не хозяйке дома. Кто же так изощренно
издевается над Ларисой? А может быть, неизвестный пытается ее
о чем-то предупредить? Да, дело очень интересное, и Земцова
решает докопаться до истины...

УДК 882
ББК 84(2Рос-Рус)6-4

Глава 1

Вадима Льдова обнаружила рано утром уборщица. Он лежал между учительским столом и деревянным ящиком для географических карт в луже крови, лицом вниз. На затылке зияла потемневшая от запекшейся крови большая рубленая рана. Оранжевый джемпер, такой солнечный и апельсиновый, резко выделялся на фоне бледно-зеленых стен класса и серых парт, не говоря уже о приметах поселившейся здесь смерти. Чудовищность этого контраста не замедлила выплеснуться в страшном крике тети Вали, зашедшей в класс помыть полы.

Но на ее крик никто не явился — было слишком рано, и в школе, кроме нее, был только сторож, крепко спавший в раздевалке спортивного зала.

Примерно в это же время, в двух кварталах от школы, раздался еще один крик. И тоже женский.

Войдя в семь часов утра в спальню к своей четырнадцатилетней дочери Наташе, Людмила Борисовна Голубева не смогла ее добудиться. Стакан со следами белой таблеточной кашицы на дне валялся на ковре рядом с кроватью, на которой лежала уже мертвая Наташа.

«Девочка моя, что же ты наделала?.. Как же это?.. Кто виноват? КТО?..»

* * *

Апрельское теплое утро, солнечное и голубое, благоухающее ароматом кофе, казалось, было всем в радость. Даже Щукиной, которая перед тем, как открыть агентство, уже успела забежать в кондитерскую на со-

Анна Данилова

5

седней улице, чтобы купить там булочек с маком и французских длинных желтых батонов — для бутербродов. С нею, с этой занудой, вечно всем недовольной, в последнее время стало твориться бог знает что. Она теперь постоянно над всеми подшучивала, хохотала до слез над чем попало, мурлыкала себе под нос модные мотивчики, которые раньше вызывали у нее лишь отвращение, и вообще откровенно валяла дурака от сознания и ощущения полнейшего счастья...

Крымов тоже что-то напевал у себя в кабинете, и это было слышно даже в приемной, где Земцова с Шубиным пили кофе и помогали Наде разгадывать свежий кроссворд.

Частное детективное агентство, которым руководил Евгений Крымов, еще пару месяцев тому назад имевшее шанс распасться на две самостоятельные супружеские пары, пока существовало. Были клиенты, а значит, и работа. А еще была фальшь. Она сквозила во всем, что касалось обеих женщин — Нади Щукиной, секретарши и теперь невесты Крымова, и Юли Земцовой, бывшей не так давно адвокатом и поменявшей уютное кресло юридической консультации на рискованную жизнь частного сыщика, с отчаяния чуть было не вышедшей замуж за Игоря Шубина, но вовремя спохватившейся и отказавшей ему исключительно из человеколюбия. Она так и сказала ему: я, мол, слишком эгоистична для брака...

Роман Крымова с Юлей закончился, как это ни парадоксально, его почти браком с Надей Щукиной (осталась простая формальность: свадьба!). Но и это уже не имело значения в тот чудесный апрельский день, когда Юля, вместо того чтобы бросить все ко всем чертям, улететь к маме в Москву и выплакаться там ей в жилетку, вынуждена была улыбаться своей сопернице, которая, в свою очередь, предлагала ей не менее фальшивым вежливо-примирительным тоном добавить молока в кофе, — все уже было позади, и боль любовных потерь постепенно начинала притупляться; наступила весна, и всем одинаково хотелось острых ощущений, приятных тревог и радостей физической близости, а говоря по-современному — секса.

Шубин, стоявший у окна с чашкой кофе в руках, вдруг сказал:

— По-моему, это к нам. Юль, давай-ка прими клиентку. Чую сердцем, она по женской, то есть по твоей, части... И Крымову пока не докладывай, может, поплачется-поплачется гражданочка да и уйдет. Уж слишком скромно она одета, чтобы оказаться в состоянии оплатить мой труд... — Он намекал на то, что ему чаще остальных приходилось вести слежку за неверными супругами, а ведь именно такие дела встречались в практике агентства чаще всего.

— Много ты понимаешь, — весело отозвалась Щукина со своего секретарского, но ставшего уже почти королевским кресла. — Ты не смотри, что у нее такое простое серое платье и старомодная сумочка на плече... Платье отлично сшито и сидит на ней идеально, а сумочка стоит столько же, сколько диван, на котором сидит Земцова... Так что, Игорек, готовься, срезай мозоли на ногах, качай мышцы, заправляй пленку в свой «Кодак», перезаряди пистолет и... вперед, на супружеские баррикады!

Раздался звонок. Щукина при помощи специального микрофона, установленного при входе (последнее нововведение Крымова), пригласила посетительницу войти.

— Доброе утро, проходите, пожалуйста, в комнату номер три, это как раз напротив двери. Вас уже ждут, — произнесла она вежливым голосом, насмешливо глядя вслед Юле, спешащей навстречу клиентке.

Они встретились возле двери, Земцова молча открыла свой кабинет и впустила туда выглядевшую крайне взволнованной молодую женщину.

— Садитесь, пожалуйста. — Она жестом указала на кресло и поспешила поднять жалюзи, после чего в серую, заполненную офисной строгой мебелью комнатку хлынул яркий солнечный свет.

— Моя фамилия Белотелова. Зовут Лариса. Я живу

в вашем городе чуть больше месяца. Купила квартиру недалеко от речного вокзала, устроилась на работу — маникюршей в салон «Елена», может, знаете...

Юля знала этот салон, и первое, что пришло ей в голову, — это наличие у Ларисы связей, раз она смогла так быстро найти себе довольно теплое, денежное местечко.

— У вас здесь кто-то есть?

— Нет, а почему вы спросили об этом? — Лариса вдруг посмотрела на Юлю в упор, словно надеясь смутить сидящую перед ней хрупкую на вид и совсем еще молоденькую девушку-детектива. — Нет, никого.

— А откуда вы приехали?

— Из Петрозаводска.

— Вы извините, что я задаю вам вопросы, еще не выяснив, зачем вы пришли к нам, но мне просто любопытно, что же такого привлекательного вы могли найти в нашем захолустье? Обычный город, разве что на Волге...

— У меня не сложилась личная жизнь там, в Петрозаводске, и я решила все продать и уехать... Знаете, как это бывает — просто ткнула пальцем в карту...

— А если бы попали, извините, на Северный полюс?.. Впрочем, — спохватившись, что уже и так потратила достаточно много времени лишь для того, чтобы получше разглядеть посетительницу и попытаться самой догадаться о причине, приведшей ее в агентство, сказала Юля, — мне не так уж важно все это знать. Итак, я слушаю вас, Лариса.

— То, с чем я к вам пришла, сильно смахивает на сюжет мистического триллера, и поэтому вы можете не воспринять меня всерьез. То, что со мной происходит вот уже несколько дней, не поддается никакому объяснению... И поверьте — я не сумасшедшая...

Юля вспомнила визит Лоры Садовниковой. Она была тоже молода и красива и пришла к ней вот сюда же, в этот кабинет, чтобы рассказать совершенно фантастическую историю о том, что живет с мужчиной, называющим себя ее мужем, в то время как она сама этого мужчину не знает и **БООБЩЕ НИЧЕГО НЕ ПОМНИТ О СЕБЕ**! Это было одно из первых дел Юли, пожалуй, самое запутанное, сложное и вместе с тем интересное. Лора тоже говорила о том, что она не сумасшедшая. Люди, ставшие жертвами изощренных преступников, больше всего боялись, что их примут за ненормальных, в то время как им просто морочили голову. Наверняка и этот случай из той же области.

— Я уже говорила вам, что купила квартиру поблизости от речного вокзала, трехкомнатную. Как вы думаете, сколько она может стоить?

— Смотря в каком она состоянии...

— В прекрасном. Отремонтирована, да к тому же еще и с телефоном, метраж — около сотни квадратных метров.

— Думаю, миллиона два-три...

— Вот и не угадали. Двести пятьдесят тысяч, причем в эту сумму вошла и оплата агенту.

— Вы шутите... Таких цен уже нет.

— Я тоже так думала. Когда агент привез меня на эту квартиру и я увидела ее, я, еще не зная цену, сразу же заявила ему, что у меня таких денег нет... И когда он назвал мне цифру, я подумала, что он попросту издевается надо мной...

— Извините, надеюсь, что ко мне вы пришли не для того, чтобы поговорить о ценах на недвижимость? Вы нашли какой-то крупный недостаток в этом жилище? Что-нибудь произошло?

— Да, произошло. Нет, вы не подумайте, трубы не потекли, крыша тоже, и потолок не обрушился... Здесь ДРУГОЕ. Понимаете, в моей квартире стали появляться какие-то чужие вещи. Женские вещи, точнее. А в прихожей на полу я обнаружила как-то капли крови, СВЕЖЕЙ крови... Словно у кого-то из носа пошла кровь... и следы вели к двери. В другой раз кровь была разбрызгана в спальне, прямо на зеркале.

— Мистика? — не смогла не улыбнуться Юля, которая не поверила ни единому слову посетительницы.

Похоже, у нее и впрямь было не в порядке с головой.— Вы верите в мистику?

— До сих пор, во всяком случае, не верила, но тогда объясните мне, ЧТО ЭТО ТАКОЕ?

— Вы хотите, чтобы мы нашли человека, который подбрасывает вам эти вещи и разбрызгивает кровь по квартире? Быть может, у вас есть враги или недоброжелатели, которым удалось снять слепки с ваших ключей и которые в ваше отсутствие бывают в квартире? Можно ли забраться на ваш балкон с улицы или от соседей?

— Балкон есть, но он высокий... Нет, забраться нельзя.

— А вы не спросили вашего агента, почему квартира стоит так дешево? — Этот вопрос показался Юле куда более важным, чем явно придуманные впечатлительной женщиной брызги крови на зеркале.

— Спросила, конечно. Он сказал, что хозяину нужно срочно уехать из города, у него в Москве умер кто-то из родственников... Я-то сама хозяина не видела, потому что документы подписывал по доверенности агент, Саша. Да и к чему мне было знакомиться с бывшим хозяином квартиры? Я была настолько потрясена этой сделкой, так обрадована, что мне было ни до кого... А Саше в благодарность я подарила бутылку хорошего коньяка... Думаю, он до сих пор жалеет о том, что не продал квартиру хотя бы за миллион.

Юля тряхнула головой. Что-то здесь было не так. Где это видано, чтобы квартиры в элитном районе продавали за бесценок, и как могло вообще случиться, что ее не приобрела сама риэлторская фирма, чтобы потом перепродать кому-нибудь втридорога?! Ведь практически все продающиеся квартиры находятся у них под контролем, рынок недвижимости полностью перешел из частных рук к риэлторам.

— Вы все расспрашиваете меня о квартире, словно забыли уже о том, С ЧЕМ я к вам пришла... Вот представьте себе. Вы приходите домой, идете в ванную комнату мыть руки, включаете там свет, открываете дверь и вдруг видите прямо на зеркале капли крови... Скажите, неужели это не произвело бы на вас никакого впечатления?

Веки посетительницы покраснели, а ярко-голубые глаза стали наполняться слезами. Порозовел и кончик носа, и уже спустя несколько секунд перед Юлей сидело испуганное насмерть существо. Юле даже показалось, будто Лариса уменьшилась в размерах, а во всем ее трогательно-нежном облике появились детские черты.

— Предположим, что я вам поверила. Тогда расскажите, какие вещи конкретно вы обнаружили у себя в квартире и когда?

Лариса с готовностью достала из сумочки целлофановый сверточек и осторожно, с извиняющимся видом, словно наперед знала, что делает что-то недопустимое, положила его прямо на стол.

— Что там? Разверните, я же не вижу.

Она развернула, и Юля увидела прозрачный матово-дымчатый комочек нейлона.

— Чулки?

— В том-то и дело, что чулки. Понимаете, я НИКОГДА не ношу чулок, а тем более таких, как эти, с резинками... Подруг, которые могли бы, скажем, забыть их в моей квартире, у меня нет, я еще ни с кем не сдружилась настолько, чтобы приглашать в гости, а если предположить, что все-таки кто-то заходил, точнее, вломился, тогда непонятно, почему он ничего не украл... Ведь я проверяла — все на месте, представляете?!

— Какие интересные вещи вы мне рассказываете и... показываете.

Юля встала, обошла стол и, склонившись, внимательно посмотрела на чулки. Женщина, которая носит подобные изящные вещицы, обладает хорошим вкусом и явно не бедствует. И это пока все, что можно было сказать. Другое дело, каким образом эти чулочки оказались в квартире Ларисы Белотеловой?

— Это все?

— Нет. Еще сорочка. Розовая. Но я ее не принесла, она бы не поместилась в сумке. А еще крохотный золотой крестик на тоненькой цепочке, он у меня здесь, в кошельке...

— Вы хотите, чтобы мы проследили за вашей квартирой? — спросила Юля, разглядывая цепочку и крестик, сверкающие на ладони Ларисы.

— Сначала я хотела этого, но теперь, когда уже несколько ночей не сплю и вздрагиваю от каждого звука, мне кажется, что дело не в квартире...

Юля уже ничего не понимала. Неужели эта женщина думает, что появление в ее доме чужих женских вещей и крови — результат действия нечистой силы?

— Я вижу, что вы мне не верите... Извините... — Лариса резко встала и, слегка покачнувшись, схватилась за голову. — Кружится... Признаться, мне этот визит дался нелегко... Я чувствовала, что только напрасно потеряю время, потому что мне никто не поверит...

— Но ведь вы же еще ничего не сказали мне. Что мы можем для вас сделать? Выяснить, кто является хозяйкой этих чулок и золотого крестика?

— Должно же быть всему этому какое-то разумное объяснение! Я прошу у вас помощи и готова заплатить за работу. Если понадобится, я отдам вам ключи от квартиры и создам все условия, чтобы кто-нибудь из вашего агентства провел у меня ночь... Уверена, что вы сами будете шокированы не меньше моего, когда увидите, что там происходит...

— А голоса? Вы не слышите никаких голосов?

— Слышу. А ведь вы спросили об этом не без издевки? Я понимаю вас, мой рассказ выглядит по меньшей мере НЕУБЕДИТЕЛЬНО... Голоса... Да, безусловно, я слышу их. Точнее, не голоса, а ГОЛОС. ЖЕНСКИЙ. Это стон или крик, но явно отдаленный...

— А вам не приходило в голову, что кто-то хочет свести вас с ума? Способ довольно известный. Быть может, я повторяюсь, но все же: вспомните, есть ли у вас враги?

Юля говорила это вяло и откровенно скучала. После того как Лариса ответила на вопрос о голосах, интерес к посетительнице угас: либо шизофрения, либо чья-нибудь изощренная инсценировка, направленная на то, чтобы свести с ума новую хозяйку квартиры.

— Враги у меня, может, и были, но только уж больно далеко отсюда, в Петрозаводске. И никто не знает о том, что я перебралась сюда.

— Ну что ж, мне все понятно. Сейчас я ознакомлю вас с нашими условиями, посоветуюсь в шефом, выясню, когда к вам лучше подъехать, и начнем работать...

Юля назвала сумму аванса, и была слегка удивлена, когда Белотелова с готовностью достала из сумочки деньги и отработанным быстрым движением кассира отсчитала необходимое количество стодолларовых банкнот. Посетительница с такой легкостью расставалась с деньгами, что этому могло быть только два объяснения: либо эти деньги упали ей с неба, либо ее до такой степени замучили кошмары, что она готова отдать последнее, лишь бы только от них избавиться.

— Подождите меня здесь, я сейчас оформлю и принесу вам чек. — Юля вышла из кабинета и направилась к Крымову.

— Полтергейст, привидения, паранормальные явления — словом, «Секретные материалы»... — сказала она ему с порога, бросая на стол пачку денег.

Крымов, сощурив свои ультрамариновые глаза, улыбнулся, откинулся на спинку стула и потянулся, расправляя мышцы рук и ног. Его рыжие замшевые башмаки смешно, по-клоунски, выглядывали из-под стола.

— Юлечка Земцова собственной персоной. Приятно видеть и тебя, и эти денежки...

Как же она сейчас ненавидела его, и как же больно ей было видеть его самодовольное, ухмыляющееся лицо, которое еще совсем недавно было для нее самым дорогим, самым прекрасным... А эти глаза? Она могла бы сутками смотреть в них, испытывая сладкое головокружение, но теперь все это было в прошлом, теперь Крымов принадлежит только Щукиной. Бред! Она до сих пор не могла привыкнуть к этой мысли и часто ловила себя на том, что присутствие Крымова мешает ей сосредоточиться на работе, ее мысли разлетались, а речь почти отнималась... А иногда Юле казалось, что она здесь, в агентстве, и вовсе лишняя. Что ее неприязненные отношения со Щукиной, которые просто невозможно было скрыть, всем бросаются в глаза и вызывают если не раздражение, то уж точно усмешку. У того же Крымова.

Внезапно ухмылка исчезла с его лица, оно стало серьезным и даже озабоченным.

— Ты что? — Он встал, быстрым движением подошел к ней и привлек к себе, но, почувствовав сопротивление, еще сильнее сжал ее. — Ну, успокойся, не будь злой кошкой...

Он хотел, видимо, сказать еще что-то, но в коридоре послышались шаги, и едва он успел вернуться на место, как в кабинет без стука вошла Надя Щукина. С видом хозяйки она подошла к столу и, не обращая никакого внимания на стоявшую рядом с ней Юлю, произнесла самым обыденным тоном, как если бы они были вдвоем с Крымовым:

— Мы будем обедать здесь, в «Клесте» или поедем домой?

Юля почувствовала, как лицо ее запылало от стыда и унижения. Не помня себя от переполнявших ее чувств, она выбежала из кабинета и по дороге в приемную столкнулась с Игорем Шубиным.

Она хотела сказать ему, что больше не может оставаться здесь ни минуты, что эти стены давят на нее, что голос Крымова, доносящийся из-за двери его кабинета, действует ей на нервы и лишает последних сил и что ей сейчас больше всего на свете хочется сесть на поезд и поехать к маме в Москву, но ничего этого она почему-то не произнесла вслух. Она просто уткнулась лицом ему в грудь и разрыдалась. И Шубин, который понимал ее без слов и страдал из-за того, что их зарождавшиеся отношения закончились полным крахом и отказом Юли выйти за него замуж, обнял ее:

— А я всегда считал тебя сильной... Успокойся, вытри слезы, у тебя есть платок? Ты должна хорошо выглядеть...

Она подняла голову и посмотрела на него с недоумением, как бы спрашивая, зачем это ей выглядеть хорошо, когда на душе так тошно и хочется умереть, и услышала:

— Там к тебе пришли... Заканчивай со своей клиенткой и возвращайся в приемную.

* * *

Он по ошибке зашел в женский туалет, и первое, что ему бросилось в глаза, это вид двух бледненьких и щупленьких девиц, подпирающих крашеные зеленые стены и дымящих сигаретами с сознанием своей взрослости и выражением лица, свидетельствующим об утомленности не только физической, но и, похоже, хронической усталости от жизни вообще.

— Ты куда, дядя? — спросила у Корнилова одна из них — упакованная в черную кожу (обтягивающие стройное тело брюки и жилетка поверх белой водолазки) и увешанная звенящими цепями, — сплюнула себе под ноги, после чего грязно выругалась и запустила в него бумажным шариком.

— Извините, девочки, здесь на двери нет никаких опознавательных знаков, а я в вашей школе первый раз. Кстати, вы не могли бы выйти со мной отсюда, а то как-то неудобно здесь разговаривать...

Девица в черной коже хмыкнула. В ее глазах зажглось любопытство, смешанное с желанием показаться опытной женщиной в глазах незнакомого солидного мужчины.

— А вы, собственно, кто?

— Я следователь прокуратуры, Корнилов Виктор Львович. Расследую дело об убийстве Льдова... Вы были с ним знакомы?

— Пошли, Ольк... — произнесла хрипловатым голосом «кожаная» девица, резко направляясь к двери. — Этот мент еще загребет нас...

Вторая, в джинсах и черном свитере, щелчком отправив погашенный о стену окурок в сторону урны, покорно двинулась к выходу.

— Девочки, куда же вы? — Виктор Львович поймал вторую девицу за руку, и они вместе вышли в коридор. Залитый солнцем, он никак не располагал к разговору о смерти. Но она еще витала здесь, ее примета — портрет Вадима Льдова в черной рамке, помещенный на обшитом красным сатином постаменте в центре коридора и украшенный букетиками из живых тюльпанов, — бросалась в глаза и казалась чем-то противоестественным, зловещим и словно предупреждала о нависшей над всей школой беде.

— Да пошел ты! — Девица рванула руку, но Корнилов крепко держал ее.

— Где это тебя учили так разговаривать со взрослыми? Где? — спросил он спокойно, словно уже привык к подобному обращению.

Она ответила. Одним словом. В рифму. Грязно. Словно ударила плетью по лицу. Корнилов даже покраснел. За нее.

Коридор тянулся вдоль прямоугольника школы по периметру, где-то за углом находился класс, ключ от которого ему дала директриса школы Иванова Галина Васильевна, чтобы он мог там беседовать с одноклассниками Льдова.

Похороны Вадима были назначены на завтра, все в школе да и микрорайоне только об этом и говорили, а вот родители Льдова к Корнилову так и не пришли. Ему передали, что они не хотят ни с кем обсуждать смерть сына и, главное, не желают тратить время «на пустые разговоры». Он все утро думал об этом.

Слегка подтолкнув девушку к двери, он сделал знак другой следовать за ними.

— Входите, здесь вас не укусят. По-моему, вы и сами кого хотите разорвете... Тебя как зовут?

— Лена, — ответила девушка в цепях. Теперь она демонстративно жевала жвачку и смотрела на Корнилова немигающим взглядом жирно подведенных нахальных глаз. — Тараскина. Девятый «Б».

— А тебя?

— Оля Драницына, тоже девятый «Б», — ответила девушка в черном свитере. В отличие от подружки, превратившей свое худенькое детское лицо в размалеванную маску женщины-вамп, Оля выглядела (если бы не сигарета, с которой застал Корнилов ее в туалете) милой розовощекой девочкой-паинькой. Большие голубые глаза ее блестели, а между красными, без помады, пухлыми губами светилась белоснежная полоска здоровых зубов.

— Значит, мне повезло? Вадим учился в вашем классе?

— Значит, — ответила Лена. — Но мы не знаем, кто его убил. Вадим был хорошим парнем, авторитетным, хорошо учился, никого не доставал, с учителями ладил...

— А где ты научилась так ругаться матом?

— Нигде. На улице. Мы ничего не знаем, так что отпустите нас. Занятия закончились, нам пора домой, ДЕЛАТЬ УРОКИ...

— А ТЫ, Оля, что можешь сказать о Вадиме?

— Ничего. — Она опустила глаза и поправила рукой упавшие на лицо волосы, которые блестящей шафранной волной покрывали плечи и грудь. Это была красивая девочка, вот только непонятно, почему она повиновалась Лене. Это было видно невооруженным глазом.

— Он дружил с кем-нибудь из девочек? — спросил Корнилов.

Лена хмыкнула.

— Он со всеми дружил, — ответила она за Олю.

— Как это? Ну, была же у него девушка, которая нравилась ему больше всех?

— Не было.

— Оля, почему ты молчишь?

— А что говорить, если Лена вам и так все правильно сказала.

Корнилов отпустил их. Они явно что-то скрывали, но сейчас, очевидно, еще рано было о чем-то говорить, слишком свежая была рана на душе — подружки наверняка были влюблены в Льдова, как и все остальные девочки из их класса, так, во всяком случае, считала классная руководительница, Ларчикова Татьяна Николаевна.

Виктор Львович некоторое время сидел в классе один, пытаясь представить себе Вадима живого, но у него так ничего и не получилось. С минуты на минуту должны были подойти остальные одноклассники Вадима — он вызвал их на тринадцать тридцать. Очевидно, Драницына и Тараскина не пошли на физкультуру, а вместо этого болтались по школе и курили в туалете.

В дверь постучали.

— Можно? — просунул голову паренек с веселыми темными глазами. — Нам сказали, что вы будете с нами разговаривать...

«В каждом классе, — подумал Корнилов, — есть такие веселые непоседы, задающие всевозможные вопросы и играющие роль шута, они всегда в курсе всего, на короткой ноге с «классной» — одним словом, «шестерки». Он знал этот тип людей, а потому не поверил ни улыбочке парня, ни его готовности рассказать все, что знает. Да и вообще, как можно объяснить эту улыбку, разве что как нервическую, близкую к истерике? Но навряд ли ЭТОТ будет убиваться по однокласснику. Он наверняка радуется в душе, что одним авторитетом в классе стало меньше, а это означает повышение его шансов занять место отличника и красавчика Льдова...

Корнилов снова попытался представить Вадима живым, но перед глазами стояло изуродованное смертью, потемневшее лицо, которое он видел в морге...

— Заходи, с тебя и начнем.

Паренек вошел, остановился, и улыбка сошла с его

лица. Он даже побледнел. Невысокий, русоволосый, в теплой фланелевой куртке цвета желтка.

— Тебя как звать?

— Виктор Кравцов. Я был его другом.

— Я так и понял. Ну что ж, Виктор, давай поговорим...

* * *

Людмила Борисовна курила на кухне. В квартире толпился народ — все, кто знал их семью, пришли попрощаться с Наташей. Несколько раз звонил Корнилов, просил разрешения приехать. Голубева отвечала ему мягким и в то же время упорным отказом — к чему теперь, когда Наташеньки нет, эти разговоры о ее подростковых привязанностях, друзьях и любовях? Зачем отдавать в руки бесстрастного следователя последнее доказательство того, что в этих стенах жила и дышала юная душа, исполненная сильных чувств и погибшая, не выдержав бремени собственных страстей? Все это слишком интимно и чисто, чтобы потрясать предсмертной запиской у него перед глазами. Главное, что Наташу не убили, а это означает, что никакого преступления не было. Чего же еще? И при чем здесь прокуратура?

О существовании записки не знал даже муж, отец Наташи, Андрей Голубев. Возможно, останься Вадим жив, он захотел бы встретиться с ним и разобраться, а если потребуется, то и...

Она вздохнула, представив себе, что могло бы произойти, если бы Вадима не убили. Ведь это из-за него, мужчины молочной спелости, погибла ее единственная дочь, которая была влюблена в него до беспамятства, до бреда по ночам, до судорожных рыданий... Людмила не могла припомнить, чтобы она сама когда-нибудь, а тем более в таком юном, четырнадцатилетнем возрасте так остро переживала любовные потрясения. Мальчик может нравиться, его можно желать лишь губами и умом, но ведь не больше! Хотя про Вадика говорили, что он живет чуть ли не с классной руководительницей... Нет, этого не может быть! И в то же время, устроить молоденькой смазливой учительнице ловушку-провокацию — при нынешнем-то развитии детей — сущий пустяк! Что стоило запереть ее в классе с Вадимом и сделать несколько снимков в тот самый момент, когда Ларчикова попытается оттолкнуть от себя расшалившегося, разошедшегося не на шутку, распаленного Льдова? Тем более что такой снимок уже существует. И показывала его Людмиле сама Наташа. Но не плакала, а злилась, называла Льдова мерзавцем, подлецом... И все же продолжала любить его.

Людмила Борисовна не заметила, как сигарета потухла в ее руке. Она вновь стала слышать голоса (кто-то приходил, уходил, плакал, причитал, а в воздухе и лицах присутствующих чувствовался немой вопрос: почему?); на плите шумел чайник, который кто-то поставил неизвестно для кого...

Она встала и заперла кухонную дверь. Ей надо было немного побыть одной. Достала из кармана смятую в судорожном движении (еще там, в спальне, куда она пришла, чтобы разбудить Наташу) записку — синие каракули на тетрадном листе: «Вадим Льдов предал меня. Я не хочу больше жить. Простите меня все». Это был почерк дочери. Да и фраза «Вадим Льдов предал меня» произносилась в последнее время довольно часто. Никаких сомнений — Наташа отравилась из-за любви. Но справедливость восторжествовала. Теперь уже и Льдова не было в живых. В двух кварталах отсюда в одной из квартир панельного дома тоже собрались люди в черных одеждах, чтобы проститься с Вадиком...

— Люда, открой дверь, — услышала она взволнованный голос мужа, встала, спрятала записку дочери в карман и поспешила открыть дверь.

— Со мной все в порядке, — сказала она, глядя на бледного, с черными кругами под глазами, Андрея, обнимая его в порыве благодарности за то, что он вообще есть. — Просто хотелось немного побыть одной... Знаешь, мне не верится, что ее больше нет. Я словно слышу ее голос, и он такой жалобный...

Она хотела слез, собственных слез, чтобы облегчить свои страдания и ту боль, которая мешала дышать и давила на грудь и горло ледяным острым комом. Поэтому и растравляла себя придуманными слуховыми галлюцинациями.

— Пришел Корнилов, следователь, — проронил Андрей, словно извиняясь. — Я ему сказал, что ты никого не хочешь видеть...

— Да нет, я выйду к нему, конечно. Он на работе, и я не имею права так вести себя... Пойдем, ты проводишь меня к нему.

Людмила машинально достала из рукава смятый платочек и, повернувшись к висящему на стене зеркалу, обмахнула лицо.

И все же все это сильно смахивало на сон, сейчас она проснется и увидит Наташу, спросит дочку, как ей спалось, что приснилось...

Она вышла из кухни вслед за мужем и, только увидев заплаканные лица родных, поняла, что это не сон, что они пришли сюда словно в подтверждение того, что Наташа уже никогда не проснется.

— Примите мои соболезнования, — услышала Людмила и поняла, что этот высокий голос принадлежит, как ни странно, мрачноватому человеку с мужественным лицом. Глубокие морщины, впалые щеки и опущенные уголки губ делали его похожим на усталого, загнанного насмерть отощавшего пса. — Виктор Львович...

Он крепко и как-то по-мужски заботливо и осторожно, двумя руками, сжал маленькую ладошку Людмилы.

— Вы пришли, чтобы...

— Нет-нет, что вы... Я пришел только потому, что должен был прийти. Но мучить вас расспросами сейчас не собираюсь. Вы знаете, что там, внизу, собрался весь класс... Вернее, половина класса, потому что вторая половина сейчас возле дома Льдова. Какое жуткое совпадение.

— Никакого совпадения. Тем более что Вадика убили, а Наташа сделала это сама. Вы не думайте, со мной можно сейчас говорить о чем угодно, быть может, потому, что я еще не поверила в происшедшее... В истерике я не забьюсь.

— Скажите, а в каких отношениях были Наташа с Вадимом?

— В нормальных, ровных. Он нравился ей, конечно, так же как всем остальным девочкам.

— Она не оставила записки?

— Нет, не оставила. Что касается причины, то мы не ссорились, в классе к ней относились с уважением, с учителями она не конфликтовала...

— Если вы что-нибудь вспомните, позвоните мне. — Корнилов сунул ей в руку визитку. — И еще раз — извините меня, пожалуйста...

Он, пятясь, смешался со стоящими в прихожей людьми, оставляя Людмилу одну среди этих нещадных траурных декораций, странных тошнотворных запахов, гула... Она хотела броситься вслед за ним, чтобы он взял ее с собой и вывел из этого кошмара на улицу, на свежий воздух, в реальность, но ноги сами привели ее в большую комнату, где все, расступаясь перед ней, расчистили ей дорогу к гробу, в котором лежала бледненькая, с грустным личиком, Наташа.

Глава 2

Юля договорилась с Белотеловой встретиться вечером у нее дома. Пусть даже у дамочки проблемы с головой, но, раз человеку требуется помощь, почему бы не оказать ее? Другое дело, что заниматься подобными НЕРЕАЛЬНЫМИ вещами — пустая трата времени. Разве что только таким образом можно отработать полученный аванс...

Бедняжка обрадовалась, когда поняла, что в агентстве заинтересовались ее делом и что она эту ночь или вечер, быть может, проведет не одна.

— Вот увидите, я ничего не придумываю... Хотя, если вдруг окажется, что нет никакой крови и сорочек, это еще не будет означать, что я вас обманула... Ведь ЭТО появляется не каждый день.

— Конечно, не переживайте так... — Юле вдруг показалось, что Лариса Белотелова послана ей не случайно, а словно для того, чтобы на фоне ее проблем собственные огорчения показались сущим пустяком. Ну в самом деле, мужчина, которого она любила, решил жениться на другой! Такое случается сплошь и рядом. Надо это просто пережить. А сделать это можно безболезненно, лишь упорно работая и стараясь не замечать вокруг себя счастливых лиц Крымова и Щукиной. В сущности, любовь зла, это и ребенку понятно. И никто не виноват в том, что Крымов влюбился в Надю.

— Так я вас жду в восемь?

— Договорились. — Юля проводила клиентку до двери и вернулась в приемную, где ее, по словам Шубина, кто-то ждал.

На залитом солнечным светом диване сидел, закинув ногу на ногу, мужчина лет сорока пяти в светлом костюме. У него был вид человека, который далеко не каждому расскажет о причине своего визита. Он явно был критически настроен и, похоже, все то время, что дожидался Юлю в присутствии Шубина, молчал. Во всяком случае, это было написано на его гладко выбритом ухоженном лице и читалось в холодных серых глазах. Увидев Земцову, он тотчас встал.

— Это вы ко мне? — спросила она, пытаясь понять, видела ли она раньше этого человека или нет. Кажется, нет.

— Да, я. Мы можем поговорить где-нибудь наедине?

Юля успела поймать возмущенный взгляд Шубина, курившего у окна и старавшегося делать вид, что ничего не видит и не слышит.

— Разумеется. Пойдемте ко мне.

Анна Данилова

И вот она снова в своем кабинете, откуда только что вышла Белотелова, оставив после себя тонкий аромат духов.

— Я слушаю вас. — Юля жестом пригласила поситителя сесть в кресло и даже придвинула ему пепельницу.

— Моя фамилия Зверев. Вы меня не знаете и, конечно же, не помните. Хотя мы виделись с вами однажды в ресторане «Клест», что на углу Бахметьевской и Ильинской. Вы ужинали там с Ломовым, а я как раз приезжал туда по делам...

Юля вспыхнула, щеки ее залил горячий румянец стыда: что может знать этот человек об их романе с Ломовым?

— Вы были знакомы с ним? — спросила она, боясь посмотреть ему в глаза. История их отношений с Ломовым являлась одним из самых постыдных и трагических эпизодов в жизни Юли. Надеясь найти в Ломове, человеке большого ума и одновременно порочном до мозга костей, мужчину своей жизни, Юля позволила себе увлечься им и чуть не поплатилась за это жизнью. И она погибла бы, если бы ее не спас ее бывший подзащитный Зименков, оказавшийся так вовремя в том жутком подвале...

От нахлынувших воспоминаний ей стало не по себе.

— Я не помню вас, — только и сказала она. — Ваш приход как-то связан с делом Ломова?

— Нет, мой приход связан только с вами, Юля. Я бы хотел пригласить вас сегодня поужинать со мной.

— И это все? — Она была удивлена. Работая рядом с Крымовым и находясь под гипнозом своих чувств к нему, она, оказывается, забыла напрочь о существовании других мужчин. Шубин не в счет. Шубин — свой человек, он тоже всегда рядом, а при таких условиях сложно оставаться для него только женщиной.

— А вы бы предпочли, если бы я нанял вас проследить за своей женой?

— А почему бы и нет... — Она грубо зондировала почву. — Каждый занимается своим делом.

— А действительно, почему бы и нет?.. — Он грустно усмехнулся. — Можно начать наше знакомство и с этого. Чем не причина для частых встреч, звонков, бесед?..

«Значит, женат, — поняла она. — Тем лучше».

— Тогда давайте начнем работать. — Юля, тихонько вздохнув, придвинула к себе толстый новый блокнот, первая страница которого была исписана сведениями о Белотеловой, и перевернула лист. — Фамилия, имя, отчество вашей жены, адрес, место работы.

— Земцова Юлия Александровна, улица Абрамовская, частное сыскное агентство...

Она швырнула ручку и встала.

— Знаете что, время у меня ограничено. Скажите, разве я давала вам повод для подобных шуток? Или, возможно, тот факт, что вы видели меня в ресторане с Ломовым, дает вам право приударять за мной таким грубым образом?

— А что считается не грубым образом? Я, признаться, не искушен в подобных вещах, но если бы у меня было время подготовиться и попытаться представить себе, что могло бы поразить ваше воображение, то я бы непременно так и поступил... Но я был чертовски занят, я мотался по стране, работал как проклятый, пытаясь везде успеть...

— О чем вы? — сбитая с толку, Юля ничего не понимала.

— Да просто я не могу себе простить того, что уехал отсюда без вас.

— А почему вы должны были уехать со мной?

— Потому что чувствую глубокую внутреннюю связь между нами. Понимаете, мы совершенно не знакомы друг с другом, вы ничего не знаете обо мне, я — о вас, но тогда как же объяснить, что я постоянно думал и думаю о вас, представляю вас у себя дома и даже мысленно разговариваю с вами. Мне кажется, все это не случайно. Как не случайна и смерть Ломова. Он не должен был оставаться с вами. Меня не интересуют подробности ваших с ним отношений и его смерти, для меня важен лишь факт, что вы не вышли за него замуж, что вы не вышли замуж и за Крымова, не стали женой Шубина...

— Вы что, следите за мной?

— Конечно. По мере возможности. А как же иначе? Юля, я взрослый человек, занятой, для меня, в отличие от многих в этом городе, время не бежит, а ЛЕТИТ...

— Чем вы занимаетесь?

— Всем понемногу.

— И все же?

— Компьютеры, живые цветы, золото...

— А почему же я никогда и ничего не слышала о вас? У нас не такой уж большой город, чтобы человек, занимающийся одновременно компьютерами, цветами и золотом, где-нибудь не засветился...

— Дело в том, что я большую часть года провожу в Москве... — Он выдохнул, как если бы его только что заставили признаться в чем-то таком, о чем он при других обстоятельствах говорить не стал. — А здесь, в С., у меня дочерние фирмы.

— И что же вы хотите от меня?

Он некоторое время смотрел на нее пристально, думая о чем-то своем, после чего встал и вдруг, резко подавшись вперед, настолько приблизил к ней свое лицо, что она, не успев ничего сообразить, почувствовала на своих губах нежное и осторожное прикосновение. Он поцеловал ее! Это было неслыханно! Совершенно незнакомый ей человек пришел в агентство, объявил всем, кто там был, что он пришел именно по ее душу, дождался, пока она освободится, и, оставшись с ней наедине, наговорил бог знает что и поцеловал ее в губы!

— Я, конечно, идиот... — Он замотал головой и, бормоча что-то себе под нос, почти выбежал из кабинета.

Его шаги резонировали с буханьем ее сердца. Стало вдруг необычайно тихо. Так бывает после того, как люди наговорят друг другу уйму непростительных и обидных вещей. А ведь ничего подобного не произошло. Просто Зверев пришел к Юле, чтобы признаться ей в своих чувствах. И что же здесь плохого? Может, влюбился человек?

В дверь постучали. Это был Шубин.

— Ты знаешь его? — спросил он.

— Нет. Сегодня впервые увидела, хотя он утверждает, что встречал меня в «Клесте» с Ломовым.

— Как его зовут?

— Его фамилия Зверев.

— У него дело?

— Да...

— Какое?

Шубин ревновал, это невозможно было не почувствовать. А еще он разволновался, скулы его порозовели, а глаза потемнели не то от гнева, не то от переполнявшего его чувства собственного достоинства. Он ни на минуту не переставал страдать от равнодушия Юли, как не переставал и надеяться на ее взаимность.

— Он спросил меня, во что ему обойдется слежка за его женой. Думаю, что ему кто-то порекомендовал меня, потому что, повторяю, мы лично с ним незнакомы. Не смотри на меня ТАК... Ты не должен ревновать меня ко всем нашим клиентам. Успокойся, думаешь, я не вижу, что с тобой происходит? Мы все на пределе... И Щукина тоже. Я не верю, что она спокойна. Вот только не понимаю, зачем ей было заходить в кабинет Крымова как раз в тот момент, когда там была я, и спрашивать его тоном заботливой женушки, где его светлость будет обедать...

Кажется, ей удалось сменить тему разговора и перейти от Зверева к Крымову.

— Ты что, Щукину не знаешь? Бог с ними, я приглашаю тебя пообедать, а заодно расскажу об одном звонке... Ты слышала, наверно, о самоубийстве девочки из семьдесят шестой школы?

* * *

Ларчикова Татьяна Николаевна, классная руководительница 9 «Б», после двойных похорон пригласила нескольких девочек к себе домой. С кладбища в город их привез школьный автобус.

Уже дома, разливая дрожащими руками по чашкам чай, она смотрела на заплаканные лица Тамары Перепелкиной, Вали Турусовой, Кати Синельниковой и Жанны Сениной и пыталась угадать, видел ли кто из девочек те снимки, которые теперь уже свободно ходили по школе и явились поводом для ее предстоящего увольнения.

— Татьяна Николаевна, — наконец сказала, шмыгнув по-детски носом, Валя Турусова, худенькая высокая девочка с длинными кудрявыми волосами, отличница, которую уважали в школе не только учителя, но и одноклассники за ум и способность ясно, как никто, выражать свои и чужие мысли. Пожалуй, это была единственная девочка из всей школы, которая, будь у нее посостоятельнее родители, могла бы экстерном закончить не только школу, но и университет и вообще получить какой-нибудь престижный гранд или уехать учиться за границу. А так ей приходилось учиться рядом с посредственностями, да еще и находить с ними общий язык, чтобы ее хотя бы не трогали. Валя была остра на язычок и иронизировала по каждому поводу, часто балансируя на грани черного юмора.

— Татьяна Николаевна, чего скрывать, мы все видели эти снимки, но никто из нас, — она обвела взглядом присутствующих, — не поверил в то, что вы делали это по своей воле...

— А что ты имеешь в виду? Что именно я не делала по своей воле? Он вошел ко мне в класс, когда уже стемнело. Я даже не поняла, что произошло, потому что все было проделано очень быстро... Он был голый... Вадик... Совсем без одежды! Он набросился на меня сзади, запрокинул голову и так наклонил назад стул, что я могла упасть и сломать себе позвоночник...

А в это время Кравцов защелкал фотоаппаратом. Вот и получилось, будто мы со Льдовым целуемся... А ведь я в это время думала только о том, чтобы не упасть.

— Хоть и не полагается говорить о покойниках плохо, но Льдов был непредсказуемым и очень опасным типом. Лично я его всегда боялась, — подала голос миниатюрная шатеночка Катюша Синельникова, которая (и всем это было известно) была влюблена в Виктора Кравцова, близкого друга Льдова, и старалась при каждом удобном случае представить своего возлюбленного как жертву Вадима. — Вы, Татьяна Николаевна, ни в чем не виноваты, а потому должны ходить с высоко поднятой головой. На вашем месте мог оказаться кто угодно... А тот снимок, где вы оба голые... — Она покраснела. — Так это и дураку понятно, что монтаж.

— Я тоже считаю, что Льдову досталось поделом. Не знаю уж, кто его убил, но, значит, было за что. Мне больше всего Наташу жалко. А еще как-то страшно... А что, если и ее тоже убили? Маньяк какой-нибудь влез к ней в окно и заставил ее выпить яд? — предположила Валя.

— Девочки, я что, собственно, пригласила вас... — Татьяна Николаевна достала из серванта большую коробку шоколадных конфет, открыла ее и предложила ученицам. — Мне вскоре понадобится ваша поддержка, и очень серьезная... Возможно, на меня заведут уголовное дело, и тогда мне нужны будут свидетели. Вы понимаете, о чем идет речь?

— Уголовное дело? Но почему? — Ярко накрашенное личико Тамары Перепелкиной побледнело. — Что вы такого сделали? Вы что, ударили его?

— Татьяна Николаевна, если потребуется наша помощь, мы всегда с вами, — проговорила, набивая рот шоколадом, тихая подхалимка Жанна Сенина, «шестерка», прихвостень Перепелкиной. — Даже чего не было, все равно скажем.

— Конечно, скажи, Валь, — подтвердила Тамара, обращаясь к авторитетной Турусовой, прекрасно понимая, что «класснуха» пригласила их к себе домой неспроста, что она еще не все сказала и что уголовное дело, о котором она заикнулась, возможно, и не имеет никакого отношения к снимкам, хотя наверняка связано с убийством Льдова. Иначе как объяснить этот дорогостоящий шоколад и блеск в глазах Ларчиковой, которая пока еще не созрела для более подробных разъяснений, но вот-вот разразится новыми признаниями. Она явно собирается подкупить свидетелей, вот только свидетелей ЧЕГО, какого факта или события, способного оправдать ее проступки?

Тамара Перепелкина искуснее всех в классе красила ресницы, накладывала макияж и, как ни странно, лучше других разбиралась в людях. Нащупать тонкие струны души с тем, чтобы сыграть потом на них похоронный марш чужим амбициям, было ее излюбленным занятием, доставляющим ей неслыханное удовольствие и придающим ее сущности приятную тяжесть растущего уже не по дням ЕЕ авторитета. Понимая, что в интеллектуальном плане ей не догнать Валечку Турусову, Тамара зато знала, что может дать ей сто очков вперед по части внешности и сексуального опыта, который только за последний год обогатился двумя значительными и продолжительными связями со взрослыми мужчинами. Ведь, в отличие от Томы, Валя вела довольно вялую интимную жизнь, ограниченную редкими встречами с каким-то нищим художником, мнившим себя, конечно же, гением.

— Девочки, я пока не могу вам сказать, что именно надо будет говорить на суде (если он вообще будет!), но мне бы хотелось предварительно заручиться вашей поддержкой. Я же, со своей стороны, обещаю вам молчание другого рода... — Теперь учительница смотрела на притихших девочек совершенно другим взглядом, не любопытствующим, а испытующим и довольно жестким, как смотрит человек, наделенный вполне определенной властью и готовый в любую минуту воспользоваться ею в своих целях. Ларчикова ждала реакции на произнесенные ею слова, и эта реакция незамедлительно последовала: Тамара Перепелкина густо покраснела, первой догадавшись, о чем идет речь, чем можно шантажировать уже их самих. Ясное дело, Ларчикова, эта опасная во многих отношениях стерва, которая, наверное, по воле дьявола оказалась в детском учреждении, имела в виду Иоффе, бывшего школьного сторожа, вот уже целый год живущего в деревне у сына и сдающего свою городскую квартиру тете Вале, школьной уборщице. Большая любительница выпить, Валентина за бутылку предоставляла эту квартиру всем кому ни попадя (в том числе и покойному Льдову и его одноклассникам и одноклассницам, о чем прекрасно знала Ларчикова) и, что самое ценное, никогда ничего не помнила: кому отдавала ключи и кто и как с ней расплачивался. Это была законченная алкоголичка, потерявшая в этой жизни все, начиная от семьи и кончая комнатой в коммуналке, которую практически отвоевали у нее соседи. В то время, когда в квартире Иоффе развлекалась молодежь, тетя Валя спала в школе, в каморке, расположенной за гардеробом.

Директор школы Галина Васильевна, которая, разумеется, ни о чем не догадывалась, терпела Валентину единственно из жалости и, несмотря на пьянство последней, за ее сносную работу: никто из остальных уборщиц так не справлялся с мытьем длиннющих коридоров и огромных классов, как это делала она. Те пятьдесят рублей, которые Валентина исправно платила старику Иоффе, окупались в несколько раз, и только оставалось непонятным, зачем же было самому Иоффе сдавать квартиру за столь мизерную сумму, да еще и такому ненадежному человеку, как Валентина, вместо того чтобы иметь с квартиры рублей пятьсот, а то и больше. Как бы то ни было, но маленький бизнес тети Вали процветал и приносил конкретные плоды — квартирка Иоффе, расположенная рядом со школой, на Васильевской улице, оказалась идеальным местом для встреч жадной до сомнительных удовольствий молодой поросли.

— О чем вы? — все же спросила Перепелкина.

— Я знаю, кто, где и когда расправился с той интернатской девочкой, которую нашли в посадках.

В комнате сразу наступила неприятная тишина.

* * *

— Значит, говоришь, брызги крови? — Шубин откинулся на спинку стула и тяжело вздохнул. Они только что закончили обедать и теперь, скучные и сонные, сидели с Земцовой за столиком ресторана «Клест», чувствуя тяжесть не только в душе, но и в желудке.

— Слушай, а почему ты пригласил меня именно в «Клест»? Потому что и Щукина с Крымовым здесь тоже обедают? Игорек, что, в городе мало ресторанов?

— Не знаю... Название нравится. Кроме того, мне бы хотелось таким образом избавить тебя от комплексов, связанных как раз с Крымовым и Ломовым. Мне бы хотелось, чтобы ничто и никогда не напоминало тебе о тех горьких минутах, которые тебе пришлось пережить из-за этих негодяев...

— А ты уверен, что мне по-прежнему нужна твоя опека? Ломов... Да я уже давно забыла о нем. А что касается Крымова, то ты же сам все прекрасно понимаешь — он каждый день перед глазами, и Щукина тоже... У меня все отболело, и давай вообще сменим тему, сколько можно...

Принесли кофе.

— Ты сама пойдешь к этой Белотеловой? — спросил Игорь после большой паузы, которая понадобилась ему для того, чтобы перевести дух после всего услышанного. «А ты уверен, что мне по-прежнему нужна твоя опека?..» Неужели это все, что он заслужил? Он переживал одну из самых неприятных минут.

— Если хочешь, пойдем вместе, — уже более примирительным тоном ответила Юля. — Хотя я более чем уверена, что у этой Ларисы проблемы с головой. Ну посуди сам — брызги крови на зеркале, какие-то чужие чулки, нижнее белье... Если вдруг мне действительно это дело покажется интересным, то нужно будет начинать с агента по недвижимости, да и то только после того, как я выясню в регистрационной палате, действительно ли квартира была куплена за ту смехотворную сумму, которую Белотелова мне назвала. Я бы и сама, признаться, не отказалась от подобной квартиры.

— А где тряпки, которые она тебе принесла в качестве вещественных доказательств?

— Чулки? У меня. Но не думаешь же ты, что я отдам их на экспертизу?...

— И все-таки — может, я пойду ТУДА с тобой?

— Да брось ты, Игорь...

— Тогда оставь ее адрес.

— Игорь! Я же не собираюсь устраивать у нее на квартире засаду!

Однако адрес она на всякий случай продиктовала, после чего, изнывая теперь уже от чрезмерной сытости и какой-то необъяснимой тоски, заныла:

— Все, мне пора. Допивай свой кофе, и пойдем отсюда, а то я сейчас еще, чего доброго, закажу пирожное с кремом или вообще усну... Обстановка уж больно располагает...

В ресторане действительно было тихо, спокойно и уютно от горящих на каждом столике желтых светильников. Посетителей в этот дневной час мало, за стойкой скучал молодой бармен, меланхолично протирающий и без того чистый и сухой стакан тонкого стекла. Да, чуть больше двух лет тому назад на фоне этих же декораций она пыталась мечтать о замужестве, о возможной семейной жизни с могучим горбуном, министром экономики области Ломовым, который оказался убийцей и извращенцем, сгубившим столько невинных жизней... И где же тогда были ее глаза? Куда подевалась интуиция да и инстинкт самосохранения? Так вляпаться!

Шубин предложил подвезти ее к Белотеловой на своей машине, но Юля отказалась. Ей хотелось пройтись пешком, прогуляться по солнечной весенней улице, благо что речной вокзал находился всего в двух кварталах от ресторана. И он поверил ей, не обратив внимания на то, что Белотелову имеет смысл навестить поздним вечером, если не ночью, и уж никак не ярким шумным днем. Игорь уехал, а Юля, которой не терпелось остаться одной, почувствовала облегчение. И хотя ей было стыдно за свои мысли и отношение к Шубину, поскольку он ни в коей мере не был виноват в ее хандре, а даже наоборот — пытался всячески помочь ей преодолеть подобное настроение, факт оставался фактом: оставшись одна, Юля словно ожила и даже прибавила шагу...

Адрес Ларисы она запомнила наизусть и нисколько не удивилась, когда спустя несколько минут увидела перед собой утопающий в зелени дом с округлыми балконами, башенками и вытянутыми готическими окнами. Да, приблизительно этот дом она и представляла, когда слушала Ларису. Но двести пятьдесят тысяч?! Какая же причина могла заставить прежнего владельца продать квартиру так дешево? Даже в случае, если он кому-то задолжал крупную сумму или ему срочно понадобились деньги для того, чтобы куда-нибудь уехать, он мог запросто продать квартиру в этом доме за миллион...

Юля, задрав голову, любовалась домом. Еще довольно новый, ухоженный, поражающий множеством дорогих, похожих на космические спутники антенн, дом этот, конечно, не мог не раздражать простых горожан, да и жильцы здесь были наверняка не простые — кто-нибудь из администрации города или области.

Дом был окружен черным ажурным забором, через который хорошо просматривался двор с цветочными клумбами, детской песочницей и восемью гаражами, также украшенными башенками. Ей показалось, что они больше похожи на бойницы, в которых можно на случай непредвиденных политических волнений установить даже пулеметы. Она так хорошо себе это представила, что испугалась, когда рядом с собой вдруг услышала мужской голос, и вздрогнула, как если бы прогремел выстрел...

Юля резко повернула голову и встретилась взглядом с миниатюрной стильной девицей во всем черном и с конским, черного же цвета, высоким хвостом, придающим ей некую несерьезность и экстравагантность.

— Вы что-то сказали? — спросила ее Юля.

— Да, — прозвучал тот же мужской голос, который, как ни странно, принадлежал этой девице. — Я спросила, не найдется ли у вас зажигалки, а то моя приказала долго жить.

— Я не курю.

— Вы так рассматриваете дом, словно видите его первый раз, — насмешливо проговорила девица, двигая намазанными жирной оранжевой помадой губами и продолжая внимательно рассматривать Земцову. — Приезжая, что ли?

— Красивый дом, да вот жаль только, что в нем живут другие... — Юля решила поиграть немного в дурочку. — Я всегда говорила мужу, что проще да и дешевле покупать уже готовые квартиры, а не строить, но разве мужчин переубедишь?

— Что верно, то верно. Но даже если бы ваш муж согласился купить готовую квартиру, то ему следовало бы это сделать чуть пораньше... Представьте, месяц тому назад у меня сорвалась такая сделка! Один человек продавал квартиру в этом доме, да так дешево, вы себе даже представить не можете. Но я опоздала ровно на полдня — меня опередил мой коллега из другой риэлторской фирмы. Я слышала, что квартира ушла за четверть цены.

Юля посмотрела на нее с недоверием — ей показалось, что девица НЕНАСТОЯЩАЯ, что это Белотелова ее наняла, чтобы придать своему рассказу правдивость: вот, мол, все знают, как дешево стоила эта квартира, на это нельзя не обратить внимания... Разве такое бывает: пару часов назад прозвучал рассказ о квартире и об агенте по продаже недвижимости, и вот она — явилась не запылилась, — риэлторша с хвостом, и говорит ведь наверняка именно о квартире Белотеловой.

— Квартира номер два? — спросила Юля на всякий случай.

— Да, а откуда вы знаете?

— От верблюда... — Юля вздохнула и, развернувшись на каблуках, решила пойти в сторону краеведческого музея, чтобы забыть на время Белотелову и эту хвостатую назойливую девицу. «Вот тебе и хандра, я ведь готова броситься на первого попавшегося человека только потому, что мне плохо...»

Она шла довольно быстрым шагом и не оборачивалась, опасаясь того, что девица увяжется за нею и ответит грубостью на грубость, но шагов позади себя Юля не услышала, а потому все же обернулась — улица была пуста.

«Чертовщина какая-то...»

За квартал от Абрамовской ее догнал на черной старой «Волге» новый знакомый, Зверев. Он пригласил ее сесть в машину и, когда она отказалась, поехал вдоль тротуара, молча сопровождая ее вплоть до самых дверей агентства.

— Послушайте, господин Зверев, это моя работа — следить за людьми, а вы должны выращивать ромашки, сдувать пыль с компьютеров и посыпать себе голову золотом... Не видите разве, что я не очень-то хочу общаться с вами?

Она говорила и словно сама не узнавала себя — откуда вдруг эта беспричинная жестокость и равнодушие?

— Вижу, но еще вижу, что у вас очень грустные глаза и что вы сильно раздражены. Если это вызвано моим присутствием, то я, конечно, уеду...

Она остановилась, перед тем как взойти на крыльцо, и, прикрыв ладонью глаза от солнца, некоторое время рассматривала сидящего в машине мужчину. Темные густые волосы, серые глаза, на которые она обратила внимание еще при первой встрече и которые сейчас почему-то приобрели зеленоватый оттенок, бледные впалые щеки и тонкие пальцы, сжимающие руль.

— Дело не в вас. Просто у меня много работы.

— Я могу вам сегодня позвонить?

— Позвонить? Куда?

— Домой, разумеется...

— У вас и телефон мой есть?

Он ничего не ответил.

— Не знаю... Позвоните, конечно, может, у меня будет настроение получше и я не покажусь вам такой букой... — Она заставила себя улыбнуться. Сейчас она войдет в агентство и увидит сияющую Щукину, которая станет демонстративно опекать своего жениха Крымова и постоянно вертеться в его кабинете, лишая всех возможности нормально работать.

— Постойте! — Юля вдруг резко повернулась и почти подбежала к начавшему уже отъезжать Звереву. — Постойте...

Она склонилась к окну и, не понимая, что с ней происходит, вдруг сказала:

— Считайте, что вы позвонили мне еще вчера вечером и я согласилась встретиться с вами... Я прошу вас только не задавать мне пока никаких вопросов. Пожалуйста... Мы просто немного покатаемся по городу, и все. А я за это время, быть может, приму какое-нибудь решение... Понимаете меня? Очень важное для меня решение.

Через минуту они уже мчались в сторону речного вокзала, и Юля, стараясь заглушить в себе боль при воспоминании о Крымове, плела что-то своему новому знакомому об огромном желании во что бы то ни стало купить квартиру в том самом доме, перед которым она еще совсем недавно стояла раскрыв рот...

* * *

— Ну что, приходил кто-нибудь от Льдова? — спросил по телефону Корнилов Крымова. — Ты чего молчишь, не слышишь меня, что ли?

— Слышу. Я только никак не могу понять, откуда ты знаешь, что к нам кто-то должен прийти, ведь обычно милицию не ставят в известность о том, что из недоверия к ее работе намерены обратиться в частное детективное агентство... — На этот раз Крымов не шутил и был, как никогда, серьезен. — Приходили, конечно. Точнее, приходила его мать, довольно молодая женщина; ты, наверное, видел ее на похоронах?

— Да, я подходил к могиле и, честно говоря, боялся, что стану свидетелем истерики... Но, представь себе, ничего такого не было. Матери Льдова и Голубевой были на удивление выдержанными, плакали, конечно, но не так, как это делают простые женщины — с криками и потерей сознания... Возможно, они еще просто не осознали, что произошло, во всяком случае, про Голубеву я сказал бы именно так... Кстати, вот уж кто-кто, а она-то точно к вам не обратится...

— А с чем ей обращаться, если девочка сама все решила?.. — осторожно, чтобы не показаться циничным, пробормотал Крымов, все еще находящийся под впечатлением визита Вероники Льдовой.

— Дело в том, что лично я не верю в отсутствие предсмертной записки. Дети в подобном возрасте склонны к театральным жестам, для них важным является впечатление, которое они произведут своим поступком, тем более таким трагическим. И лично я просто уверен, что девочка оставила записку, причем скорее всего связанную с именем какого-нибудь мальчика...

— Откуда у тебя такая уверенность?

— Я вчера весь вечер провел у Малышевой, инспектора по делам несовершеннолетних, и начитался там такого, что не приведи господь... Я слышал, конечно, что сейчас среди подростков прямо-таки эпидемия суицида, но чтобы в таком количестве...

— Да брось ты, Виктор, какая еще эпидемия?!

— Согласен, не всегда это заканчивается смертью, но попыток-то, попыток сколько! Мне повезло, к Малышевой пришла девушка-психолог; когда она узнала, кто я и с чем туда явился, она достала свою папочку и показала мне цифры... Нет, ты можешь мне верить, можешь не верить, но в наше время столько не травилось и вены себе не резало... Да я вообще не могу припомнить, чтобы в нашей школе или во дворе кто-то из моих ровесников пытался покончить с собой. Я понимаю, конечно, время было другое, и все такое прочее, можно еще объяснить как-то курение и даже вино, но только не добровольный уход из жизни. Это как же нужно отчаяться, чтобы решиться выброситься из окна или проглотить ртуть, к примеру... Мы вот тут ловим взрослых преступников, сволочей, для которых лишить человека жизни все равно что прихлопнуть муху, а вокруг, оказывается, столько несчастных детей... Буквально три дня тому назад, в понедельник, на кладбище повесился тринадцатилетний мальчик. Накинул на шею петлю, обвязал концом веревки могильный крест, первый попавшийся, заметь, и присел так тихонько на колени... Ты понимаешь, о чем это говорит? То есть он же мог встать, это же не выбитая из-под ног хрестоматийная табуретка, но не встал, а предпочел уйти из жизни.

— А причина?

— Несчастная любовь. У него в кармане и записку нашли: мол, из-за такой-то все... И фамилия девочки, тоже, кстати, одноклассницы...

— А почему ТОЖЕ? Ты хочешь сказать, что Голубева отравилась из-за одноклассника? Откуда эти сведения?

— Ниоткуда. Это мое предположение, да еще стечение обстоятельств. Все-таки они погибли в одно и то же утро. Я, между прочим, даже могу предположить УБИЙСТВО Голубевой... У меня к тебе просьба: постарайся, когда будешь заниматься Льдовым, узнать как можно больше о Голубевой. Чую сердцем, что-то здесь не так... И мать ее слишком уж спокойна...

— Мог бы и не предупреждать. Больше того, я и сам думал о том, что эти две смерти могут быть связаны. И про записку Голубевой я тоже думал, она наверняка существует. Но тогда давай договоримся, что ты будешь держать меня в курсе голубевского дела...

— Да какое там дело! Родители словно воды в рот

набрали... Похоже, они восприняли смерть дочери как данность и не собираются заниматься разбирательством и поиском виновного или виновных... А ведь та девушка-психолог познакомила меня вчера с еще одной историей, и она потрясла меня не меньше этих двух, хотя и не закончилась смертью... Но об этом я расскажу тебе при встрече или даже после того, как сам поговорю с девочкой, с которой все это и произошло... Ну да ладно, Женя, работай, надеюсь, что общими усилиями нам удастся найти убийцу Льдова... Ты не знаешь, кстати, кто производил его вскрытие — Чайкин или Тришкин?

— Я могу спросить у Нади.

— Надя... Понятно. Когда на свадьбу-то пригласишь?

— Мы запланировали через месяц, так что готовьтесь там с Сазоновым...

Крымов положил трубку, когда в кабинете, словно из воздуха, возникла Щукина. Улыбаясь, она подошла к нему и ласково потрепала ладонями по щекам; она вела себя так, словно заранее знала, что ей здесь и с этим мужчиной позволено все. Она, казалось, упивалась своей властью над ним, и Крымов, еще не привыкший к такому фамильярно-собственническому отношению, замешенному на желании невесты во что бы то ни стало удивить, потрясти его, стерпел и это. Больше того, он поймал себя на том, что такое грубоватое поведение Нади ему даже нравится, оно возбуждает его. Крымов не узнавал самого себя.

— С кем ты говорил?

— С Корниловым. Ты не знаешь, кто вскрывал Льдова?

— Я все знаю. Кроме того, могу тебя порадовать — кажется, мой бывший муженек завел себе женщину... — Она искренне радовалась, поскольку Чайкин, который тяжело переживал их разрыв, должен был (по прогнозам близких друзей) снова запить. Но не запил, а напротив — решил начать новую жизнь. — А ты все сохнешь по Земцовой? — ни с того ни с сего вдруг спросила она, и Крымов уловил в ее голосе злые и обидные для обоих нотки.

— Сохну, ты же знаешь, — ответил он ей в тон и, поймав ее руку, больно прикусил ее, отчего Надя вскрикнула. — Больно?

— Хорошо, — уже более миролюбиво прошептала она, целуя его, — я больше не буду. Мир?

— Мир. Как тебе показалась Льдова?

— Красивая, но жутко несчастная женщина. Ведь Вадим был, кажется, ее единственным сыном?

Крымов вспомнил свое первое впечатление от Вероники Льдовой: изящная шатенка в синем облегающем костюме, подчеркивающем стройную фигуру, бледное узкое лицо, огромные карие глаза и почти белые губы. Ей от силы тридцать пять лет, а выглядит и того моложе. Она говорила с Крымовым просто, с неизменно спокойным выражением лица, как говорят люди, понимающие, что дело все равно безнадежно, но попытка — не пытка... Она достала деньги, выгрузила толстые пачки денег на стол и уложилась всего в несколько фраз, попросив найти убийцу ее единственного сына, Вадима. Неторопливыми и несуетливыми движениями придвинула к себе предложенные Крымовым лист бумаги и ручку и записала свои координаты, список фамилий тех, с кем был дружен или недружен Вадим, а также возможные причины его убийства, первой из которых была ЗАВИСТЬ.

— А чему завидовали его сверстники? — спросил ее Крымов.

— Да всему. — Она равнодушно махнула рукой. — Абсолютно всему. Начиная с его внешности, ведь он развивался куда быстрее остальных, вон как вымахал за последние три года, превратился в настоящего мужчину. Девочкам нравился, они прямо-таки вешались ему на шею.

— А кто конкретно?

— Понятия не имею. Меня это никогда не интересовало. Нас с мужем волновала его учеба и возможность в дальнейшем перевода его в гуманитарный лицей, где работает моя тетка. Мы так и планировали... Уверена, что, когда вы начнете работать, встречаться с его друзьями-приятелями и учителями, вам непременно начнут говорить о нем гадости. Постарайтесь абстрагироваться от этого и просто ищите убийцу. А причина всплывет сама собой. Не думаю, что она денежного характера...

Именно эта фраза показалась Крымову странной, ведь среди причин, которые она указала, действительно было много чего — за исключением денег. Ревность, зависть, личная неприязнь, месть...

— А почему вы думаете, что она, как вы говорите, не денежного характера?

— Да потому, что эта причина была бы производной от зависти, поскольку у Вадима было все, что он хотел, и вдобавок — несчитанные карманные деньги, которые и могли вызвать эту зависть. Вадим никогда бы никого не шантажировал, не вымогал денег, потому что их у него было достаточно. Вы не смотрите, что я принесла вам сегодня так мало, дело в том, что у нас много наличных ушло на похороны, а остальное все вложено в фирму, муж у меня занимается компьютерами... Если потребуется, мы заплатим вам еще...

Она почти не смотрела на него, взгляд ее был рассеянным и скользил так, словно суть разговора была ей не особенно интересна. Крымов подумал, что она приняла какой-то наркотик. А почему бы и нет?

— Крымов, проснись. — Щукина теребила теперь его за уши, отчего они становились ярко-красными. — Ты о чем-то задумался?

— А ты не знаешь, что это за мужик приходил к Земцовой? Какое-нибудь новое дело? Но если так, почему я не в курсе?.. — Он спросил это скорее по инерции, чем для того, чтобы позлить ревнивую Щукину. С ним это иногда бывало: он обращался к ней, как к прежней Щукиной, своей секретарше, нисколько не задумываясь о последствиях, связанных с их нынешними отношениями.

Но на этот раз даже Щукина не сообразила, что

Крымову были интересны, конечно, не деньги, которые он мог бы получить от нового клиента, а сам факт появления в агентстве незнакомого мужчины, который пришел именно к Земцовой. Ведь Юля любит его, Крымова, это аксиома, тогда в чем же дело? Он так ясно вдруг это осознал, что нашел в себе смелость подивиться собственному эгоизму.

— Игорь сказал, что этот мужчина собирается поручить нам проследить за его молодой женой...

Слово «молодой» сорвалось с языка Щукиной случайно, скорее всего потому, что обычно следят именно за молодыми женами. Но именно это слово и успокоило начавшего уже волноваться Крымова: клиент женат, и это прекрасно.

— Кофейку? — попыталась угадать сиюминутное желание Крымова Надя и даже состроила лисью ухмылочку, чтобы только доставить ему удовольствие. Что и говорить, она любила и умела угождать, пожалуй, только ему, Крымову... Жаль только, что Земцова этого сейчас не видит.

Глава 3

Оля Драницына вышла из двери соседней квартиры и, стараясь не шуметь, быстро открыла свою дверь и проскользнула в нее. Дома, на ее счастье, никого не оказалось. Мама снова отправилась на биржу...

В потной ладошке была зажата фиолетовая купюра... Она не знала, почему так происходит, но при виде этих денег мир вокруг нее сразу преображался и хотелось чего-то невероятного, неиспытанного, недозволенного, безумного...

Запершись в своей крохотной спаленке, она только здесь могла разжать руку и насладиться сполна видом обретенного сокровища. Пятьсот рублей — да Тараскиной в жизни не заработать таких денег, она же глупая, эта Тараскина, и ничего в жизни не понимает. Ходит, дура, по школе, звенит сомнительного происхождения цепями, гремит костями, скелетина, сверкая черной искусственной кожей своего прикида, и думает, что круче всех. В половине шестого утра она, как идиотка, вместо того чтобы сладко спать, садится перед зеркалом, красит ресницы, делает подводку на веках, накладывает в два слоя пудру (жидкую и рассыпчатую), затем поверх этой штукатурки — румяна, а уж потом помаду... Мрак! И зачем все это, если мужчинам нравится естественный розоватый цвет свежих щечек, нежная припухлость губ и век и сами ненакрашенные губы, которые можно целовать и целовать, не боясь испачкаться в помаде, забывая обо всем на свете, как это делает дядя Миша...

Оля встала перед зеркалом во весь рост и начала придирчиво осматривать себя. Тугие голубоватые джинсы плотно облегали стройные бедра, белая трикотажная кофточка с глубоким вырезом подчеркивала мягкие округлости груди и открывала высокую тоненькую шею. Длинные, почти по пояс, золотистые от иранской хны волосы обрамляли улыбающееся личико с безукоризненными зубами, белеющими между розовыми губами...

Она вдруг вспомнила, что не почистила зубы, и помчалась в ванную комнату. Прополоскав рот после пасты, Оля вернулась к себе и позвонила Тараскиной:

— Привет, Ленок, как дела? В школу-то собираешься?

— Собираюсь. У меня только что Томка Перепелкина была, такие вещи про Ларчикову рассказала. Прикинь, на нее собираются завести уголовное дело, но только она еще не говорит, с чем конкретно это связано. Кормила их шоколадными конфетами, хотела умаслить, чтобы добиться у них поддержки на суде, она так и сказала, а потом, прикинь, припомнила ту девку из интерната, помнишь, с которой мы разбирались в посадках, а пацаны наши потом... сама знаешь, что с ней сделали! Она говорит, что сама лично все видела, потому что ей кто-то позвонил и предупредил о предстоящей разборке...

— Ничего себе... — Оля прикусила губу и поморщилась: дядя Миша, похоже, перестарался, и теперь на губе образовалась небольшая ссадина, которая к тому же еще кровоточила. — Ш-ш-с...

— Ты чего шипишь?

— Да так, ничего, возмущаюсь Ларчиковой. Разве она не понимает, что ее могут привлечь уже только за то, что она все видела и ничего не предприняла? Ведь ей придется доказывать, что в посадках она оказалась случайно, и это в девять вечера?! Смех! По-моему, у этой Ларчиковой не все дома.

— Про снимки спрашивала, не видели ли они их...

— Ну и что?

— А кто их не видел-то? Вся школа! Я, конечно, не знаю, зачем Вадим подстроил ей эту подлянку, но ведь теперь, если только тот дядечка из прокуратуры пронюхает про снимки, все подозрение ляжет на нее...

— Месть вроде, да? Но не думаешь же ты, что Ларчикова сама зарубила Вадьку топором? Я лично не верю. И вообще, мне кажется, что это связано с теми парнями, которые угоняли их машину, помнишь, он рассказывал?

— Да у его отца этих машин — целый автопарк, не думаю, чтобы из-за того, что пацаны взяли льдовскую машину покататься, Вадька стал бы их шантажировать.

— Не знаешь ты Вадьку, Леночка, он мог, он все мог. В общем, так, я в школу не пойду, скажу завтра, что у меня живот болел; если хочешь, поехали со мной в город.

Лена молчала — думала.

— У тебя бабки есть? — наконец спросила она, потому что у нее самой, судя по всему, в кармане от силы трешник, а сорваться с уроков ой как хочется.

— Есть, конечно, есть. Даю тебе минут пять на раздумье, потом позвонишь мне и скажешь, а я пока буду переодеваться.

— Ты что, была у ЭТОГО своего?

Оля усмехнулась: Лена поверила в легенду, будто бы иногда по утрам Оля навещает своего крестного, живущего в соседнем доме пенсионера, у которого моет посуду и подметает, за что получает иногда десять-пятнадцать рублей. Вот и сейчас Ленка, наверно, подумала об этом же.

— У этого, у этого. Ты давай думай скорее...

Ей доставлял удовольствие этот разговор и это распределение силы, которое только сейчас, когда их никто не видел, было естественным. А ведь все в школе уверены в том, что Оля Драницина — «шестерка» Ленки Тараскиной. Да так оно и было в начале их отношений, когда Лена взяла на себя роль защитницы или ЗАЩИТНИКА, то есть МУЖЧИНЫ. Да, они почти целый год играли в мужа и жену, и «муж» нередко избивал свою «жену», но не до крови. Им нравилось играть в сильную и слабую, они получали удовольствие от откровенных прикосновений, от изучения тела друг друга и всего того, что происходило с ними или между ними в моменты наивысшей степени возбуждения... Они развлекались этой игрой, пока Оля была девственницей, и только совсем недавно, когда в жизни Оли появился дядя Миша, все изменилось. Они, конечно, не поменялись ролями, поскольку в этом уже не было никакой необходимости, ведь игра-то закончилась, но отношения их сильно изменились. Они стали на равных, и теперь причинение боли уже не приносило им наслаждения. Кроме того, теперь, когда у Оли стали появляться деньги, Лена и сама не могла относиться к ней по-прежнему. Возможно, они были бы и рады расстаться, но не могли — слишком долго они были вместе, чтобы вот так сразу продемонстрировать всем свое расставание. Ни Оле, ни тем более Лене вообще не хотелось привлекать внимание класса, а потому они договорились вести себя как прежде. А там — видно будет.

— Я уже все придумала. Встретимся на остановке через полчаса, идет? — Последние слова Лена произнесла уже шепотом, наверное, рядом были родители.

Послышались гудки. Оля, положив трубку, снова перевела взгляд на стол, на котором все еще лежали деньги.

Сейчас они поедут в пиццерию, затем в кондитерскую, потом в торговый центр, а уж оттуда позвонят Кравцову и скажут, что согласны прийти «к Иоффе» в восемь и что даже привезут с собой пива и чипсов.

* * *

— По-дурацки все получилось у нас с вами, сама не пойму, зачем я согласилась сесть к вам в машину... Ведь мы же совершенно незнакомы, и вообще непонятно, что со мной происходит...

Зверев и Земцова уже почти час сидели в машине неподалеку от дома, в котором жила Белотелова, и беседовали о разных пустяках, не имеющих никакого отношения ни к его интересу к Юле и ее работе, ни даже к тому факту, что она попросила остановить машину именно возле этого дома. Говорили о собаках, деревьях, цветах, золоте (само собой) и курсе доллара, то есть — ни о чем. Улица, залитая янтарным прозрачным светом, полнилась гуляющими, звенел женский смех, шелестела от редких порывов теплого ветерка листва молодых тополей и каштанов, высаженных, должно быть, одновременно с окончанием строительства этого, как выразилась Юля, «волшебного дома для небожителей».

— Значит, я тоже небожитель? — вдруг спросил Зверев, и Юля с удивлением посмотрела на него, впервые, быть может, заглянув прямо в глаза, и держала этот взгляд достаточно долго, столько, сколько ей понадобилось для того, чтобы осмыслить услышанное и примерить к ситуации, в которую она сама себя, собственно, и загнала, согласившись сесть в эту машину.

— Вы что, тоже живете в этом доме?

— Да, представьте себе. Поэтому я был несколько удивлен, когда вы попросили меня свернуть на эту улицу и притормозить возле ворот. Я так и думал, что вы все знаете...

— А что я, собственно, должна знать? — Юля густо покраснела. Хотя и так было ясно, что она позволила этому и без того самоуверенному типу подумать о ней плохо: мол, сама залетела в силки, по своей воле, и вдобавок зная, где эти самые силки расставлены. Но отрицать сейчас что-либо или тем более доказывать свою неосведомленность — было бы еще глупее, чем просто промолчать. Поэтому она отвернулась к окну и принялась разглядывать литые ажурные прутья ограждения.

— Я купил квартиру в этом доме буквально с месяц тому назад и, признаться, очень доволен этим, тем более...

— ... что она досталась вам дешево, ведь так? — почему-то зло и раздраженно закончила за него фразу Земцова. — Всего за каких-то там двести пятьдесят тысяч рублей?

— Да вы что... — расхохотался Зверев, причем так искренне, что успел своим непосредственным и каким-то детским смехом заразить и Юлю. Но она сдержала себя, хотя и смутилась: что он может подумать? Почему она назвала именно эту сумму? И зачем ей было вообще подтрунивать над ним? Из зависти?

Посчитав, что она уже больше часа (если вообще не все свои двадцать восемь лет) ведет себя как идиотка, Юля приняла решение молчать. Можно было бы и вовсе выйти из машины и распрощаться с этим Зверевым навсегда, но что-то удерживало ее. От этого человека исходило какое-то необъяснимое тепло и покой, больше того, он как будто бы делился с сидящей возле него Юлей своей уверенностью в себе, своей внутренней силой. Это было очень странное чувство, объяснения которому она пока не находила. Нравился ли ей Зверев как мужчина? Пожалуй, хотя по сравнению с Крымовым и Шубиным, с которыми она так сблизилась, Зверев все же был для нее ЧУЖИМ. Она не знала, что он скажет в следующую минуту, как посмотрит на нее, как повернет голову... Он был ПОКА для нее словно чужая территория, чужой континент, который ей предстояло либо осваивать, либо покидать как можно скорее...

Юля улыбнулась этому образному сравнению.

— Знаете, так и быть, я вам скажу, почему я попросила вас остановиться именно здесь. У меня в этом доме живет клиентка, которая ждет меня. О точном времени встречи мы не договаривались, поэтому, прежде чем я поднимусь к ней, мне придется ей позвонить... Ну а раз мы затеяли разговор о стоимости вашей квартиры, то мне чисто профессионально было интересно узнать, сколько же вы за нее отдали. Будьте уверены, я никому ничего не скажу, но эта информация может мне пригодиться в ведении моего дела...

Юля так спокойно говорила об этом, нисколько не заботясь о соблюдении тайны, не потому, что не понимала, что совершает тем самым почти преступление по отношению к доверившейся ей клиентке, а исключительно из убеждения, что Белотелова — чуточку сумасшедшая женщина, слова которой не стоит воспринимать всерьез и гонорар которой все равно придется возвращать. Да и находится она сейчас здесь просто для очистки совести. Какие еще кровавые брызги на зеркалах? Что за бред?! Хотя именно об этом Юля бы, разумеется, никому не стала рассказывать.

— Полтора миллиона, никакой тайны... для вас, разумеется... Но я считаю, что это дешево, потому что моя квартира потянет на все два. Да что говорить, когда вы можете сами пройти туда и посмотреть, я приглашаю...

— Прямо сейчас?

— А что такого? Тем более что у вас профессиональный, как вы сами только что сказали, интерес. У меня есть отличное вино, кофе... Я не стану набрасываться на вас — в этом будьте уверены. Хотя, не будь у меня внутренних тормозов, вошел бы в вас прямо сейчас и остался там навсегда...

Юля не помнила, как очутилась на тротуаре — возмущенная, с малиновыми щеками и почему-то подгибающимися коленками... Ничего себе поговорили! Да это не Зверев, а настоящий зверь!

Пошатываясь, она подошла к воротам, которые, на ее счастье, были открыты. Это означало, что она может пройти на территорию дома (охрана, очевидно, существовала, но в каком-то невидимом месте). Непослушными руками Юля достала из сумочки телефон и набрала номер Белотеловой:

— Лариса? Это Юлия Земцова, я сейчас стою у ваших ворот. Скажите, на меня не набросятся цепные псы или охранники с дубинками?

— Ой, как хорошо, что вы пришли! — взволнованным голосом проворковала Лариса на другом конце провода. — Не могу сказать, что у меня появились новые доказательства полтергейста или, я не знаю, как все это можно назвать, но то, что меня просто-таки колотит от страха, — это точно... Проходите смело в подъезд, увидите узкую лестницу, ведущую вверх, прямо ко мне. Дело в том, что здесь у нас всего две квартиры, так что — не ошибетесь. Ой, да я вас вижу, поднимите голову, и вы тоже увидите меня...

«Идиотка», — снова подумала про нее Юля и слабо помахала ей в ответ: она действительно увидела светлую фигурку в окне дома на втором этаже.

— Уже уходите? — услышала она голос прямо над ухом и испуганно шарахнулась в сторону.

Рядом стоял Зверев с виноватым лицом; он заметно посерьезнел, а глаза глядели прямо-таки жалобно.

— Вы обиделись на меня... Я понимаю. Простите песика и почешите его за ушами... — Он склонил голову, словно ожидая, когда она и в самом деле почешет его...

— Знаете что, я сама виновата... спровоцировала... У меня нет ни малейшего желания ссориться с вами, тем более...

— ... тем более что мы и подружиться-то еще не успели. Так вы теперь не зайдете ко мне?

И тут они услышали крик, душераздирающий женский крик. Он доносился как раз со стороны подъезда, в который Юле предстояло сейчас войти, чтобы подняться к Белотеловой. Зверев кинулся туда, Юля — следом.

Там, на лестничной площадке между первым и вторым этажом, лежала в расползающейся прямо на глазах луже крови женщина в черных кожаных брюках и блузке; черные волосы ее, собранные в высокий хвост, уже успели напитаться кровью, которая сочилась из раны на виске; оранжевая помада на губах несчастной смотрелась теперь так нелепо...

— Агент по недвижимости... — почти хором произнесли Юля и ее спутник и в удивлении уставились друг на друга.

— Белотелова... Лариса... — Юля бросилась наверх, предчувствуя недоброе. Ведь после такого крика Лариса могла выбежать или приоткрыть дверь, тем более что она ждала прихода Юли, и этот крик мог бы принадлежать и ей.

Единственная дверь на площадке второго этажа была распахнута, и прямо на пороге лежала Лариса с большим кровавым пятном на белом шелковом халате.

Она была еще жива, когда Юля, приподняв ее голову, приложилась ухом к тому месту, где должно было биться сердце. Оно хоть и слабо, но билось...

Зверев между тем бросился в квартиру, пытаясь увидеть убегающего преступника; тот мог уйти только из квартиры Ларисы, поскольку через дверь подъезда никто не выбегал.

— Вызовите «Скорую» и милицию! — крикнула, продолжая поддерживать голову побледневшей Ларисы, Юля и мысленно попыталась представить себе, что же тут произошло и куда мог скрыться убийца. Слишком быстро все было сработано, слишком неожиданно...

* * *

— Игорь, надо обойти друзей-знакомых Льдова, а Надя тем временем займется результатами его вскрытия... Предстоит работа, а потому прекрати названивать Земцовой, успокойся и возьми себя в руки...

Анна Данилова

Крымов отчитывал Шубина в своем кабинете, как мальчишку. Понятное дело, что он не имел права этого делать, поскольку примерно ту же самую фразу мог бы сказать и сам Шубин в отношении Крымова: тот тоже маялся из-за того, что Земцова исчезла в неизвестном направлении, никого не предупредив, и тоже, видимо, по-своему томился без нее. «Привык, наверное», — подумал Шубин, вставая со своего места, и, вместо того чтобы вмазать Крымову по его красивой физиономии, лишь хмыкнул и направился к двери, нервно сжимая в руке листок со списком ближайшего окружения Льдова. Ему ничего не стоило устроить скандал и бросить ко всем чертям и Крымова с его агентством и насмешками по поводу влюбленности Шубина в Земцову, да и саму Земцову, так жестоко поступившую с ним, отвергнув его в тот самый момент, когда он считал ее уже почти женой. Но Шубин не делал этого из чувства меры. Он считал, что даже у негативных чувств должна быть своя мера. И даже злиться на Крымова надо тоже в меру, не унижаясь и не выказывая до конца своей боли. А что уж говорить о любви к женщине... Исчезнуть, уехать из города, чтобы обо всем забыть, — это ли не бегство от самого себя, это ли не демонстрация своей слабости? Тем более что внутреннее чувство подсказывало ему, что Юля к нему еще вернется. Просто для того, чтобы понять, что же на самом деле происходит вокруг нее и с ней, ей потребуется какое-то время. И Шубин ей это самое время дал. Как дал и Крымову, простив этот начальственный (а не дружеский) тон, с которым тот позволил себе обращаться с ним. Выдержка, в первую очередь выдержка...

С этой мыслью он миролюбиво (как если бы это происходило год-полтора назад, когда отношения между всеми в агентстве были еще не испорченными) подмигнул восседающей за столом в приемной королеве Щукиной и вышел на солнечную, золотистую улицу...

Первым в списке стоял Виктор Кравцов. Он жил

возле стадиона «Динамо», на Радищевской улице, имелся у него и телефон.

— Здравствуйте, мне бы Виктора Кравцова.

— Слушаю. — Голос недовольный, с хрипотцой.

— Моя фамилия Шубин. Я занимаюсь делом об убийстве Льдова. Мне необходимо с вами встретиться. Можем у вас дома, а можем на нейтральной территории, как вам будет угодно.

Кравцов, по-видимому не привыкший, чтобы к нему обращались на «вы», сказал, что может прямо сейчас выйти к главному входу на стадион, там есть небольшое летнее кафе, где можно спокойно поговорить. На том и порешили.

Игорь быстро нашел это кафе, сел в тени за столик под белым полотняным колокольчиком навеса и попросил обкуренную донельзя официанточку в красных туфлях-лодочках и каком-то светлом прозрачном балахончике принести ему кофе.

Он не сразу понял, что высокий, худощавый, стильно одетый молодой человек в широких клетчатых брюках, белой рубашке и бархатной жилетке и есть тот, кого он ждал. Он предполагал увидеть перед собой долговязое, нескладное прыщавое существо в помятой и несвежей футболке с американизированной надписью на груди «Fuck you are all», в потертых серых джинсах и бейсболке — общий прикид всех подростков города. А тут вдруг кричащий дорогой жилеткой индивидуализм, подчиняющий окружающее общество клетчатыми шикарными итальянскими брюками (Шубин видел такие на прошлой неделе в магазине «Патрон» и еще подивился их стоимости) и горьковатым ароматом дорогого парфюма. «Вот тебе и девятиклассник», — подумал Игорь, когда понял, что подошедший к его столику парень, уверенно представившийся Виктором Кравцовым, и есть лучший друг покойного Вадима Льдова.

— Как вы догадались, что это я? — спросил Шубин, хотя ответ знал заранее. Просто ему хотелось услышать голос парня, и уже по той интонации, с которой Кравцов сейчас скажет ему, что во всем кафе только один посетитель и кем же ему еще быть, как не Шубиным, он бы уже смог определить, в каком ключе вести беседу, как себя с ним вести: на равных или немного поиграть с Виктором в поддавки?

— А я и не догадывался, — окидывая Шубина ироничным и насмешливым взглядом, спокойно произнес Кравцов. — Просто сказал, и все. А вы откуда?

— Из частного сыскного агентства Крымова, может, слыхал?

— Слыхал. Вас наняли родители Вадима?

— Да. Если позволишь, я буду с тобой на «ты».

— Валяйте. Но учтите, что я буду только отвечать на вопросы, на искреннюю беседу не рассчитывайте. Я вас совсем не знаю, не верю ни вам, ни милиции, но, с другой стороны, мне чертовски хочется, чтобы убийц Вадьки нашли... Он был хорошим парнем, его в нашем классе все любили. Это он сделал из меня человека, научил жить, ходить в бассейн, носить нормальную одежду, целоваться с девчонками, решать задачки по физике и алгебре, чистить по утрам зубы, разбираться в одеколонах и играть в теннис... Он был моим лучшим другом, и лишь с ним я стал понимать, что меня окружают не только подлецы и негодяи, но и нормальные парни...

— Вадима могли убить из-за денег?

— Не знаю, за что его могли убить, но убили... У него было много девчонок, он ходил с ними на дискотеки, отбивал у парней... Он выглядел куда старше своих лет, впрочем, как и я, и убить могли уже только за это. Что касается разборок, связанных с деньгами, то навряд ли — у Льдова была «крыша». Отцовская. Группировка Глухаря. Все об этом знали, а потому никто никогда на него не наезжал. Да и не за что было. Он жил в свое удовольствие и никого не трогал. А зависть... Она всегда была, есть и будет, сами знаете. Мне вот тоже завидуют уже за то, что у меня отец замдиректора рынка и что я дружу с Льдовым. Пытались подставить меня, подкидывали наркоту в портфель (умора!), но Вадька всегда меня вовремя предупреждал: его через своих людей информировал Глухарь. И с какой это стати за отца должен отвечать сын, тем более что мой отец в прошлом году бросил нас с матерью...

— Может, Вадима убили из-за наркотиков?

— Вы, что ли, принимаете меня за идиота? Даже если и впрямь было так, неужели вы думаете, что я вам что-нибудь расскажу?! Но наркотики — нет. У нас другие развлечения. У кого есть деньги, в городе не соскучишься. Может, вы не знаете, где сейчас тусуется молодежь? Казино «Черный Джек», кабак «Изумруд», да вся набережная вечерами на ушах стоит... Травку мы, конечно, пробовали, но пусть ее курят лохи... Я не знаю, за что убили Вадьку.

— Дома у него все было нормально?

— У него мать классная, понятливая, добрая... никогда и ни в чем ему не отказывала. А отец вечно на работе, часто в отъездах, Вадим о нем почти ничего не рассказывал. Но жили они все втроем нормально, никаких скандалов, разборок...

— Значит, отец не вникал в дела Вадима? Был не в курсе его личной, так сказать, жизни?

— Нет, думаю, что Вероника ему все рассказывала...

— Вероника?

— Так зовут его мать. Она красивая, молодо выглядит, поэтому мы и называли ее между собой Вероникой.

— И Вадим тоже?

— Да нет, это в основном я... Он называл ее коротко: «ма».

— Понятно. Скажи, Виктор, а в каких отношениях был Вадим с Наташей Голубевой?

— Интересный вопрос. Ни в каких. Вернее, она была в него влюблена, а он ходил с другой девчонкой. — Кравцов посмотрел на часы, и брови его удивленно взлетели вверх.

— Ты опаздываешь?

— У меня встреча с девчонкой...

— Понял... Скажи, когда ты в последний раз видел Вадима?

— За день до смерти. В школе, как обычно. У нас было много дел, надо было готовить реферат по химии, переписывать билеты по истории, учить английский, готовиться к зачету... Мы даже вечером не встречались, я позвонил ему домой, Вероника сказала, что Вадим уже спит, что ему нездоровилось, что-то с желудком, кажется, они купили несвежий торт... А утром я пришел в школу и узнал, что его нашли в классе...

— Что же это, выходит, он не спал тогда, когда ты разговаривал с Вероникой, а его просто не было дома?

— Думаю, что он вышел ночью и зачем-то пошел в школу. Такое с ним иногда случалось. Там на первом этаже, где кабинет биологии, окна совсем низко, решетка отходит, а открыть форточку ничего не стоит... Мы иногда ночью забирались туда... с девчонками, но ведь это не преступление? Где еще встречаться? Не в подъезде же. Когда предки на даче, то собирались у меня... Возьмем пивка, рыбки, сигарет, само собой...

— А Вадим был откровенен с тобой?

— Думаю, что да.

— Он рассказывал тебе о своих проблемах, неприятностях?

— Нет, ничего такого в последнее время он мне не говорил. У нас экзамены на носу, он собирался переводиться в какой-то гуманитарный лицей, там у него, кажется, тетка...

Крымов, отправляя Шубина на встречу с Кравцовым, слегка проинструктировал его относительно того, что говорила по поводу этих встреч с окружением Вадима Вероника Льдова, а потому Шубин был готов, что непременно услышит про Вадика какую-нибудь гадость (как предупреждала Вероника). Но пока ни одного дурного слова от лучшего друга Льдова он не услышал. Может, на то он и есть лучший друг, чтобы говорить об убитом только хорошее.

— А это правда, что его зарубили топором? —

Кравцов уже поднялся со стула и теперь всем своим видом выказывал желание как можно скорее уйти отсюда. Он явно спешил.

— Правда... — вздохнул Шубин, тоже поднимаясь, но потом спохватился: — Да нет же, еще ничего не известно... Просто похоже на рубленую рану, но пока это неофициальные данные. А что, у тебя есть сведения о каком-нибудь топоре?

— У нас в мастерской, где проходят уроки труда, полно и топоров, и молотков, и чего угодно, а попасть туда может любой. Надо бы пересчитать все топоры и вычислить, не исчез ли из мастерской один из них...

— Правильно, мы так и сделаем. У меня за углом машина, я могу тебя подвезти...

— Да нет, я сам.

— Виктор, а ты не должен был Льдову деньги?

И тут вдруг Кравцов покраснел, уши его, прикрытые русыми волнистыми прядками, просто запылали.

— Нет, а с чего вы взяли?

— Я тебе позвоню, — уже более жестко ответил ему Шубин и, резко развернувшись, пошел в сторону проулка, где оставил машину. Он вдруг понял, что потерял целый час.

* * *

— Вот, пожалуйста, угощайтесь. — Ларчикова протянула Крымову коробку, полную шоколадных конфет. — Это меня ученики балуют...

На Татьяне Николаевне был темно-синий бархатный халат, то и дело распахивающийся на пышной высокой груди, плавно переходящей в белую лебяжью шейку, увитую тщательно уложенными тонкими локонами, сладковато пахнущими лаком. Маленькая головка Ларчиковой была словно сделана из фарфора — такая же хрупкая на вид, с матовым бело-розовым личиком, искусно расписанным тонкой кистью художника (выразительные темные глаза, четко очерченные темно-розовые губки «вишенкой», кукольно-аккуратный носик) и высоко забранными в небрежно-изящную прическу волосами цвета августовской соломы. «Такую женщину хочется съесть, — подумал Крымов, — а потом закусить соленым огурцом — до чего приторна, аппетитна и вместе с тем как будто ядовита...»

— ... Я говорю им, что конфеты нынче дороги, что мне незачем делать такие подарки, но 8 Марта — это святое, отвечают мои ученики... У меня секретер набит коробками с печеньем и пачками поздравительных открыток. Приятно, знаете ли... Я понимаю, что вы пришли ко мне не чай пить, но все равно, мы же интеллигентные люди, должны немного привыкнуть друг к другу, чтобы потом спокойно поговорить обо всем.

Крымов подумал, что если такие дуры, как Ларчикова, учат детей, то обществу действительно грозит полное разложение. И незамедлительное. Тем более что на коробке шоколадных конфет, которыми она его угощала, стоял штамп недельной давности — ей не могли подарить на 8 Марта шоколад, произведенный в апреле. Значит, он был куплен либо ею самой, либо ее любовником, поскольку она не замужем (он понял это, когда мыл руки в ванной комнате, в которой напрочь отсутствовали следы ПОСТОЯННОГО мужского пребывания). Что касается его предположения насчет любовника, то у такой знойной полногрудой самочки, какой была Ларчикова, просто не может не быть любовника. Она и Крымова уже записала в свой арсенал как потенциального сексуального дружка, это тоже бросалось в глаза. Во всяком случае, Крымов был уверен, что протяни он только руку, и этот спелый, с червоточинкой плод с готовностью упадет ему в ладонь... Об этом свидетельствовали ее многозначительные томные взгляды и вздохи, выставленная напоказ грудь и откровенное, ничем не прикрытое кокетство.

— Вадик Льдов... Боже мой, как представлю его в гробу, становится не по себе... Ну за что? И, главное, кто мог решиться на такое зверское убийство? Вам уже известны результаты экспертизы?

— К сожалению, нет.

— И как он вообще оказался в такую рань в классе? Некоторые говорят, что он пришел в школу еще вечером, другие утверждают, что утром. Вот бы узнать, когда же наступила смерть и от чего? Чем его убили?

И вдруг плечи ее затряслись, тело проняла крупная нервная дрожь, а потом Ларчикова так громко, в голос, надсадно, со стоном и, как ни странно, искренне разрыдалась, что Крымов даже удивился. Вот уж чего он не ожидал, так это рыдания по поводу смерти ученика.

Успокоившись, Татьяна Николаевна извинилась, пробормотав при этом: «Не выдержала... Крепилась-крепилась, а тут не смогла...» — после чего шумно высморкалась, сходила в ванную умылась и, вернувшись, отпила немного чаю.

— Вы хотите поговорить со мной про снимки? — спросила она обреченным тоном. — Спрашивайте, но я ни в чем не виновата...

Поскольку Крымов был не в курсе, Ларчикова рассказала ему о том, как Вадим Льдов с Виктором Кравцовым решили над ней подшутить. Поздно вечером, когда она оставалась в классе одна, разделись в мужском туалете, находящемся буквально через стенку, и решили сфотографировать свою классную руководительницу рядом с голым Льдовым.

— Представляете, он подошел ко мне сзади и обнял меня... А получилось так, будто мы оба раздетые, потому что он оголил мое плечо... — И Ларчикова принялась рассказывать в подробностях обо всем, что произошло в тот злополучный вечер, как делала это совсем недавно, обращаясь к своим ученицам.

Она оправдывалась, и было видно, что эта история с фотографиями доставила ей немало неприятностей, поскольку директор школы ясно дала понять, что ждет ее заявления об уходе.

— А мне можно взглянуть на эти снимки? Ведь вы

же не маленькая и прекрасно понимаете, что после того, что произошло, вы — одна из подозреваемых... — Он нарочно сказал это, чтобы чуточку припугнуть Ларчикову и посмотреть, как отреагирует она на эти слова.

— Снимки? Пожалуйста... — Она покраснела и с готовностью достала из секретера, в котором действительно виднелась стопа конфетных коробок и красивые бутылки, голубой конверт со снимками.

Сделанные непрофессионально, явно случайные кадры действительно могли бы послужить компроматом против Ларчиковой, если бы не выражение ее лица на них: испуганное и злое одновременно. Но какова идея?! И, главное, зачем подобное понадобилось этим пацанам?

— Может, они хотели отомстить вам за что-то? Не могут же ученики ни с того ни с сего подшутить так жестоко? Разве они не понимали, что может последовать за этими снимками? Татьяна Николаевна, если вы хотите, чтобы я отыскал настоящего убийцу Льдова, мне необходимо выяснить, не было ли неприязненных отношений у вас с ним, и только после этого я смогу уже более спокойно вести расследование...

Крымов валял дурака, говоря ей это, поскольку у него не было ни малейших причин подозревать Ларчикову в убийстве ученика: перед тем как поехать к ней, он дождался результатов звонка Щукиной в морг, Чайкину, который производил вскрытие трупа Льдова, и узнал, что смерть парня наступила приблизительно в семнадцать часов пятого апреля, то есть в понедельник вечером, когда в школе было полно народу. В это время Ларчикова, как удалось ему выяснить из телефонного разговора с директрисой школы, находилась с остальными учителями в актовом зале, где проводилась репетиция концерта, посвященного выпускному вечеру. Ларчикова принимала в ней самое активное участие и никуда не отлучалась. Что же касается самоубийства Голубевой, то девочка выпила гремучую смесь — огромное количество фенобарбитала — около полуночи, тоже пятого апреля, что в принципе исключало возможность убийства: ведь в квартире находились родители девочки и никаких посторонних следов в ее спальне не обнаружили. Да и на стакане были лишь отпечатки пальчиков Наташи.

Другое дело, что Ларчикова могла нанять какого-нибудь подонка, чтобы тот за бутылку водки совершил это кровавое дело — примеров найма подобного рода киллеров-алкоголиков было в городе уже вполне достаточно. Оставалось только доказать причастность классной руководительницы к убийству своего ученика, а вот это как раз было бы делом не из легких. Но это лишь одна из многочисленных версий. Еще одна, причем самая приемлемая относительно этой школы, — наркотики. Среди старшеклассников наркомания была распространена настолько сильно, что во время рейдов милиции чаще всего попадались ученики именно этой, семьдесят шестой школы. И что бы ни говорила Вероника Льдова о том, что ее сын не нуждался в деньгах и что у него якобы все было, деньги никогда не бывают лишними, да и что такое для нее большие деньги — тоже вопрос, поскольку все, как известно, относительно. Она могла просто не знать об истинных запросах своего сына. Вадим мог вляпаться в историю с наркотиками, продать пусть даже и небольшую партию, а затем обмануть поставщика с оплатой. Обычная история. А то и вовсе придумать байку о том, что пакет с ценным порошочком у него украли или что-нибудь в этом роде. За это, как правило, и убивают. Но как доказать это? Остается одно — следить за Кравцовым.

— За что мне мстить ему? — плаксивым голосом простонала Ларчикова. — У меня с Вадиком были хорошие отношения, можете спросить у кого угодно. Да и с Витей тоже. Я же их знаю с пятого класса. Просто это переходный возраст, больше никакого объяснения я не нахожу.

— Может, мальчики были пьяными, когда ввалились в класс и начали вас снимать?

— Вполне возможно, потому что я от девочек слышала, что наши мальчики время от времени пьют на переменах пиво, а то и вино, а потом прямо-таки засыпают на уроках. Сами видите, в какое время мы живем...

— Я вижу, что вы от меня что-то скрываете... Но это — ваше право. Только если я пришел сегодня к вам с единственной целью — вычеркнуть вас из списка подозреваемых и тем самым сузить их круг, то теперь понимаю, что надеялся на это зря. И что все слухи, которыми полнится школа, не случайны.

— Да что вы такое говорите?! Вы подозреваете меня в убийстве Вадика? Но я не убивала его! За что? — На выпуклом, гладком, порозовевшем лбу Ларчиковой выступили капли пота: она занервничала и теперь суетливо озиралась по сторонам, словно в поисках поддержки. Но в комнате, да и в квартире, судя по всему, у нее вообще не было защитника, и Крымов даже подумал, что и это тоже неспроста. Что за стройной и соблазнительной Ларчиковой скрывается некая тайна, которой наверняка владел Вадик Льдов. Эта мысль пришла неожиданно и заслонила собой все остальное. А что, если Льдов шантажировал Ларчикову? Крымов поймал себя на том, что, будь классная руководительница 9 «Б» не столь привлекательной, он бы ни за что не додумался до такого. Но Ларчикова... Да, безусловно, было в этой молодой женщине нечто такое, что заставляло думать о ней только как об объекте соблазнения со всеми вытекающими отсюда последствиями. Она была не замужем, вела, судя по всему, соответствующий ее положению свободный образ жизни, в котором имели место случайные связи. Они и могли послужить предметом сплетен и шантажа со стороны ее драгоценных учеников. Такая женщина — знающая себе цену и умеющая пользоваться своей сексуальностью, не могла бы довольствоваться скромным жалованьем школьной учительницы. И любой мужчина, без исключения, согласился бы на связь с ней — настолько она была хороша. И что дурного в том, что ее кто-то содержал, содержит или даже СОДЕРЖАТ?

Все эти мысли пришли Крымову одновременно с предположением несколько другого характера. Что такое школа? Если говорить о тех, кто учит, это в основном женский коллектив. А как там относятся к красивым женщинам, да еще отличающимся легкомысленным поведением? Их не очень-то любят и всячески стараются выжить, чтобы не видеть каждый день перед собой кого-то, кто превосходит вас. А тут еще эти снимки... Что, если сама директриса дала задание Льдову и Кравцову спровоцировать Ларчикову?

Крымов замотал головой: он явно перефантазировал.

— Татьяна Николаевна, может быть, ваш муж как-то связан делами с отцом Вадика Льдова?

— Муж? Но я не замужем... — пожала плечами Ларчикова. — Разве вы, человек, каждый день сталкивающийся с людьми и работающий на интуиции, еще не поняли, что я живу одна? Да это видно невооруженным глазом! Какой же вы психолог, когда...

— Но вы могли быть разведены... — не дал ей договорить Крымов. — Разве нет?

— Тоже верно...

Крымов посмотрел на часы: Надя уже давно ждет его в агентстве, чтобы поехать домой. Что же такое с ним происходит, отчего ему не хочется уходить из этой комнаты, от этой женщины, с которой он мог бы...

Он, слегка привстав, схватил ее грубо и властно, словно она уже давно принадлежала ему, за руку и, притянув к себе, усадил на колени. Она не сопротивлялась, однако ее лицо оставалось серьезным. «Примерно так же, наверное, вели себя и другие мужчины, — подумал он, — которые бывали здесь и которых она угощала чаем или коньяком. Она примагничивала к себе и без того наэлектризованную мужскую плоть, заставляя мужиков чувствовать себя животными, целиком и полностью зависящими от инстинктов. Ларчикова. Да кто ее вообще пустил в школу? Разве таких женщин можно подпускать к подросткам? Ее кожа — нежная, прохладная и шелковистая — соткана из порока, а голова набита фотографиями обнаженных мужчин. Нимфоманка, вот кто она, эта Ларчикова. А он, Крымов, последняя сволочь, только и умеющая, что раздевать женщин, обнимать их податливые и жаждущие уверенного хозяйского прикосновения тела и находить в них временные и уютные пристанища своей мужской сущности...»

Внутри Ларчикова оказалась так же хороша, как снаружи, вот только слишком горяча...

— У тебя нет температуры? — спросил он, чувствуя, как вплавляется в нее и не может остановиться, чтобы вернуться в оболочку того Крымова, которого они придумали вместе с Надей Щукиной.

Щукина... Как же она ошиблась в нем, как просчиталась... Бедная Надя.

* * *

— Вас как зовут-то?
— Сергей.
— Понятно, а то я все Зверев да Зверев...

Они стояли на крыльце и смотрели, как из подъезда выносят носилки сначала с телом девушки в черном, а затем и раненой, еще не пришедшей в сознание Ларисы Белотеловой. Следом в облаке дыма показался Корнилов — он яростно курил и кого-то искал глазами. Наконец, увидев Земцову, махнул рукой и направился к ней.

— Везде успеваешь, Земцова... Ты-то здесь как оказалась?

— Так мы и вызвали милицию и «Скорую»... У меня дело было к ней, я пришла, предварительно, кстати, позвонив, но, как видите, немного опоздала... Не представляю, куда мог деться убийца, ведь мы были уже у подъезда, когда раздался этот ужасный крик...

— Так вы, стало быть, и есть единственные свидетели?

— Стало быть... Мне можно туда пройти?

— Можно, но только если ты мне расскажешь, что

у тебя за дело было к этой дамочке... И кто она вообще такая?

Юля повернула голову, чтобы взглядом дать понять стоящему рядом с ней Звереву, что беседа со следователем прокуратуры будет конфиденциальной, но опоздала: он и сам, догадавшись, что может помешать, медленно шел по направлению к скамейке, расположенной в двух шагах от ворот.

— А это кто еще?

— Мой знакомый, он не имеет никакого отношения к Белотеловой. Это фамилия раненой женщины.

Корнилов записывал.

— Она приезжая, очень дешево купила эту квартиру. Ей это показалось подозрительным, вот она и пришла, чтобы мы выяснили, ЧИСТАЯ ли квартира, — отчаянно врала Юля, предпочитая пока не раскрывать все свои карты, чтобы не потерять Белотелову, ставшую теперь уже куда более интересной клиентку. — Знаете, как это бывает... Продали квартиру в спешке, а в ней либо прописаны военнослужащие, либо родственники, находящиеся на излечении в психушке...

— Об этом надо было думать раньше... Но я понял, что ее задели случайно. Целились-то в голову той, что с хвостом...

— Эта девушка — агент по недвижимости, я успела переброситься с ней парой слов за несколько часов до того, как все это произошло... Она, кстати, подтвердила, что недавно ее опередил другой риэлтор, которому удалось очень дешево продать квартиру номер два, как раз ту, в которой живет Белотелова. Я думаю, что надо начать поиски преступника именно с той риэлторской фирмы, которая занималась этой квартирой, а конкретно — найти Сашу, агента...

— Юлечка, да ты просто клад! Ты, кажется, хотела подняться в квартиру? Пойди посмотри, а потом позвонишь мне вечерком, хорошо? Будем работать вместе.

— А что там с Льдовым и Голубевой?

— Вот позвонишь мне, тогда и поговорим, а лучше — приезжай сама. Интересные вещи вырисовываются... Привет Крымову и всем остальным...

Юля поднялась в квартиру и обнаружила работающих там экспертов — Зыкова и Емельянова. Увидев ее, они поздоровались.

— Он ушел через окно... — сказал толстячок Костя Зыков, ползающий по полу с кисточкой в руке и пыхтящий от непомерных для него усилий. — Смотри, следы мужских башмаков видны невооруженным глазом, и ведут они прямехонько к окну, а вот и на подоконнике грязь... Очень удобное расположение окна — можно спрыгнуть прямо на крышу башни, оттуда на крышу гаража и... в машину. Надо проследить весь его путь до дороги, а уж там — как повезет.

— Что-то, мальчики, я не пойму: если преступник решил убить девушку, агента по недвижимости, то как он оказался в квартире Белотеловой? Ведь за несколько минут до убийства здесь точно никого не было, потому что я звонила сюда и договаривалась с нею о встрече. Значит, буквально в считанные минуты убийца спустился, предположим, с чердака, где прятался все это время, выбирая удачный, на его взгляд, момент для нападения, после чего либо позвонил Белотеловой зачем-то и выстрелил в обеих, что маловероятно, либо выстрелил в агента и хотел было уже сбежать вниз, но, заслышав наши шаги и голоса, позвонил Белотеловой в дверь (или она сама открыла ее из любопытства, что тоже маловероятно, — женщина, услышав выстрел, не станет открывать двери)... Словом, он каким-то образом оказался в квартире и выстрелил в Белотелову... Экспертиза покажет, в кого из них стреляли в первую очередь... А где, кстати, Чайкин? Что-то я его нигде не видела.

— Я здесь. — Леша Чайкин, бледный, вышел из туалета с виноватым видом. — По-моему, меня тоже пора вскрывать... Привет, Земцова!

— У тебя проблемы?

— Как и у всякого нормального человека. Кажется, я опоздал и они уже уехали? — Он имел в виду машину «Скорой помощи», которая могла бы доставить его вместе с телом несчастной девушки в морг.

— Что ты можешь сказать?

— А то, что все люди сволочи, раз позволяют себе убивать друг друга. Молодая баба вошла в подъезд, и ее укокошили выстрелом в упор. За что, спрашивается?

— Леша, по-моему, ты должен задавать себе другие вопросы... — подал голос Зыкин, продолжавший корпеть над отпечатками мужских башмаков. — И вообще, чем это тебя таким накормили, что на тебе лица нет?

— Главное, чтобы на человеке была одежда, Зыкин, и не учите ученого... А вообще, ребятки, по-моему, меня хотели отравить. Вот только кто? Это вопрос.

— Щукина, — хохотнул молчавший до этого Емельянов, с лупой рассматривающий что-то на косяке двери. — Не пойму — не то кровь, не то помада. Что-то красное и жидкое...

— Варенье, наверное, — подсказала Юля, — или клубника. Скорее всего именно клубника, потому что пахнет ею...

Она прошла на кухню и, увидев стоящее на подоконнике блюдо со свежей клубникой, поняла, что не ошиблась.

— А что, если ее просто хотели ограбить? — спросила она сама себя вслух, поскольку состоятельность Белотеловой прямо-таки бросалась в глаза. Начиная с самих роскошных апартаментов и кончая свежей (апрельской!) клубникой, которую хозяйка приготовила именно для нее. А почему бы и не угостить частного детектива витаминчиками в период авитаминоза?

— Где она работает? — Леша Чайкин вошел на кухню следом на Юлей.

— В парикмахерской, представь себе. Ты вот, Леша, возишься по уши в дерьме (извини меня, пожалуйста), чтобы прокормиться и прикрыть дыры на штанах, — вдруг разошлась не на шутку Юля, — а эта Лариса Белотелова (обрати, кстати, внимание на фамилию! Может, действительно судьба человека во многом зависит от имени и фамилии?!) стрижет ногти, а заодно и купоны...

— Какие еще купоны? — не понял Чайкин, воровато оглядываясь и запуская руку в гору клубники. — Все равно ж пропадет...

— Чертовщина какая-то... Ну что, Земцова, пошли по домам?

— Я не могу, у меня здесь еще дела... Послушай, Чайкин, ты хороший парень, умный, все понимаешь. Мне надо бы остаться здесь, в этой квартире, на ночь. Позарез. Если ты пообещаешь, что будешь молчать, я тебе кое-что объясню...

— Да брось ты, Земцова, говори, что надо делать, и будь спокойна... Хочешь, чтобы я отвлек ребят и сделал вид, что ты ушла?

— Ты — умница.

— Знаю, да только никто меня не любит.

— Но это еще не все.

— Хочешь передать своему дружку весточку: мол, не жди меня и езжай своей дорогой?

— Правильно! Он и отвезет тебя, куда попросишь.

Она достала блокнот, написала Звереву записку, чтобы он перезвонил ей в девять вечера по номеру Белотеловой для того лишь, чтобы не получилось так, что она останется на ночь в квартире, наполненной призраками, одна и никто об этом не будет знать. После чего вырвала листок, сложила записку и отдала ее Чайкину:

— Ну что, с богом?

— С богом. Прячься.

Юля зашла за высокий холодильник и затаилась там.

Она слышала, как хлопнула входная дверь, затем голос Чайкина оповестил всех о том, что «Земцова поехала к Корнилову — хлеб отбирать»... Она усмехнулась: еще неизвестно, кто у кого хлеб отбирает.

Глава 4

На столе Корнилова лежал коричневый толстый конверт. В нем находилось заключение судебного медика Чайкина, которого все почему-то называли «патологом». Но ведь «патологи», или, если правильнее, патологоанатомы, вскрывают, как правило, людей, умерших естественной смертью. А разве смерть в четырнадцать лет может быть ЕСТЕСТВЕННОЙ?

Заключение по результатам вскрытия трупа Голубевой было более чем интересным. Оно было шокирующим и заставляющим уже иначе воспринимать семью Голубевых, да и все общество в целом.

Рядом с этим конвертом лежал аккуратный тетрадный листочек с характеристикой ученицы 9 «Б» Голубевой Наташи, из которой выходило, что она простотаки пай-девочка. Так чему же верить: заключению или школьной характеристике?

Если исходить из медицинского заключения, девочка жила интенсивной сексуальной жизнью: состояние повреждения ее половых органов свидетельствовало о том, что ученица девятого класса прошла, что называется, огонь и воду, прежде чем решилась отправиться на тот свет. Так, к примеру, результаты вскрытия показали, что вечером пятого апреля Голубева была в контакте с несколькими мужчинами, о чем свидетельствует наличие спермы двух (!) разных антигенов, что говорит о близости потерпевшей по меньшей мере с двумя мужчинами. В крови погибшей девушки обнаружен алкоголь и наркотическое вещество...

Но самым трагическим, на взгляд Корнилова, являлось то обстоятельство, что у Наташи Голубевой была трехмесячная беременность!

В дверь постучали, это пришла Людмила Борисовна Голубева. Во всем черном, с газовым шарфиком на голове, едва прикрывавшем густые каштановые волосы, она показалась Корнилову невероятно красивой. Он не мог понять, как женщина с таким одухотворенным лицом могла допустить, чтобы на ее глазах выросло морально ущербное существо, каким предстала перед его искушенным взором ее покойная дочь. Где были глаза матери? Мозги? Куда смотрел отец? И что за обстановка была в семье, в которой на ребенка совсем не обращали внимания?! Если Наташа курила, то от нее за версту должно было пахнуть табаком, если нюхала кокаин или увлекалась травкой, то это было бы заметно по ее поведению. Когда она возвращалась после своих интимных свиданий домой, неужели мать ни разу не поинтересовалась, где была ее дочь, чем занималась и в обществе кого проводила время?

— Вы хорошо держитесь, — сказал Корнилов и протянул посетительнице пепельницу, потому что первое, что сделала Голубева-старшая, едва переступив порог кабинета следователя прокуратуры, это достала из кармана жакета красивый серебряный портсигар и закурила.

— А что мне еще остается делать? — осипшим от слез и волнений голосом произнесла она и посмотрела на Корнилова в упор взглядом уставшего и разочаровавшегося во всем человека. Так, наверное, смотрят перед тем, как пойти на казнь или добровольно принять смерть. Может, и у ее дочери был точно такой же взгляд, когда она поднялась поздно ночью с постели, насыпала в стакан таблетки, раздавила их на дне ручкой или карандашом, залила водой и, последний раз взглянув на окно или, предположим, фотографию Льдова (а почему бы и нет?), выпила ВСЕ ДО ДНА... Боже, как же было страшно этой молодой еще женщине увидеть на постели заледеневшее мертвое тело единственной дочери!

— Вы хорошо знали свою дочь?

— Знала? А разве можно знать до конца ДРУГОГО человека? Что-то знала, а что-то нет... А почему вы задаете мне этот вопрос?

— Как вам известно, нами возбуждено уголовное дело. Наша цель — выяснить, кто довел вашу девочку до самоубийства. Вот по этому поводу мы вас и пригласили.

— Наташу уже не вернуть...

— Я понимаю, но тем не менее. Ответьте мне, пожалуйста, на один вопрос. Какие у вас отношения в семье?

— Вы имеете в виду наши отношения с мужем?

— Да.

— Обычные. Но уж если быть до конца откровенной, то у меня с мужем нет НИКАКИХ отношений. И давно. Но не понимаю, какая связь может быть между этим и гибелью Наташи?

— Самая прямая.

— Я никогда не любила мужа, но внешне старалась этого не выказывать. Он — слабый, хотя и амбициозный человек, трус, хотя добрый... С ним можно жить, но если только редко видеть, потому что выносить его в больших дозах просто невозможно. Вы не психоаналитик и поэтому не пытайтесь найти в наших отношениях причину, заставившую Наташу уйти из жизни. Не надо вешать нам на шею этот груз. Это нечестно. Она ушла из жизни совсем по другой причине.

— По какой же?

— Думаю, что из-за любви. Я сначала не хотела вам показывать ее записку и эту акварель, но утром, после вашего звонка, я вдруг поняла, что вам захочется крови, а потому решила защититься (да простит меня Натали)... — С этими словами Людмила Борисовна достала из сумочки сложенный вчетверо плотный листок бумаги, развернув который Виктор Львович увидел совершенно очаровательную, прозрачную акварель, детскую и вместе с тем зрелую, точно и ясно выражающую чувства девочки-подростка, страдающей от одиночества. На рисунке был изображен мост, на нем два человечка — он и она; парень и девушка; ярко-оранжевый свитер парня выдавал в нем Вадика Льдова, тоненький силуэт девушки — Наташу Голубеву; по небу плыли голубые нежные облака, подсвеченные солнцем, а под мостом чернела вода... Черная вода — символ одиночества.

— На ней розовая кофта, у нее есть такая?

— Нет, но это ни о чем не говорит. Разве что о нежности, которую она испытывала к этому мальчику. Про покойников плохо не говорят, но Вадик был распущенным парнем, которому было позволено все... Родители его практически не воспитывали, он был предоставлен сам себе. У него всегда были деньги, поэтому за ним вечно тащился хвост прихлебателей, вассалов, слуг, рабов... Он делал с ними что хотел — заставлял прислуживать ему, оказывать мелкие услуги, выполнять за него домашние задания и чуть ли не башмаки чистить... А за это он давал мальчишкам деньги, покупал сигареты, пиво...

— Как вы его...

— Просто я искренна с вами, вот и все.

— А наркотики? Вы не слышали, чтобы Льдов принимал наркотики или продавал их?

— Врать не стану, ничего такого не слышала. Да и как можно было это услышать, если за такое дают сроки... Если даже он и продавал их — с него станется. Я не думаю, что деньги, которыми он бравировал при каждом удобном случае, доставались ему лишь от родителей. Он был гибким парнем (в плохом, конечно, смысле), а потому был способен ради достижения своих целей на все...

— Да вы просто ненавидели его?

— Это я тоже предусмотрела. Нет, я не убивала Вадима Льдова, и, когда бы ни произошло убийство, я была дома — мы с мужем проанализировали все мое время, начиная с четвертого апреля и кончая днем похорон... Даже если я и отлучалась, то у меня имеются свидетели на каждый час, каждую минуту, причем все это — люди незнакомые, случайные... В поликлинике, например... В магазине — у меня остались и чеки.

— Но вы могли избавиться от него ЧУЖИМИ РУКАМИ... Ведь, признайтесь, вы мечтали о том, чтобы он исчез из жизни вашей дочери...

— Я мать, и я действительно об этом мечтала... Думаете, легко мне было, когда я узнала, в какого монстра влюбилась моя Натали? Как вы думаете, была я рада всему этому?

— А кроме Вадима, у Наташи был еще какой-нибудь парень? — Корнилов решил немного отвлечь Голубеву от Льдова.

— Да нет, не слышала. От нее, во всяком случае... У них дружный класс, они часто собираются, слушают музыку. Однажды почти весь их класс съездил в Москву, на экскурсию... Их классная руководительница тоже мне нравится, такая деятельная, всегда горой за своих учеников. Ларчикова Татьяна Николаевна. А вы, кстати, не слышали, какую шутку они ей устроили?

И Людмила Борисовна, пытаясь убедить Корнилова в том, что это смешно, рассказала историю с фотографиями голого Льдова и падающей со стула Ларчиковой.

— Не знаю, как вы, а мне это не показалось смешным. Вы нервничаете, это понятно, но у меня создается ощущение, что в своей прошлой жизни вы были СТРАУСОМ, — горестно вздохнул Корнилов.

— Что? Что вы сказали? Каким еще страусом?

— А тем самым, который прячет голову в песок. Вы и сейчас ее зарыли очень глубоко, даже не видно... — Корнилов встал и, разнервничавшись, закурил, забыв предложить сигарету ошарашенной его словами Голубевой. — Что смешного вы нашли в том, что двое наверняка подвыпивших или обкуренных девятиклассника голышом вломились в класс, где в это время находилась их молоденькая классная руководительница (причем одним из них был именно Льдов, царство ему небесное!), и стали приставать к ней, лапать и, одновременно, снимать. Вы что, не понимаете, что здесь не может быть ничего смешного?! Выпили, покуражились, сломали карьеру Ларчиковой, а теперь Льдов — убит, причем жестоко, топором... А вы еще пытаетесь меня убедить в том, что здесь есть доля юмора. А почти одновременно с мальчишкой, так нахально поиздевавшимся над своей «классной», умирает ваша собственная дочь, приняв лошадиную дозу снотворного! Как вы думаете, здесь напрашивается связь или же я вызвал вас, чтобы послушать, как вы ненавидели Льдова, и принять все доводы, касающиеся вашего, как вы считаете, железного алиби? Нет уж, голубушка, не для этого я пригласил вас к себе. И если во время похорон я не смел подойти к вам, поскольку понимал ваше состояние, то теперь (можете жаловаться на меня кому угодно, я даже вам сам дам ручку и бумагу!) мне предстоит сказать вам нечто из ряда вон... Это вы убили свою дочь!

Корнилов замолчал, чувствуя, что перегнул палку и что, вероятно, видит эти стены в последний раз. Его уволят по жалобе Голубевой; она не станет молчать и бездействовать, раз предоставляется возможность направить куда-то свою мстительную, холодную и осознанную энергию; ей надо оправдаться перед собой и своим мужем...

Пока он думал об этом, его глаза следили за выражением ее лица. Женщина явно недоумевала. Она никак не могла взять в толк, о чем, собственно, идет речь.

— Потрудитесь объяснить... — произнесла она с трудом, давя в себе рыдания. Похоже, она только сейчас начала осознавать, какое тяжкое обвинение предъявил ей только что следователь прокуратуры.

— Я спросил вас, встречалась ли ваша дочь с кем-нибудь кроме Льдова...

— Но она с ним не встречалась! Он совершенно не обращал на нее внимания! Разве вы не поняли, что это-то как раз и послужило причиной ее смерти?! — почти вскричала она, поднимаясь со стула и хватая со стола зажигалку Корнилова, в то время как ее собственная была зажата у нее в левой руке.

— Тогда вы тем более виноваты, что ничего, совершенно ничего не знали о своей дочери. Хотите взглянуть на материалы вскрытия?

* * *

В маленькой тесной квартирке Иоффе собралось девять одноклассников и одноклассниц Вадима Льдова: Лена Тараскина, Оля Драницына, Валя Турусова, Тома Перепелкина, Катя Синельникова, Жанна Сенина, Витя Кравцов, Женя Горкин и Максим Олеференко.

— Ты запер дверь? — спросил Кравцов, обращаясь к Жене Горкину, курносому молчаливому пареньку, открывая заученными движениями одну бутылку за другой и ставя их на накрытый по случаю этих импровизированных поминок стол, на котором, помимо пива, было несколько банок с мясными и рыбными консервами, гора сверкающих цветных пакетиков с чипсами, нарезанный ломтиками ржаной хлеб и раскрытая картонная коробка с копченой мойвой.

— Да запер, не бойсь... — отозвался Женя, жадно присасываясь к горлышку пивной бутылки и отпивая его большими глотками, да так громко и аппетитно, что за бутылками потянулись и все остальные.

— Уж не знаю, что говорят в таких случаях, — произнес Кравцов, чувствуя, что все присутствующие теперь вынуждены воспринимать его как преемника покойного лидера Льдова, а потому и слушаться его во всем и что он теперь должен хотя бы в чем-то повторять поведение своего предшественника, чтобы походить на него и не дай бог не упустить момент, когда появилась возможность занять его опустевший трон. А сделать это можно только силой и напором, воспользовавшись безвластием, разбродом, чтобы, подавив чужую волю, навязать всем свою. Во всяком случае, Виктор, представив себе на мгновение, как бы, оказавшись сейчас на его месте, вел себя Льдов, продолжил уже с большей уверенностью, словно ощущая, как внутренняя сила Вадима переходит в него и наполняет и без того прочно заселенное мыслями и чувствами Вадима его собственное, кравцовское «я». — Пусть будет ему земля пухом, и царство ему небесное!

Вадим любил торжественность в речах, и чудовищный контраст между его пристрастием к пышности церемоний и простоте и грубости всего остального, что составляло их групповые забавы, заставлял сердце биться сильнее, чем от опия. Вот и сейчас от панихидных речей он запросто перешел бы к щекочущим нервы фактам, доставляющим небывалое удовольствие одним и страх другим. Но теперь, при Викторе Кравцове, в их компании произойдут перемены, пусть не такие резкие, как хотелось бы ему, новому лидеру, но все же достаточно радикальные. Жени Горкина здесь не будет вовсе: он, Кравцов, так решил, и этого вполне достаточно, чтобы другие его поддержали и, главное, ПОДЧИНИЛИСЬ. Горкин сбежал, когда они решили развлечься с девчонкой из интерната, с которой Тома Перепелкина перед этим выясняла отношения. Есть даже подозрение, что именно Горкин и насвистел тогда Ларчиковой, где они и чем занимаются, и теперь «класснуха», которая прикатила к посадкам ночью и все увидела своими глазами, вздумала шантажировать этим девчонок. А раз так, пусть господин Горкин отвечает за свои поступки и расплачивается либо выходом из компании, либо платит наличными (чего, кстати, никогда не практиковал Вадим, который штрафовал исключительно «натурой»). Пусть это будет нововведением. А что, деньги еще никогда и никому не помешали. Кроме того, это послужит уроком для остальных — чтобы неповадно было предавать своих.

— А о Голубевой ты тоже будешь держать речь? — спросила, облизывая от пива губы, Валя Турусова. — Мы что сюда, на поминки пришли?

Голос ее, высокий и дрожащий от волнения, звучал громко и вызывающе. Никто ничего не понял, однако Жанна Сенина, бросив вопросительный взгляд в сторону Тамары Перепелкиной, которая выглядела сегодня особенно элегантно в новом облегающем платье из красной эластичной ткани и явно пришла сюда не для траурных церемоний, осадила Валю, удивив всех присутствующих:

— Не на поминки, конечно, но не вспомнить про Наташу нельзя... Ведь на ее месте могла бы оказаться любая из нас...

— В смысле? — округлила глаза Валя и обвела удивленным взглядом всех сидящих за столом. — О чем это она?

— Она сдавала анализы, я сама провожала ее в платную поликлинику, прождала внизу, возле регистратуры — почти час, а она так и не вышла... Ну я и ушла, а буквально через полчаса встречаю ее — прикиньте! — в магазине — она спокойненько покупает себе сигареты. Выскользнула, оказывается, из больницы через другой выход, где флюорография, чтобы меня не видеть... Спрашивается, зачем же было звать меня с собой за компанию, чтобы потом от меня же и сбежать?..

— Думаю, у нее были плохие анализы, — перебила ее Тамара и вдруг достала откуда-то снизу, наверное, из сумки, стоящей на полу, бутылку водки. Раздался общий радостно-удивленный возглас, как будто анализы Голубевой уже никого не интересовали. — Вы что, ошалели? Не понимаете, о каких анализах идет речь?

Кравцов, под которым Перепелкина уже одним своим уверенным и не терпящим возражения тоном сильно покачнула кресло его, как ему казалось, растущего прямо на глазах авторитета, почувствовал, что волосы на его голове зашевелились. Он хоть и плохо помнил тот вечер четвертого апреля, когда все они — и Голубева и Льдов — были еще живы и здоровы и сидели, вернее, лежали вот здесь, на этом самом продавленном диване и курили длинные коричневые палочки, которые принесла для них Тараскина, но уж то, что Наташка досталась им обоим, почему-то в памяти засело крепко. Быть может, потому, что он тогда словно взбесился, ему почему-то захотелось сделать Наташке больно, и он сделал ей больно, она застонала, а он закрыл ей рот ладонью, а потом держал ее, лицом вниз, пока Льдов...

Он очнулся, со лба его катился холодный пот. Если сейчас он спросит о СПИДе и окажется, что речь идет совсем о других анализах, он сядет в калошу, иными словами, на глазах у всех распишется в своей неинформированности. Все будет выглядеть по-идиотски. А этого нельзя допустить. Надо выждать время, пока кто-нибудь не проговорится, не скажет слово, от которого, быть может, теперь зависит жизнь самого Кравцова.

— Она что, залетела, что ли? — кроткое розовощекое лицо красивой Олечки Драницыной повернулось к Тамаре. — Что вы все ходите вокруг да около?

Она спасла его, эта спокойная и умная Драницына, с которой можно иметь любое дело и быть уверенным в том, что тебя не подставят. Побольше бы таких девчонок. Без комплексов.

— Да-а, говорят тебе... — выпалила, словно выдала чужую тайну, Жанна Сенина.

— Подумаешь... Выпить-то за нее, конечно, тоже надо, но Вадима мне почему-то жалко больше. Я вот смотрю на вас, на ваши кислые рожи и понять не могу, чего вы все ждете? Не наливаете? Кого ты, Кравцов, из себя строишь?

Теперь уже удивилась Тамара, у которой бразды правления этой маленькой сволочной компании выскользнули из рук так же стремительно, как и оказались там, — все теперь смотрели на Олечку Драницыну, уверенно наливающую водку в граненые стаканы, заботливо и молчаливо поставленные перед каждым Максимом Олеференко. Твердость ее голоса заставила закрыть рот даже Виктора, который только что собирался произнести тост.

— Вы пейте, — между тем продолжала Оля, ни на кого не глядя и потроша пачку с чипсами. Опустив внутрь блестящего пакета пальцы, она достала хрустящие жирные и красные от перца аппетитные кругляши и отправила их в рот. — А я лучше поем... Мне некогда, у меня дома дела, матери надо помочь...

— Вообще-то мы никого не держим. — Жанна Сенина развела руками и посмотрела с опаской на Перепелкину: одобряет ли та ее реплику и, главное, позицию в отношении Драницыной.

Но Перепелкина даже не взглянула на свою «шестерку», она просто залпом, не чокаясь, выпила водку и закусила хлебом. За ней последовали и остальные.

Спустя полчаса, когда была выпита и вторая бутылка водки, Катюша Синельникова, которая подошла к окну, чтобы продемонстрировать Кравцову (который почему-то весь вечер не смотрел на нее, а просто-таки пожирал глазами Драницыну) свою кожаную короткую юбочку, а заодно и стройные ножки, вдруг сказала:

— Смотрите, а наши придурки в футбол гоняют...

Она говорила о своих одноклассниках, которые, в отличие от нее и всех тех, кто считал себя элитой класса, «белой костью» и сидел сейчас за круглым столом старика Иоффе, жили в повиновении у своих родителей, отбывали свое «золотое» детство в невеселом окружении таких же пресных и неинтересных школьников, как и они сами. Музыкальная школа, лыжи, какие-то курсы, репетиторы, футбол, художественная студия, легкая атлетика, бассейн, занятия, английский, экзамены — ее воротило от этих слов, и это сближало Синельникову с теми, кто думал так же, как она. «Жизнь прекрасна только с теми, кто тебя понимает» — так говорил Вадик Льдов, которого уже нет и никогда не будет, а ведь это он первый пригласил ее сюда и впервые сделал с ней то, что она хотела, чтобы с ней сделали. И что плохого в том, что она взрослее своих одноклассниц, которым ничего не надо. Каждый человек индивидуален, и физическая сторона его жизни не должна тревожить общественное мнение. Другое дело, что эта же самая физическая сторона превращает подчас жизнь в тяжкое испытание, когда мужчина (а в их компании не было мальчиков и девочек, все успели сблизиться и повзрослеть настолько, насколько это было возможно в состоянии наркотического опьянения, да и алкогольного, впрочем, тоже), которого ты, как тебе кажется, любишь, уходит в маленькую комнату, чтобы заняться сексом С ДРУГОЙ... Как вытерпеть это? Как сделать, чтобы Кравцов пошел сегодня именно с ней, а не с Драницыной, с которой он не сводит глаз? Она не хотела быть третьей — слишком уж унизительная роль, ведь тогда он достанется ей уже мокрый от пота и уставший, и ему нужно будет только разрядиться и рухнуть на нее, как на мягкий, душистый тюфяк... А Катя слишком любила себя, чтобы постоянно довольствоваться этой ролью.

Она не понимала, ЧТО они все находили в этой Драницыной...

Глядя, как ее одноклассники гоняют по светло-зеленому апрельскому полю мяч, она вдруг решилась уйти, как это сделали недавно Лена Тараскина, которую сильно тошнило от водки, и Валя Турусова, которую ждал ее художник. Катя не хотела, чтобы ее посадил к себе на колени бритоголовый и пахнущий потом Горкин или чтобы ей под юбку полез толстый и тяжелый Олеференко. Не для того она полтора часа провела в ванной комнате, приводя себя в порядок, чтобы ее трогали грязные лапы этих ублюдков, этих пьяных и грубых парней. Вот Кравцов — это другое дело.

— Ты куда? — услышала она, как ее окликнул Горкин, и не успела Катя подойти к двери, как он, приподнявшись со стула, на котором сидел уже вместе с Жанной Сениной на коленях, схватил ее за руку и притянул к себе. — Ты куда, Синельникова? У нас еще водка есть, не спеши. Туда, куда ты собралась, ты всегда успеешь... Что, в футбол поиграть захотелось?

Жанна спрыгнула с его колен и быстрым шагом направилась к Максиму Олеференко, который знаком приглашал ее к себе. Он сидел возле противоположной стены в глубоком кресле, показывая взглядом пьяненькой Жанне, которой никак не удавалось пересечь комнату, чтобы на кого-нибудь не наткнуться, что надо делать. Усмехнувшись, она подошла к нему и села перед ним на корточки, но ноги не выдержали, подкосились, и она плавно опустилась на колени. Наклонив голову, Жанна вздохнула и хотела было что-то сказать, как почувствовала, что Максим больно схватил ее за волосы и потянул вниз...

— Работай, работай...

Кравцов, обнимавший за талию сидящую рядом Тамару Перепелкину, которая ничего не ела, много курила, а потому опьянела больше других, продолжал смотреть на Олю Драницыну, поедающую с равнодушным видом хлебные темные катыши. Она тоже опьянела, но сидела за столом с отсутствующим видом и думала о чем-то своем. Она привыкла к этой обстановке и чувствовала себя здесь, в этой задымленной, прокуренной квартире, как рыба в воде. Она вспоминала весь сегодняшний день, начиная с того момента, как ей позвонил дядя Миша и пригласил к себе. Рядом с ним она чувствовала себя уверенно, он позволял ей все, о чем бы она его ни попросила, даже самые невероятные вещи... У них была такая игра: он разрешает ЕЙ делать все, что ей вздумается, а она — ЕМУ. Но если у нее фантазий было куда больше и связаны они были в основном с материальными ценностями (то ей захочется, чтобы он подарил ей морскую раковину, стоящую у него на зеркальной полке, то чтобы отдал ей его длинный и толстый синий свитер с желтыми оленями, то она пожелает съесть сразу все апельсины, которыми он и так угощал только ее, то она открыто попросит у него определенную и немалую, на ее взгляд, сумму, что бывало особенно часто...), то у дяди Миши фантазия была всегда одна, конкретная, и она поражала Олю своей простотой, как поражала реакция этого серьезного взрослого мужчины, который всегда казался ей каким-то необыкновенным и оригинальным, на ее наготу. Он словно превращался в другого человека, озадаченного одной-единственной, не дававшей ему покоя проблемой, суть которой сводилась исключительно к обладанию Олиным телом. Ему нравился сам процесс, и Оля очень хорошо это усвоила. Она уже давно выучила все, что доставляло ему наибольшее удовольствие, а потому в те встречи, когда ей особенно нужны были деньги, сама провоцировала своего взрослого друга, принимая его излюбленную позу, а то и вовсе хватая его своими нежными пальцами за пламенеющую плоть, приводила его, как животное, просящее у нее поесть, в ту комнату его большой квартиры, где было особенно темно и звучала заунывная хоровая музыка, которой сопровождались все их свидания... Здесь он мог позволить себе с ней все, что хотел, и даже больше. Но к этому «больше» он и готовил Олю почти две недели, показывая ей фотографию своего друга, с которым ей предстояло познакомиться и который, по словам дяди Миши, давно любил ее по одним только рассказам о ней...

...Она очнулась уже в постели. Виктор в нетерпении стаскивал с нее одежду, бормоча при этом ей что-то на ухо и производя резкие и грубые движения, словно он делал это впервые, после чего, все же войдя в нее, застонал от удовольствия и, вдруг обозвав ее самым последним словом, сказал, что с ней ему нравится больше, чем с другими. «Странные эти мужчины», — думала она, испытывая ставшие уже привычными, но все же еще не потерявшие своей остроты ощущения, в то время как подошедший к ней с другой стороны Олеференко взял ее за щеки своими большими липкими, провонявшими мойвой ладонями и, чуть приподняв за голову, чтобы видеть ее полураскрытые влажные губы, придвинулся к ее лицу своей распаленной плотью...

Тамара Перепелкина, лежа на диване в гостиной, повернув голову, наблюдала за тем, что проделывают с Олей Драницыной Виктор и Максим. Возбуждаясь от этого зрелища все больше и больше, чувствуя на своем теле тяжесть мужского тела, она представляла себя сейчас, конечно, не с Горкиным, который, двигаясь ритмично и с силой, дышал ей прямо в лицо жарким пивным духом, а с другом отца, высоким солидным брюнетом, фамилии и имени которого она еще не знала...

И никто из них так и не вспомнил больше в тот вечер ни о Вадиме Льдове, ни тем более о Наташе Голубевой. Жизнь продолжалась и требовала новых услад.

* * *

Крымов вышел из квартиры Ларчиковой с трофеем — пачкой фотографий, сделанных Льдовым и Кравцовым.

Он старался не думать о том, ЧТО произошло между ним и классной руководительницей, и о том, как теперь он взглянет в глаза Нади. Просто посмотрит, улыбнется и спросит, не готово ли свадебное платье, которое они заказали у Аллы Францевны Миллер. И Надя тут же превратится в восковую куклу — потеплеет, размягчится и потечет...

В машине он снова пересмотрел все фотографии, и две из двенадцати показались ему странными, непохожими на остальные. Качество снимков оставляло желать лучшего, некоторые фрагменты изображения были смазаны, и все же... Поскольку печать везде была цветная, при более внимательном рассмотрении нельзя было не заметить, что на десяти снимках у Ларчиковой ДРУГОЙ ОТТЕНОК ВОЛОС, более светлый. Кроме того, фоном двух снимков служит не школьная доска с краем портрета Толстого, а фрагмент натюрморта с ромашками. Спрашивается, и где же теперь искать этот натюрморт? Вот это ребус в духе Земцовой.

Вспомнив о ней, Крымов тотчас достал телефон и набрал ее номер.

— Да, слушаю... — Голос нежный, с придыханием.

— Здравствуй, Юлечка Земцова, где ты, моя радость?

— Крымов, только тебя мне сейчас и не хватало с твоими шуточками и хорошим настроением. Хочешь, я его быстренько испорчу?

— Что, Надя вернулась к Чайкину?

— Нет, хуже: на Белотелову, ту самую клиентку, которая приходила к нам сегодня утром и оставила аванс, — вспомнил? — на нее совершено покушение, ее ранили.

— Это та, у которой не все дома и... кровавые брызги на зеркалах?

— Да.

— Ничего себе. Ну и что дальше? Где она?

— Ее увезли в больницу... — И Юля вкраце рассказала ему о том, что произошло на улице Некрасова в доме номер шестнадцать, за исключением обстоятельств, которые были связаны с Сергеем Зверевым. Зачем злить ревнивого собственника и эгоиста Крымова, если можно обойтись и без такого рода подробностей?

— Надо срочно выяснить имя этой агентши...

— Что вы говорите? Надо выяснить не только ее имя и личность, но и ее возможную связь с парнем-агентом по имени Саша, который занимался продажей квартиры Белотеловой. Чувствую, мы наткнулись на интереснейшее дело. Во всяком случае, мне так кажется, тем более что я сейчас как раз нахожусь именно в ЭТОЙ, «нехорошей», зараженной полтергейстом квартире в полном одиночестве и вижу перед собой зеркало с подсыхающими каплями крови...

— Если ее ранили, это может быть ЕЕ кровь?

— Я уже звонила Щукиной и попросила выяснить группу крови Белотеловой, ведь у Нади связи же в областной больнице... Так вот, группа крови Ларисы Белотеловой — первая, а ЭТУ я сейчас соберу с зеркала на тампон и постараюсь выяснить... но только уже завтра.

— Ты собираешься провести ТАМ всю ночь? Одна?

— А что такого? Клиентка попросила выяснить, не поселилась ли в ее квартире нечистая сила, вот я и работаю... Какие еще будут вопросы?

— Я могу приехать к тебе...

— Ну уж нет, дудки! Я скорее проведу ночь в гробу на кладбище, чем с тобой в одной квартире ночью... Я сыта твоим обществом, Крымов. И вообще, я собиралась тебе сказать, что ухожу из агентства... Стой, подожди, а это что такое?.. — И тотчас послышались короткие гудки.

Крымов чертыхнулся и пожалел, что не спросил точного адреса. Хотя... Некрасова, шестнадцать, чем не адрес? Разве что номера квартиры он не знает, но это можно выяснить у жильцов. Он вставил ключ и собрался было уже завести машину, как зазвонил телефон.

— Крымов, ты жив? — услышал он убийственно спокойный, прямо-таки ледяной голос Щукиной.

— Жив, конечно, Надечка, работаю вот, кружусь по городу в поисках...

— Я звоню тебе из дома. Если ты не хочешь, чтобы я весь твой ужин скормила голубям или лосям, воронам или зайцам, не знаю уж, кто еще водится в этом лесу, то приезжай. И еще: звонил Шубин, он сказал, что проследил за Кравцовым и узнал адрес, где собираются одноклассники Льдова, записывай: улица Васильевская, дом сто три, квартира один. Еще он сказал, что туда пришли парни и девчонки, у них были с собой сумки и пакеты, скорее всего с выпивкой и закуской... Он предположил, что они собрались там, чтобы устроить что-то вроде поминок по Льдову и Голубевой. Вот так-то. Он мне еще перезвонит. Так ты едешь?

— Конечно, еду. Хотя я собирался заехать к директрисе школы, уж больно интересная история произошла с Ларчиковой... — Он в двух словах рассказал Наде про снимки, промолчав только о том, где и при каких обстоятельствах они ему достались. Пусть думает, что попали к нему из рук учеников.

— Да, действительно. Тогда ты поезжай к директрисе, посмотрите с ней еще раз на снимки, но перед этим было бы неплохо заехать в лабораторию к Ефиму Левину, ты его знаешь, чтобы он тебе увеличил те два подозрительных снимка... А что, если они сделаны в ДРУГОМ КЛАССЕ?

— Интересная мысль... Хотя я, если честно, предположил, что эти снимки сделаны вовсе не в школе.

Он не мог объяснить ей ход своих мыслей, поскольку пришлось бы рассказывать о нимфоманке Ларчиковой и ее предполагаемом пристрастии к молоденьким мальчикам и, в частности, о вполне возможной связи с Вадимом Льдовым. А ему вовсе не хотелось произносить вслух имя Ларчиковой... Во всяком случае, не сейчас. Он еще чувствовал присутствие едва уловимого аромата ее духов и запаха кожи и волос, и, появись она сейчас на горизонте, ужин действительно достался бы лосям и зайцам...

— Тоже может быть. Ты бы встретился с классной руководительницей сам, а не слушал других... Знаешь, злые языки могут наговорить чего угодно. Ну ладно, я все поняла — ты занят. Работай, Крымов, а я поужинаю одна, без тебя, ты не против? Потом посмотрю телевизор, почитаю журнальчики и лягу спать... — Слышно было, как она зевнула. — А ты поезжай, поезжай к этой, как ее...

— Ларчиковой?

— Ну да, к классной... Целую.

— Я тебя тоже. — Он выключил телефон и посмотрел из окна на дом, в котором жила Татьяна Николаевна. Интересно, как она воспримет его возвращение? Удивится или обрадуется?

И вдруг он увидел ее. Это была не галлюцинация, не мираж. Он так хотел ее увидеть, что она, наверное, прочувствовала это и сама, сама вышла к нему! Но откуда, откуда она могла знать, что он еще здесь, что не уехал, а вместо этого почти полчаса говорил по телефону?!

Ларчикова, одетая в строгий черный костюм, едва переступая маленькими шажками из-за непомерно узкой и тесной юбки, обтягивающей ее стройные бедра, направилась между тем не к нему, а в противоположную сторону! Он обратил внимание, что она достаточно быстро смогла привести себя в порядок, уложить волосы в высокую прическу, одеться — словом, собраться... Интересно, куда это она направилась?

Крымов завел машину и, свернув на параллельную улицу, решил, что так ему будет удобнее проследить за ней, после чего медленно покатил вдоль тротуара, вдыхая теплый, напоенный крепким запахом распускающейся листвы весенний воздух... Ему было немного грустно, потому что его новая любовница выглядела так, как может выглядеть только женщина, еще не остывшая от объятий одного мужчины и уже спешащая в постель к другому. И кто ее осудит?..

* * *

Ровно в девять телефон в квартире Ларисы взорвался, и Юля, которая и без того сидела не шелохнувшись и последние пять-десять минут смотрела на часы, подскочила как ненормальная и кинулась зачем-то к двери. Нервы ее были на пределе. В такие минуты она всегда спрашивала себя, зачем пошла работать к Крымову, раз такая трусиха и подпрыгивает при малейшем шорохе. Разве можно жить в постоянном нервном напряжении, когда есть возможность заняться какой-нибудь спокойной, лишенной груза ответственности за судьбы других людей работой, а то и просто выйти замуж и уйти с головой в семейные, мирные проблемы. Все, что происходило с ней в последнее время, было символичным и словно указывало ей на необходимость ухода из агентства. Одни лишь романы чего стоили! Разве о такой безнравственной жизни она мечтала, разводясь с Земцовым, своим первым мужем? Где это видано — быть любовницей сразу двоих мужчин, которые к тому же еще и работают бок о бок? Ладно Крымов, он и не такое переживет, тем более что у него и у самого рыльце в пушку, такие, как он, кому угодно дадут фору в этом смысле, но Шубин?! Разве можно было так по-свински поступать с порядочным и по-настоящему влюбленным в нее Шубиным?

...Она взяла трубку и улыбнулась, услышав знакомый голос Зверева.

— Это Сергей, звоню вам, как просили. Ну что, долго еще собираетесь дрожать там от страха?

— А с чего вы взяли, что я дрожу?

— Ваш приятель сказал, что вы решили устроить что-то вроде засады на квартире этой раненой и что вам страшно.

— Да ничего мне не страшно! — возразила она, уже раскрасневшись от злости и досады на себя, на свою несдержанность.

— Неужели вы, слабая женщина, не боитесь встретиться нос к носу с убийцей? Да ни за что не поверю. В любом случае, боитесь вы или нет, если вы не против, я приду, и мы будем вместе поджидать вашего убийцу или кого там еще...

Он явно потешался над ней. А Чайкин?.. Тоже мне, коллега, выставить ее в таком свете!..

— Да, я хочу, чтобы вы пришли, но только не для того, чтобы оберегать меня, а просто посидеть за компанию. Видите ли, круг друзей и знакомых у меня крайне ограничен, поскольку я веду довольно ненормальный образ жизни, порою приходится иногда знакомиться вот так, через агентство...

— Не понял, через БРАЧНОЕ агентство? На что вы намекаете, Юля?

Она немного помолчала, соображая, что бы такое ему сказать, чтобы он прекратил свои шутки, как вдруг заметила нечто, заставившее ее молниеносно забраться с ногами на диван, как если бы она увидела на ковре крысу или змею... Но это была всего лишь деталь женского туалета — белый кружевной бюстгальтер. Точнее, он был когда-то белым, а теперь мятый, с вымазанной в запекшейся крови левой поролоновой чашечкой, лежал всего лишь в метре от дивана. Откуда он взялся? Его ведь не было, она могла бы в этом поклясться! Что касается красных брызг на зеркале в прихожей — она поручиться не может, были они до ее прихода или нет, но бюстгальтер!

— Сергей, вы слышите меня? Приходите немедленно, здесь происходят какие-то странные вещи...

— Все, лечу, — услышала она и положила трубку.

Ничего себе, приключеньице! Блуждающее по квартире чужое белье, брызги крови на зеркалах, что дальше?

Зверев позвонил в дверь приблизительно через четверть часа. Юля, перед тем как открыть, внимательно посмотрела в «глазок», а когда он подмигнул ей, улыбнулась. Удивительно, она все чаще и чаще улыбается в его присутствии. С чего бы это?

— И что же такого странного здесь происходит? — В руках Зверева была корзинка со свежей клубникой.

— Вы опоздали, я уже съела почти килограмм чужой клубники... Если хозяйка, придя в сознание, решит вернуться домой и обнаружит, что ее клубника съедена?.. Что тогда будет?

— Тогда я скажу ей, что куплю в два раза больше. Такой ответ вас устроит? Так что же все-таки здесь случилось?

— Понимаете, — стала объяснять ему Юля, жестом приглашая следовать за собой в гостиную, — когда я пришла сюда, вот этой штуки, — она показала пальцем на по-прежнему валяющийся на полу бюстгальтер, — НЕ БЫЛО. Это точно. А теперь есть. Спрашивается, откуда?

Зверев смотрел на нее внимательно, как смотрят на ребенка, внезапно заговорившего на иностранном языке, которого он прежде не знал.

И тогда она решила рассказать ему все, начиная с визита Белотеловой в агентство.

— Послушайте, Юля, вы — работник частного детективного агентства, а не специалист по черной или белой магии. Зачем вы вообще ввязались в это дело? Я хоть и атеист по большому счету, но все равно время от времени хожу в церковь и верю в нечистую силу, представьте себе... Я просто уверен, что среди нас есть люди, обладающие сильнейшими биополями, способные как излечить чей-нибудь недуг, так и разрушить все на своем пути... Я верю в способность таких людей передвигать предметы на расстоянии, поэтому не удивляюсь тому, что вы мне рассказали. Но я удивлен другим — вашим легкомыслием! С какой стати именно вы ввязались в это и почему здесь нет вашего Крымова? Он что, снова отлеживается в своем загородном доме, зачитываясь детективной литературой и время от времени пересчитывая заработанные вашими нервами и здоровьем доллары?

— Сережа, а вы неплохо информированы о деятельности агентства, честное слово... Да, именно так до недавнего времени Крымов и работал, хотя многое изменилось за последние пару месяцев...

— Глупости! Сейчас же оставляем эту корзинку здесь для вашей хозяйки, тем более что витамины ей сейчас очень пригодятся, и быстро уходим отсюда... Я ведь не шучу, у меня самого в детстве чего только не было, меня тоже пытались лечить разного рода знахари и бабки, и я знаю, насколько опасна может быть эта сила...

— Да о чем вы? Никуда я не пойду! А если вы испугались, то сами и убирайтесь со своей корзинкой! — вышла из себя Юля, не терпящая, чтобы с ней обращались как с маленькой. — Здесь происходят такие интересные вещи, а вы предлагаете мне так просто уйти? Ну уж нет. Для начала я положу эту штуковину в пакет. — Юля надела на руку целлофановый пакет, чтобы не касаться бюстгальтера, и положила его в свою сумочку. «Хотя, конечно, — сказала она себе, — будь я в квартире одна, навряд ли посмела бы проделать это с таким спокойствием и уверенностью». — А теперь осмотрю эту квартиру всю, сантиметр за сантиметром, чтобы запомнить, где и что здесь лежит, все, до мельчайших подробностей, а потом, когда стемнеет, постараюсь заснуть, чтобы утром проверить, не появилось ли каких-нибудь новых (хотя точнее было бы сказать: старых и грязных!) вещей, а заодно посмотрю во все зеркала, вот так-то!

Все это она выпалила одним духом, после чего направилась на кухню — выпить воды и успокоиться.

Сергей, пожав плечами, сел в кресло и, дождавшись ее возвращения, попросил у нее прощения:

— Вы меня не так поняли. Я не считаю вас трусихой, просто меня удивляет, как ваши мужчины (при этих словах она покраснела до корней волос)... позволили вам так рисковать, вместо того чтобы самим взяться за такую опасную работу.

— Да они просто не поверили (впрочем, как в начале и я) в истинность слов Белотеловой. Ну, представьте себе, приходит к вам женщина и начинает рассказывать о каких-то появляющихся из ниоткуда чулках... Да что там, вы и сами все понимаете. Мои, как вы выразились, мужчины (здесь лицо ее пошло пятнами) слишком уж реалистично мыслят, в отличие от вас, поэтому не усмотрели для меня никакой опасности...

— Странные у вас методы работы, скажу я вам... А вдруг бы выстрелили и в вас, а вы здесь совсем одна? У вас хотя бы есть пистолет?

Юля не стала отвечать на этот вопрос, сочтя его беспардонным и провокационным: какое кому дело до того, что она носит в сумочке?

Раздался телефонный звонок, Юля быстро взяла трубку и, услышав довольно бодрый голос Ларисы, звонившей ей из больницы, облегченно вздохнула:

— Вы живы, а это главное... Приезжайте скорее, а если хотите, я пришлю за вами машину... — и, уже обращаясь к внимательно прислушивающемуся Звереву, добавила: — Сережа, это Лариса, рана оказалась неглубокой, и ей разрешили вернуться домой. Вы не могли бы привезти ее сюда? Она сейчас в травматологии, на Садовой...

— Не скрою, мне куда приятнее было бы остаться здесь с вами вдвоем, но раз надо, значит, надо... Конечно, я привезу ее...

— Лариса, минут через десять-пятнадцать за вами заедет мой знакомый, Зверев...

— Да она меня наверняка знает, мы же с ней все-таки соседи... — У него был явно невеселый вид, а Юле это даже понравилось. Больше того, у нее появилась возможность посмотреть на Зверева в общении с другой женщиной, так ли он будет любезен, так ли внимателен и обходителен, как с нею самой? А что, если он такой же, как и Крымов? В этом случае Белотелова окажет ей неоценимую услугу, попытавшись соблазнить его (пусть даже и неосознанно, на уровне инстинкта!), а в том, что Лариса непременно польстится на Сергея, Юля почему-то нисколько не сомневалась. В сущности, все одинокие женщины видят в каждом встречном потенциального любовника. Это аксиома.

Вот пусть все и идет как идет... Сколько можно ошибаться в мужчинах?

Сергей уехал, и в квартире стало тихо и немного жутковато. Юля, снова забравшись на диван и поджав под себя ноги, забилась в самый угол, словно в любую минуту откуда ни возьмись ей на голову могла свалиться очередная сорочка или чулки, и принялась составлять план действий. Итак, рядом с недавно купленной квартирой Белотеловой кто-то убивает девушку, занимавшуюся торговлей недвижимостью. Что это — поразительное совпадение или закономерность? В своем блокноте Юля записала: «1. Имя и личность убитой девушки. 2. Агент Саша, который продал Белотеловой квартиру. 3. Анализы крови Белотеловой и той, что была обнаружена на зеркале и на белье неизвестной женщины — сопоставить. 4. Навести справки о жизни Белотеловой в Петрозаводске. 5. Кому могло принадлежать белье: размер, возраст женщины?

Экспертиза вещественных доказательств:

— принадлежит ли кровь мужчине или женщине?

— принадлежит ли кровь взрослому человеку или младенцу?

— образованы ли пятна кровью живого лица или трупа?

— не принадлежит ли кровь беременной женщине или роженице? 6. Исследование выделений: пота, слюны, следов семенной жидкости... Наличие волос на белье. Следы наркотических веществ».

Юля отложила ручку и усмехнулась, прочитав написанное. А не слишком ли круто она повернула расследование чьей-то злой шутки? Может, этот бюстгальтер лежал здесь и до ее прихода?

Она привстала на диване, чтобы выглянуть в окно и попытаться понять, куда мог убежать убийца, выстреливший в Ларису после того, как он убил девушку-агента, и поняла, что действительно, если удачно спрыгнуть на крышу гаража, то, пробежав несколько метров, ничего не стоит спуститься на землю уже за пределами двора и очутиться на оживленной городской улице, а там сесть в машину и дать деру. Вполне вероятно, что Белотелова оказалась его случайной жертвой и что, если бы не Юля со Зверевым, убийца мог бы (как и планировал) просто выбежать из подъезда. Таким образом получалось, что Юля и Сергей косвенным образом оказались виновными в том, что в Ларису стреляли... Ну конечно, она вышла или просто открыла дверь своей квартиры, увидев входящих в подъезд Земцову со спутником и приняв шаги девушки-агента за ИХ шаги... Надо выяснить, к кому и с какой целью приходила сюда эта самая девушка... В любом случае теперь, при более детальном анализе событий, выходило, что связи между убийством девушки-агента и невероятной историей Ларисы, с которой она обратилась в агентство Крымова, — НЕ СУЩЕСТВУЕТ. Это две отдельные истории. Причем Ларисина могла быть навеяна ее мнительностью и какими-то глубокими психологическими причинами, ревностью, например, или любым другим сильным чувством, связанным с любовью к мужчине, — чувством, которое, как шлейф, возможно, тянется из Петрозаводска... Ну какой, к черту, телекинез, когда Лариса ясно сказала при их первой встрече, что у нее «не сложилась личная жизнь там, в Петрозаводске»?.. Так что скорее всего все это дело не стоит выеденного яйца...

Эта мысль показалась Юле такой убедительной, что она собралась было уже вырвать листок из блокнота, чтобы не забивать себе голову подобным бредом, как вдруг ее внимание привлекло темное пятно на ковре, в том самом месте, где недавно она увидела бюстгальтер... В синих вечерних сумерках, которые накатили неожиданно, так что Юля еще не успела включить лампу и дописывала последние строчки почти в темноте, разглядеть, что именно лежало на ковре, было невозможно. Она протянула руку, щелкнула выключателем, и комната озарилась мягким оранжевым светом, льющимся из стоящего на треноге янтарно-матового шара — оригинального светильника, сделанного из большого соляного блока. Она знала о существовании подобных ламп, которые при нагревании очищали воздух, и поэтому не удивилась, встретив в такой роскошной квартире, как Ларисина, сразу несколько таких ламп (еще одна висела прямо над головой и представляла собой нечто вытянутое, напоминающее ярко-желтую пористую дыню; подобную же лампу Юля заметила и в прихожей). Однако то, что она увидела в свете этой лампы, настолько потрясло Юлю, что заставило издать хриплый горловой звук от охватившего ее страха — на ковре лежала свернутая вещь из ткани темно-зеленого цвета. Не то рубашка, не то платье, а может, и куртка...

Юля, чувствуя, как по спине катится ледяной пот, перекрестилась дрожащей рукой, отгоняя от себя нечистую силу, которая, как ей уже казалось, обступила ее со всех сторон, и чуть не потеряла сознание, когда вдруг в передней раздался резкий звонок...

Глава 5

Голубева перешла улицу и, словно в трансе, медленно двинулась вдоль дороги, пытаясь осмыслить услышанное ею от Корнилова. Она не осознавала, что ее едва не сшибла машина, водитель которой, резко затормозив, чуть не врезался в столб, но все же успев вывернуть руль, разразился отборным матом в адрес показавшейся ему пьяной женщины.

Людмила несколько раз останавливалась, чтобы потрогать руками лицо и убедиться, что она не спит, что глаза ее раскрыты и все, что сейчас с нею происходит, — явь, реальность. Она и не подозревала, что можно быть слепой при том, что тебя все считают зрячей в прямом смысле этого слова. Но она проглядела свою дочь. Ее Натали, ее нежная, ангелоподобная девочка, которая на ночь пила теплое молоко, а по утрам — отжатый из свежей моркови сок («Для глаз, детка...»), оказывается, вела параллельную жизнь, о которой они, родители, и не подозревали. Натали была беременна! От кого? Кто лапал ее своими грязными ручищами? Кто вторгался в холеное розовое тело, считая его своим? Кто терзал ее? Голубева не верила в то, что наговорил ей Корнилов. Ее девочку могли принуждать к этому, но чтобы по своей воле отдаваться кому-то и находиться при этом под действием наркотиков? Такое не может присниться даже в страшном сне!

Она остановилась, чтобы перевести дыхание. Пусть у нее самой жизнь не сложилась так, как хотелось. Но она — взрослая женщина и вольна сама решать за себя, жить ей с человеком, которого она презирает, или нет. Она вдруг вспомнила, как в ночь, которую они провели подле гроба дочери, муж показался ей прежним Андреем, мужчиной, которого она когда-то любила... Но это было лишь временное ощущение НЕодиночества. Череда предательств со стороны мужа (измены, измены и еще раз измены с другими женщинами) заслонила собой всё хорошее... Он был слабым, безвольным человеком, растрачивающим заработанные женой деньги на удовлетворение своих эгоистических желаний, причем исключительно физиологического уровня. Мот и бабник, Андрей Голубев работал бухгалтером в какой-то частной конторе, занимающейся перепродажей немецкого шоколада, и все свое свободное время тратил на женщин. Он не знал большей радости, чем, подцепив на улице случайную женщину, причем любого возраста и положения, привести ее в ресторан, напоить, а затем весело провести с ней время. И такие женщины находились всегда, Людмила знала это со слов самого Андрея, который во время их ссор бравировал этим, стараясь доказать жене свою мужскую состоятельность. Людмила, биолог, работая над государственным проектом, зарабатывала даже в это тяжелое для страны время довольно приличные деньги и обеспечивала практически всю семью. С годами сознание того, что она постепенно превратилась из привлекательной молодой женщины в аморфное и покладистое существо, сделало свое черное дело. Люда махнула на себя рукой и полностью сосредоточилась на благополучии единственной дочери, Натали. Единственное, чем могла она теперь себя порадовать, это вечерний укол морфия, о чем не знала ни единая живая душа. Это вошло в привычку, стало системой и образом жизни. Быть может, поэтому, чувствуя свою вину перед дочерью, Людмила мечтала, чтобы Наташа как можно скорее встретила хорошего человека, вышла за него замуж и ушла из родительского дома, где уже ничего, кроме лжи и проявления слабости, она не могла увидеть...

Корнилов догнал Голубеву, когда она собиралась свернуть в проулок, откуда навстречу ей на бешеной скорости летела машина «Скорой помощи»; и Людмила погибла бы, не подоспей он вовремя и не схвати ее за локоть... Под оглушительный вой сирены они упали на тротуар, и Корнилов, словно защищая от кого-то, прикрыл ее собой, как бы чувствуя вину перед этой обезумевшей от горя женщиной, которой он выдал сгоряча все, что думал по поводу ее погибшей дочери...

— Вы простите меня, ради бога, — говорил он, помогая ей подняться и обнимая ее вялое и непослушное тело. — Я не должен был вам говорить всего этого, простите...

Она взглянула на него так, словно видела впервые; выдернув руку из его руки, резко повела плечами, словно сбрасывая с себя все, что могло бы ей воспрепятствовать двигаться самостоятельно, и вдруг, прислонившись спиной к стене дома, возле которого они остановились, опустила голову и заплакала.

— Не плачьте, не мучьте себя, вы ни в чем не виноваты... — Виктор Львович осторожно взял ее за локоть. — Вы не ушиблись?

Она отрицательно покачала головой.

— Вот и хорошо. Сейчас поедем ко мне, и вы мне все расскажете, хорошо?

Она пожала плечами, как бы не понимая, о чем, собственно, вообще идет речь. А Виктор Львович, воспользовавшись ее безвольным состоянием, остановил первую попавшуюся машину, посадил туда находящуюся в трансе Голубеву и попросил отвезти их на Посадского, к рынку, где он уже полгода жил один.

* * *

Игорь Сергеевич Сперанский третий вечер подряд играл в преферанс в обществе Петра Перепелкина, но затеять с ним разговор о его дочери, Тамаре, так и не смог. Он понимал, что Петр очень занятой человек, руководящий несколькими предприятиями, и что такие люди не могут позволить себе встретиться даже с друзьями детства, чтобы просто выпить и расслабиться. А тут вдруг согласился с первого раза, отложил все свои дела и вот уже третий раз приезжает на квартиру Сперанского, чтобы поиграть в преферанс — одну из азартнейших и ДОЛГИХ игр... Это было по меньшей мере удивительно. А ведь они, живя в одном городе, не виделись (шутка ли!) около десяти лет, и за это время в жизни обоих произошло немало изменений, которые запросто могли бы отдалить друг от друга бывших дворовых друзей, но, к счастью, этого не случилось.

Перепелкин разошелся со своей пьющей женой, красавицей Кларой, которая уехала лечиться к тетке в Геленджик, да там и вышла еще раз замуж, а Сперанский, приняв в качестве конкурсного управляющего практически обанкротившуюся фабрику пластмассовых изделий, поднял ее и теперь на новом швейцарском оборудовании выпускал европейского качества шикарный упаковочный материал для местных товаропроизводителей.

Друзья встретились так, словно и не было тех долгих лет, что они варились в собственном соку, устраивая свою, мужскую, полную забот, успехов и поражений жизнь, — обнялись, как водится.... И если Сперанский все это время, что их пути не пересекались, жил один, так и не женившись по причине своей нерешительности, а может, и чрезмерной разборчивости,

Анна Данилова

то Перепелкин, не вступая в брак, встречался со своей секретаршей, которая, как поговаривали, уже ждала от него ребенка, и, конечно же, воспитывал свою единственную и любимую дочку Тамару, которая после развода родителей захотела жить только с отцом. Сперанский, увидев ее в первый же вечер дома у Петра, куда тот пригласил друга отметить собственное сорокалетие, был просто поражен красотой этой девочки и, насколько это было возможно, всячески старался попасться ей на глаза.

— Какая красивая у тебя дочь, — сказал он, когда Тома, накрыв на стол, удалилась в свою комнату, откуда вскоре стали доноситься звуки фортепьяно. — Это она так играет?

— Если честно, то она не играет, а бренчит, но я не заставляю ее ходить в музыкальную школу, зачем тратить время на то, что никогда не пригодится?

— И сколько же ей лет?

— Скоро будет пятнадцать, а что?

— Да она же у тебя совсем взрослая... Никогда бы не подумал, что она почти ребенок.

— В том-то и беда, что никто так и не думает. Я же пасу ее, как козочку, даже гувернантку ей нанимал, но что-то у них там не заладилось... Тамара, скажу тебе, — не подарок, характер у нее материнский, она анархистка в душе, но для меня она все равно самый послушный и милый ребенок... Жаль, что ты стар для нее, а то бы мы как-нибудь договорились...

Он, как показалось Игорю, сам оборвал себя, чтобы не показаться смешным, но Сперанский понял, что Петр обеспокоен судьбой так быстро развивающейся дочери. Конечно, девушка, обладающая такой внешностью, не может долго противостоять мужскому натиску, и уже очень скоро перед отцом встанут вполне конкретные и серьезные проблемы, связанные с ее созреванием.

Весь вечер Игорь провел как в тумане, его бросало то в жар, то в холод, когда в комнату за чем-нибудь, а то и просто так, чтобы схватить яблоко и убежать, входила эта очаровательная девушка с длинными темными ресницами, обрамляющими ярко-голубые глаза. Движения ее были полны грации, а легкое покачивание округлых стройных бедер, которые обтягивало красное узкое платье, прямо-таки сводило с ума. Все его бывшие пассии, которые в минуты отдыха (но только не страсти) скрашивали его замкнутую в пространстве фабрики и тихой квартиры жизнь, показались ему теперь просто потасканными шлюхами. Уж как бы он оберегал это сокровище, достанься оно ему! Но разве позволит Петя свершиться такому? У него наверняка уже есть на примете кто-нибудь помоложе...

В ту ночь Игорь почти не спал, курил на кухне, пил ледяной лимонный сок и думал только о Томе. Понимая, что добиться ее можно будет только с позволения отца, первое, что он сделал, прийдя утром на работу, это позвонил Петру и пригласил его к себе вечером на преферанс. И тот согласился, даже не спросив, кто будет еще... А партнеры все три вечера были случайные и каждый раз разные.

... — Я пас, — услышал он голос Перепелкина и очнулся.

Все, кто еще недавно сидел за столом, уже давно ушли.

— Я пас, — повторил Петр и плеснул себе еще пива. — Пасую я перед тобой, твоим напором и желанием. Ты думаешь, я не понимаю, зачем ты устроил весь этот цирк? Или ты держишь меня за идиота?

Петр расстегнул ворот голубой шелковой рубашки, и на груди его показался треугольник серебряных волос. Грустные голубые глаза Петра смотрели на Игоря Сперанского с надеждой:

— Я бы рад отдать ее тебе, я же сразу понял, что ты положил на нее глаз, да только боюсь, что у тебя ничего не получится...

— Почему? — Игорь покраснел до самых ушей. Ему было стыдно за все то, ради чего он устроил этот балаган, выставив и Петра, да и себя самого в идиотском свете. Ну в самом деле, на что может надеяться в такой ситуации мужчина его лет, когда речь идет о пятнадцатилетней девочке? — Я слишком стар для нее?

— Разница в возрасте, конечно, существенный аргумент, но, по-моему, у нее уже кто-то есть. И этот КТО-ТО имеет на нее сильное влияние.

— В смысле?

Его едва зародившееся чувство собственника кольнуло и принесло боль: у нее кто-то есть, и этот парень, возможно, уже завладел не только ее умом и сердцем, но и телом?! Впервые ревность показала ему свою ледяную и ироничную усмешку, а ведь как часто он насмехался над своими знакомыми, страдающими из-за этого первобытного чувства. Он презирал их за подобное проявление слабости, а теперь сам, увидев всего лишь раз девчонку, которая на него даже не обратила внимания, был готов просто уничтожить своего невидимого соперника. Сколько силы, сколько страсти, оказывается, дремало в нем до того вечера, когда он встретил Тамару, кто бы мог подумать!

— Давай поступим следующим образом. Я вверяю тебе Тамару, но только на определенных условиях.

— Ты имеешь в виду брак?

— Разумеется, и только брак. Но перед тем как ты решишься на это, ты должен пообещать мне, что примешь ее такой, какая она есть...

Петр говорил полунамеками, очень странно глядя при этом на Игоря, и видно было, как он мучится от того, что не получается у них простого разговора.

— Ты хочешь сказать, что у нее уже был мужчина? — Игорь, в отличие от друга детства, решил пойти по другому пути и заговорил открытым текстом. — Ты думаешь, что у нее по-настоящему был мужчина? Этого не может быть.

— Я не уверен, но и ты должен меня понять... Я целыми днями пропадаю на работе, а Томочка дома одна. Иногда она возвращается домой поздно... Ты же не дурак, Игорь, и прекрасно понимаешь, что мне куда проще было бы промолчать об этом... я имею в виду свои опасения. Но я не хочу, чтобы мне ПОТОМ было стыдно перед тобой. Боюсь, что она стала отбиваться от рук и у меня уже нет на нее никакого влияния. Я виноват перед ней за то, что не сумел создать нормальную семью, что упустил ее мать... Ты же помнишь ее, помнишь, как была она хороша и как пользовалась этим... А Томочка... Видишь ли, она ничего в своей жизни не видела, кроме школы да семейных скандалов. Брошенный, по сути, ребенок. Я никогда не жалел для нее денег, но ведь деньгами не купишь ласку, любовь... Ты понимаешь меня? Ты понимаешь, какого мужа я ей хочу?

— А ты не рано заговорил об этом? Ведь ей всего пятнадцать...

— Я даже не буду против, если она поживет какое-то время у тебя, чтобы у вас была возможность поближе узнать друг друга... Кто знает, может, от тебя она почерпнет что-нибудь полезное, может, ты сумеешь дать ей больше тепла, чем дал я, ее отец?..

Игорь понял, в чем дело и почему Петра замучил комплекс вины перед дочерью: любовница-секретарша! Как он мог это забыть?

— Ты собираешься жениться на той женщине?

— У меня скоро будет сын, это точно... Именно сын. Посуди сам, моя жизнь может сейчас обрести новый смысл, а у меня Тома... Она же никогда не простит мне, если я уйду от нее и сойдусь с Машей... Игорь, все, что я сейчас сказал тебе, звучит по меньшей мере странно, но давай попробуем...

И вот теперь он, Игорь Сперанский, стоял посреди цветочного магазина и не знал, какой букет выбрать и, главное, как и с какими словами вручить его Тамаре?

— Вам помочь? — Девушка-продавщица, долго наблюдавшая за ним, не выдержала и подошла, понимая, что перед ней солидный покупатель, которого ни в коем случае нельзя упустить. — Сколько лет вашей даме?

— Даме? О нет, она совсем еще юная девушка... она моя племянница... Ей всего пятнадцать лет.

— Тогда выберите ей белые розы или нежно-розовые, штук семнадцать-девятнадцать... Маленькие букеты сейчас не дарят — это признак дурного тона...

— Хорошо, тогда белые, если можно. И выберите сами, пожалуйста.

Он вышел, прижимая к себе, как ребенка, прохладный бумажный сверток, источавший сладковатый запах, и аккуратно положил его на заднее сиденье машины.

Что еще можно купить ей для первого свидания? Чем поразить? Как удивить и в тоже время не испугать?

Он остановился возле ювелирного магазина и долго рассматривал там под прозрачным стеклом сверкающие бриллианты, представляя, какой может быть реакция неискушенной девочки на такой роскошный подарок, но, решив, что это может быть воспринято ею иначе, чем ему бы хотелось, она может подумать, что он собирается ее купить, Игорь зашел в расположенный по-соседству парфюмерный магазин, где остановил свой выбор на скромном французском наборе из мыла и туалетной воды.

Петр обещал ему, что Тамара этим вечером будет дома, но предупредил, что у нее в классе произошла трагедия — убили одноклассника и одновременно отравилась одноклассница, а потому Тома может задержаться из-за поминок.

Так и случилось. Тома вернулась домой в половине десятого вечера. Не зная, кто ожидает ее в гостиной, она заявила с порога:

— Па, я в ванную, поставь чайник, есть ужасно хочется...

Услышав это ее детское: «Па, я в ванную...» — немного капризное и в тоже время милое и ДЕТСКОЕ, Игорь вдруг почувствовал прилив невероятного блаженства, представив, как это существо выйдет сейчас из ванной и войдет в гостиную, как девушка удивится, увидев смирно сидящего в кресле гостя. Интересно, что она скажет, когда он вручит ей розы, которые вот уже почти три часа томятся в ведре с водой (он хотел, чтобы она сама поставила их в вазу, своими ручками).

— Слушай, какой же я кретин — надо было купить торт! Как же я не догадался?

Петр, который все это время и сам сидел как на иголках, делая вид, что чинит фен, нервничал и то и дело заговорщицки поглядывал на Игоря, пытаясь приободрить его. Хотя интуиция подсказывала ему всю тщетность их плана. Не будет Тома женой Сперанского, хоть тресни. У нее есть молодой парень, от которого она приходит вся в засосах, и ни к чему ей сорокалетний мужик... А как стала она груба за последние полгода! С нею же сладу никакого нет: огрызается, дерзит, не скрывает, что курит...

Перепелкин отложил в сторону фен и посмотрел на Игоря почти с жалостью. И зачем они все это затеяли? И что скажет Игорь, когда сам поймет, с кем собрался связать свою жизнь? Да и как могли они вообще так быстро обо всем договориться, когда Тома не знает даже имени Сперанского?! Вот идиоты!

— Послушай, она проголодалась и попросила тебя поставить чайник, а ты все сидишь и чего-то ждешь... Если ты думаешь, что я отступлюсь, то ошибаешься. — Игорь подошел к Перепелкину и зашептал ему на ухо: — У меня есть один план. Скажи, у тебя так бывало, что ты поздно вечером уходил к своей Маше?

— Бывало, конечно, днем-то мне с ней встречаться некогда, а что?

— А то. Поезжай к ней, только предупреди Тому, что я — твой друг, что мне негде переночевать, но ей нечего со мной бояться...

— Да ты с ума сошел! Спятил! Совсем голову потерял!

— Я ничего не терял. Просто надо попытаться создать ситуацию, напоминающую естественную... Уж не думаешь ли ты, что я на нее наброшусь?

— Нет, конечно... Но все равно как-то странно... — Петр оживился, потому что возможность прямо сейчас, закрыв на все глаза, отправиться прямиком к Машеньке и хотя бы на одну ночь забыть о Томе, показалась ему столь заманчивой, что он готов был найти даже в этом, явно абсурдном и опасном предложении Игоря, все, что угодно, лишь бы сбежать отсюда и сбросить со своих плеч груз ответственности за свою непутевую дочь. Но не мог же он согласиться вот так сразу, а потому ему потребовалось около трех минут, чтобы помучить и Игоря и себя, прежде чем он все же дал согласие, но опять же — с видимой неохотой, как того требовала щекотливость положения.

— Ладно, уговорил, только без глупостей... — С этими словами Петр подошел к двери ванной комнаты и громко, чтобы дочь услышала его за шумом воды, крикнул: — Тамара, открой на минутку, мне надо тебе что-то сказать...

* * *

Крымов смог проследить за Ларчиковой до самого дома, в подъезде которого она скрылась, благо дом этот находился всего в трех кварталах от ее собственного.

Выйдя из машины, он вбежал в подъезд и начал едва слышными шагами подниматься по ступенькам (дом был пятиэтажный, без лифта), прислушиваясь к цоканью ее каблучков и пытаясь представить себе ее разрумянившееся от быстрой ходьбы личико, слегка растрепавшиеся волосы, блеск в глазах... И к кому же она так спешила?

В то время, когда он замер, не дыша, на втором этаже, Таня Ларчикова позвонила в квартиру на третьем, ей сразу же открыли, и до Крымова донеслось мужское радостно-взволнованное: «Ну наконец-то!»

Он сделал неимоверное усилие и в два прыжка оказался на площадке между этажами, чтобы успеть увидеть закрывающуюся дверь. Вот, конечно, только что захлопнулась дверь квартиры восемь.

Он снова спустился на второй этаж и позвонил в

квартиру, расположенную под той, куда вошла Ларчикова:

— Извините, над вами живет мужчина, мне поручили передать ему деньги, а его нет дома. Я прихожу сюда уже третий раз, но не застаю... И записка с его телефоном куда-то подевалась... Вы не знаете его номер, чтобы я в следующий раз перед тем, как приехать сюда, предварительно ему позвонил?..

Он говорил быстро, скороговоркой проговаривая слова, чтобы испуганная пожилая соседка, так ничего толком и не поняла, но услышал: «Пермитин? Михаил Яковлевич? Так он дома, вы просто плохо позвонили... У него сегодня с самого утра звучала хоровая музыка, знаете, он очень любит слушать хоры, особенно из баховских знаменитых месс... Так вот, он и сейчас дома, может, в ванной человек моется... — Вежливая и аккуратная старушка улыбнулась, показывая голубоватые ровненькие пластмассовые зубы.

— Наверное, вы правы...

Он дождался, когда дверь за соседкой закроется, поднялся, опасаясь того, что она вздумает за ним подсматривать, на один пролет и позвонил в седьмую квартиру.

— Кто там? — спросили за дверью.

Крымов, продолжая думать о соседке снизу, которая могла его подслушивать, сказал:

— Я принес вам деньги.

И дверь тотчас открылась. Он увидел перед собой худощавую, с измученным лицом женщину. Следы былой красоты при ее образе жизни таяли с каждым часом, с каждым днем (по красному кончику носа он понял, что она пьет).

— Вы с биржи? — спросила женщина, и брови ее при этом поднялись в удивлении.

— Да... Вот, получите и распишитесь. — Он достал из кармана пятидесятирублевую купюру, блокнот и ручку.

— Но у вас же здесь нет ни моей фамилии, ничего...

— Я потом заполню, у меня знаете сколько таких,

как вы... Мы будем выдавать пособия по частям, вы не возражаете?

Крымов никогда еще не чувствовал себя таким ослом. И ведь он придумывал на ходу всю эту ахинею исключительно из желания узнать, с кем спит Ларчикова. Это ли не психическое заболевание, зовущееся «чудовищем с зелеными глазами»? Ревность — яд для человека с собственническими замашками. Но откуда может возникнуть ревность к женщине, с которой только что познакомился?

Крымов просто сатанел от своей воспаленной фантазии, выдавая этой несчастной женщине пятьдесят рублей, да еще и предлагая ей расписаться в их получении... Ну надо же было до такого додуматься?

— Вообще-то, все это как-то странно... — пробормотала женщина, закрывая за ним дверь, и Крымов еще какое-то время прислушивался к шлепанью босых ног по полу...

Вернувшись на второй этаж, он приблизил лицо к глазку той квартиры, из которой, как он предполагал, за ним могла подсматривать старушка с голубыми зубами, и состроил такую уморительную рожу, что и сам расхохотался, после чего, подмигнув невидимому соглядатаю, буквально вылетел из подъезда, сел в машину и помчался домой. Какие, к черту, лоси или зайцы? Он сам оголодал, как сотня волков, и никому не отдаст свой ужин!

* * *

Лариса и Сергей внесли своим появлением суету, оживление, много света, шума, и все это, вместе взятое, рассеяло страхи.

— Ну, что я вам говорила? — спрашивала заметно побледневшая от пережитого потрясения Белотелова, с хозяйским видом проходя на кухню и выкладывая из большого пакета продукты, которые они, очевидно, успели купить с Сергеем, заехав в какой-нибудь супермаркет. — А вы не поверили мне, признайтесь! Вы же не поверили, что у меня здесь не квартира, а черт знает что?

— Лариса, я бы хотела, чтобы вы мне все рассказали: кто эта девушка, направлялась ли она к вам и, главное, видели ли вы ее убийцу, то есть человека, который застрелил ее и ранил вас? Это куда важнее того, что вы собираетесь делать... Мне, если честно, не до еды...

— Конечно, я понимаю... У меня в больнице был человек из прокуратуры... Извините, я сейчас... Сергей, — тоном женщины, которая знает, что ей ни в чем не откажут, позвала она Зверева, мывшего руки в ванной, — может, вы приготовите нам что-нибудь?

Юля улыбнулась — ее расчет оказался правильным: Лариса не упустит возможности соблазнить Сергея. Что ж, посмотрим, что будет дальше.

Сергей охотно облачился в фартук, привычным, как показалось Юле, движением повязал его на поясе и взял в руки нож...

Лариса говорила о том, что с ней произошло, уже с совершенно другим выражением лица. Похоже, поездка с Сергеем ее немного развеяла, но теперь, когда она вновь оказалась в привычной, домашней и НЕРВОЗНОЙ обстановке, мрачные мысли отразились на ее внешнем облике мгновенно. Она сразу как-то потускнела, плечи ее опустились, а под глазами появились темные круги.

— Я ждала вас, собиралась показать вам новые капли крови на зеркале, стояла в прихожей и рассматривала их и в это время услышала шаги — кто-то поднимался по лестнице... Ну я и решила, что это вы, тем более что перед этим ВИДЕЛА, как вы направились к подъезду... Представьте себе мое удивление, когда я, открыв дверь, вдруг увидела перед собой девушку, подружку Саши, того самого агента, который помог мне купить эту квартиру... А за ее спиной вдруг возник мужчина в черной маске, знаете, такие черные вязаные шапочки с прорезями для глаз... Она повернулась, и он выстрелил ей прямо в грудь. Через миг я услышала еще один выстрел и почувствовала сильную боль в плече. Он подошел ко мне, но я его как будто и не интересовала. Он прошел, заметьте, не побежал, а спокойно прошел в квартиру... И все... Последнее, что я видела, это его спину. Это был высокий, крепкий мужчина..

— Он мог вас убить...

— В том-то и дело! Я до сих пор не понимаю, что ему было нужно в моей квартире... Боже... — Лариса обхватила ладонями лицо. — Я ведь даже не проверила, все ли на месте! Совсем сошла с ума от страха... Вместо того чтобы обойти всю квартиру, я собиралась готовить.

— А как же вас отпустили с огнестрельным ранением? Болит? Сильно задело?

— Да нет, почти не болит. — Лариса закатала рукав белого шелкового халата, который до сих пор был на ней (место, где было большое кровавое пятно, очевидно, замыли в больнице) и показала туго стянутое повязкой плечо, — пуля прошла навылет, мне потом даже показали эту пулю... Ее нашли где-то здесь, в квартире, на полу... Рана неопасная, поэтому меня и отпустили. Хотя сейчас, когда я снова оказалась здесь, мне кажется, что я напрасно сюда вернулась... Лучше было бы снять номер в гостинице, пожить, так сказать, на нейтральной территории...

— Лариса, скажите, что могло понадобиться от вас этой девушке-агенту? Ведь она шла к вам — в подъезде всего две квартиры...

— Возможно, она хотела предложить мне еще какую-нибудь недвижимость, она ведь думала, что у меня денег — куры не клюют... Помнится, она говорила еще тогда, давно, когда я видела ее с Сашей, о даче или участке на Волге. Но я бы все равно отказалась — у меня больше нет денег, да и дача мне не нужна. Если бы у меня была семья, тогда другое дело, а так...

Лариса изложила все приблизительно так, как и предполагала Юля, — преступнику нужно было лишь окно ее квартиры, чтобы через него выбраться из дома, а выстрелил он в нее лишь для того, чтобы она ему не мешала... Другими словами, не открой она дверь, в нее бы не стреляли, а убийца, возможно, застрелил бы тогда поднимающихся по лестнице Юлю с Сергеем. Эта мысль пришла к Юле только что...

Она не знала, рассказывать Ларисе о двух своих находках — бюстгальтере и зеленом платье, которые она, положив в целлофановые пакеты, спрятала в своей сумочке, или нет? Быть может, есть смысл провести здесь целую ночь, чтобы убедиться в том, что квартира подвержена влиянию полтергейста или телекинеза?

И тут, словно прочитав ее мысли, Лариса внезапно схватила Юлю за руку и зашептала-запричитала, чуть ли не склоняясь к Юлиным коленям:

— Пожалуйста, останьтесь здесь на ночь, не бросайте меня одну... — И уже со слезами в голосе: — Или возьмите с собой, по дороге устройте в гостиницу. Я так больше не могу. ВАМ я рассказала, а кому еще я могу рассказать про чулки и прочую чертовщину? Меня же упрячут в психушку.

— Не упрячут, — неожиданно для себя заявила Юля. Ее добрая душа дала слабинку, и она решила хоть немножко успокоить несчастную Ларису: — Пока вас не было, я тоже кое-что нашла... на полу...

Лариса, замахав руками, словно боялась услышать что-то подобное, чего она не могла принять ни умом ни душой, всхлипнула:

— На полу? Вот-вот, почему-то именно на полу я все ЭТО и нахожу... И что же здесь появилось на этот раз?

— Вот, взгляните, это не ваше? — И Юля вытряхнула из сумки прозрачные пакеты. Лариса быстро схватила тот, что поменьше, и стала разглядывать бурые от крови кружева лифчика.

— Нет, не мой... Взгляните. — Она распахнула шелковые отвороты халата и двумя руками приподняла пышные, с розовыми сосками, упирающимися в тонкое кружево лифчика груди. — А этот носила худая женщина или девушка... Но здесь явно кровь... Вы видите?

— Вижу. А это? — Юля развернула зеленое платье, узкое, из гофрированной тонкой ткани с рядом мелких золотистых пуговиц, и поняла, что платье это тоже не может принадлежать Белотеловой из-за своего маленького размера. — Не ваше?

— Первый раз вижу... И где же вы все это нашли?

— На ковре в гостиной, представьте...

— Да что тут представлять, когда мне все это так знакомо... — Голос Ларисы пропал, потому что в дверях комнаты появился Зверев, уже без фартука и с весьма одухотворенным лицом. Он словно понимал значительность разговора и предпочел тихо войти и терпеливо дождаться удобного случая, чтобы сообщить о том, что ужин готов и он приглашает всех за стол.

— Сережа? — Юля с виноватым видом приподнялась ему навстречу — она на какое-то время совершенно забыла о нем, увлеклась захватившим ее делом. И теперь ей было совестно и грустно от предчувствия того, что он скоро уйдет. А что ему еще делать здесь? Не оставаться же на ночь с двумя малознакомыми женщинами в ожидании появления очередных лифчиков или трусиков сомнительного происхождения?

— Я все приготовил. Если хотите, можете сначала поужинать, а потом продолжить свой разговор... А мне пора... — Он развел руками. — Приятно было познакомиться.

И не успела Юля произнести и слова, как он, подойдя к ней, взял ее за руку, поцеловал, затем то же самое и с тем же выражением лица проделал с Ларисиной рукой, после чего, молча и не оглядываясь, ушел, они, ошарашенные, услышали, как хлопнула входная дверь...

— Кажется, он на нас обиделся, — проговорила с растерянным выражением лица Белотелова, выбегая из комнаты. Уже через секунду Юля поняла, что Лариса кинулась к двери, чтобы позвать Сергея. Она подошла к окну и увидела, как Зверев, прекрасно слышавший, что Лариса его окликнула, даже не повернув головы, сел в свою машину и уехал.

— Это твой парень? — не контролируя себя и обращаясь к Юле по-свойски на «ты», спросила Лариса, но, не получив ответа, взяла ее за руку и повела, как маленькую, на кухню. — Не расстраивайся так, пусть уходит. Я, лично, никогда не удерживаю мужчин. Если хочет уйти — бог с ним... Значит, это не ТВОЙ мужчина. Подумаешь... У меня было много мужчин, я тебе скажу, и все они были как братья-близнецы: беспомощные, самолюбивые, лопающиеся от гордыни, эгоистичные и капризные, как дети... И мало кто из них умел любить по-настоящему.

— А у тебя в Петрозаводске тоже был такой? И ты его бросила?

— Почти... Разочарование убивает душу.

— Понятно. Ну что ж, пойдем поужинаем тем, что нам приготовил господин Зверев. Если он ушел ТАК демонстративно, значит, на это была какая-то причина. Поживем — увидим. У нас, по-моему, и так хватает проблем. — Юля произнесла это покровительственным тоном, зная, что сейчас он для перепуганной и измученной Ларисы — как бальзам на душу. И кто сказал, что покровительство или жалость — из категории худших человеческих качеств?

* * *

Он бережно придерживал ее за талию, когда она, склонясь над раковиной, исторгала из себя фонтаны тепловатой кипяченой воды.

— Это нервное, — успокаивал Корнилов Людмилу Голубеву, поглаживая ее по голове, как ребенка. — Сейчас все пройдет. Вы полежите, а то и поспите, потом я напою вас сладким чаем, и вы мне все расскажете...

Она, опираясь на его плечо, поднялась и, шумно выдохнув, открыла кран с горячей водой и принялась умываться. Корнилов подумал о том, что давно уже в его квартире не было женщины, а сейчас вот появилась, да и то — случайно, пришла не как к мужчине, а как к первому встречному, согласившемуся ее выслушать и дать ей возможность перевести дух, зализать, что называется, раны и выплакаться. Умом-то он понимал это, но, глядя на ее тяжелые, уложенные на затылке рыжеватые волосы, открытую белую, в мелких нежных родинках, шею, опущенные, стянутые черным жакетом плечи и тонкую талию, он видел в Людмиле прежде всего женщину. Ему не надо было от нее ласки и покорности, всего того, без чего не может, по мнению большинства женщин, прожить ни один мужчина. Ласка сродни любви, а какая любовь может быть между совсем незнакомыми людьми? Другое дело, если бы ему было позволено видеть ее у себя в доме, слышать ее голос, вдыхать ее запах, когда она проходит мимо, быть посвященным в тайну ее существования, чтобы причаститься к ней, и вот тогда уже выпросить себе право на любовь.

Он идеализировал свою гостью, смертельно уставшую и находящуюся на грани нервного срыва, потому что ему самому хотелось этого. Он придумал ей жизнь, которой, быть может, и не было в действительности. Любимого мужа, молодого и сильного, ласкового и заботливого, который сейчас, быть может, ждет или уже ищет ее...

— Вас не хватились?

Она выпрямилась, вытерла лицо полотенцем и повернула к Корнилову свое раскрасневшееся лицо:

— Меня? Хватились? Да что вы такое говорите?! Я никому, ну просто никому абсолютно не нужна, разве что в лаборатории, но меня на несколько дней отпустили.

Она машинально расстегнула две верхние пуговицы жакета, пробормотав при этом: «Трудно дышать», — после чего дала ему понять, что хочет выйти из ванной комнаты.

— У вас есть балкон?

— Лоджия.

— Хочется подышать... А вы... вы бы оставили меня там одну, не бойтесь, я не собираюсь выбрасываться — я слишком хорошо знаю, что мне нужно от жизни... и от смерти... Просто я хотела бы снять жакет...

— Пожалуйста. Я даже могу предложить вам совершенно новую майку, она красная, длинная и вполне подойдет вам... Я купил ее для утренних пробежек...

— Отлично, несите. А я и не предполагала, что когда-нибудь окажусь в гостях у прокурора...

— Я не прокурор, я следователь.

— Да, понятно.

Она переоделась и вышла на лоджию, попросила у Виктора Львовича сигареты. Но через пару минут погасила сигарету и вернулась в комнату.

— Мне пора идти, — сказала она. — Выпустите меня, пожалуйста.

— Вы можете уйти хоть сейчас, но у вас очень больной вид. Может, вы все-таки поспите? Если хотите, позвоните домой и предупредите мужа, что вы у меня. Я даже сам могу с ним поговорить...

— С моим мужем никому не стоит говорить. Он не тот человек, за кого себя выдает. Он никогда не любил Натали, и все его слезы — показные. Я ненавижу его.

— Хотите чаю?

— Да, хочу, очень хочу. А вы, Корнилов, похоже, из нормальных людей.

Он принес теплый сладкий чай с растворенным в нем снотворным.

— Теплый... Вы всегда пьете такой чай?

Она села на краешек дивана — такая домашняя и женственная в этой бесполой красной маечке, доходящей ей почти до колен и делавшей ее моложе и тоньше, — словно приготовившись к разговору, и вдруг, забывшись и подчиняясь лишь инстинкту, натянула на себя сложенный в углу пушистый синий плед, укрылась им не без суетливо-радостной помощи Виктора Львовича, обрадовавшегося столь быстрому действию люминала, и, опустив голову на подушку, сонно, как в замедленной съемке, послала ему воздушный поцелуй. Рука ее безвольно упала вниз, коснувшись кончиками розовых пальцев ковра, рукав майки при этом задрался, и Корнилов увидел большое фиолетовое пятно на сгибе локтя, где ближе всего проходят вены... И там же — следы уколов и желтоватые застарелые пятна гематом.

«Боже, да она, бедняжка, еще и наркоманка?!»

Глава 6

Шубин, после того как проводил Виктора Кравцова почти до квартиры Иоффе и убедился в том, что одноклассники Льдова люди не пропащие и собрались по-своему помянуть Льдова и Голубеву, позвонил Крымову и спросил его, что делать дальше и с кем встречаться. Поинтересовался он и результатами общения шефа с Ларчиковой.

— Встреча с нею, — услышал он ироничное похмыкивание Крымова, — дала мне очень много. Но не настолько, чтобы ответить тебе на вопрос, кто же убил Льдова. Пока могу тебе сказать лишь следующее: к директрисе я уже не успеваю, меня ждет Щукина и обещала скормить мой ужин лосям и зайцам. Она, оказывается, собственница, как и все мы. Плохо лишь то, что меняется она слишком уж резко прямо на глазах. Откуда вдруг этот металл в голосе? Я ведь хотел жениться на ОБЫКНОВЕННОЙ женщине, а у нее появились какие-то мужские замашки. И вообще, надо бы ей сделать внушение, чтобы она так рано не уходила с работы...

— Так уже почти девять...

— В таком случае отчитайся мне, где ты был сам?

— Я же сказал — следил за Кравцовым.

— Это я уже слышал. А еще?

— Хотел проникнуть в соседний дом, чтобы оттуда попытаться увидеть, чем занимаются эти девятиклассники. Поехал домой за биноклем, вернулся, но пройти в дом так и не смог — везде новые кодовые замки. Но я просто уверен, что они там устраивали поминки, свои, школьные. Вот я и ждал окончания.

— Ну и как?

— Сначала ушли девчонки, но не все, три, кажется, остались, а спустя часа полтора ушли все. По-моему, эти детки были в изрядном подпитии. Но это и понятно — расстроились, все-таки Льдов был для них, как я понял, авторитетом.

— А ты с говорил Земцовой?

— Нет, а что?

— Ты хотя бы знаешь, где она?

— Знаю, она в квартире Белотеловой — кое-что проверяет.

— Я недавно перезванивался с нею — в доме Белотеловой совершено убийство, Земцова там одна, а ты пытаешься подсматривать за подростками...

— Какое еще убийство?

Крымов ответил, намеренно сгущая краски, чтобы испугать Шубина.

— Так ее что, ранили?

— Да ладно, успокойся... У меня сейчас важная встреча, а ты поезжай на Некрасова...

— У меня есть адрес, все, я поехал...

Игоря сначала не пускали на территорию дома — вышел охранник в камуфляжной форме, от которого разило пивом, и сказал, чтобы он представился. После этого охранник позвонил и, только получив разрешение хозяйки, впустил Шубина.

Пересекая желто-синий от бликов и ночных теней тихий двор, пахнущий высаженными в клумбах пионами, Игорь на ватных ногах поднимался по лестнице, ничего не понимая и ожидая услышать от Белотеловой любые, даже самые неприятные новости.

Но, увидев за румяной и здоровой хозяйкой такую же раскрасневшуюся, плавающую в горячих кухонно-чесночных ароматах Земцову, он понял, что Крымов скотина и все это придумал, просто чтобы снять с себя ответственность по ведению «белотеловского» дела.

— Игорек, как хорошо, что ты пришел... — Юля обняла его и прижалась к нему, как если бы они не виделись сто лет. — А то мы тут изнываем от скуки. Понимаешь, — говорила она, увлекая его за собой в кухню, где на большом блюде розовела запеченная курица, от которой и шел этот дивный аромат, — мы с Ларисой пережили стресс, а теперь пытаемся восстановить силы и пьем спирт, чтобы разбудить в организме гормоны счастья... Присоединяйся к нам... Сейчас не время для серьезных разговоров, тем более что здесь все равно, как говорится, без поллитры не разберешься. Очень уж все странно: и этот дом, и эта квартира, и это зеленое платье...

Шубин и сам был бы рад поужинать в спокойной обстановке, да еще и в окружении таких прелестных подвыпивших молодых женщин, однако что-то все-таки во взгляде Юли было нехорошее, тревожное, чего она так и не смогла скрыть даже под блеском кажущихся веселыми глаз. Она чего-то боялась.

— Садитесь, Игорь, сейчас я дам вам тарелку... Вот курица, зелень... А вот и салат, который приготовил нам один невоспитанный молодой человек со страшной фамилией Зверев... — говорила счастливым голосом Лариса, доставая из зеленовато-мраморного буфета хрустальные солонку и перечницу.

Юля, которая не успела предупредить Белотелову о том, чтобы она в присутствии Шубина не вспоминала про Зверева, уткнулась в тарелку и принялась намазывать майонезом куриную ножку.

— Он что, был здесь? — Шубин постарался придать своему голосу как можно более равнодушный тон.

— Ба! — всплеснула руками Лариса. — Вы разговариваете с Юлечкой как муж! Юля, не позволяй так с собой обращаться. Это не приведет ни к чему хорошему. — И, уже обернувшись к Игорю, добавила: — Вы простите меня, ради бога, просто мы немного выпили. Представляете, пока меня не было, в гостиной появился чужой лифчик, испачканный в крови, не моего, кстати, размера, и зеленое платье, которое я вижу в первый раз... Как прикажете это понимать? А следы мужских башмаков, которые мне завтра придется вытирать с паркета?! Они ведут прямехонько к окну. И черт меня дернул пооткрывать окна? Но на улице почти лето, тепло, так почему бы и не открыть?! Скажите, ну что преступного в том, что я открыла окно?

— Да ничего, — пожал плечами Шубин. Он уже понял, что связного рассказа о том, что здесь произошло, он все равно от них не добьется, и предпочел принять приглашение к этому неожиданно роскошному ужину. Подцепив вилкой оранжевую, с жирной блестящей корочкой куриную грудку, положил ее себе на тарелку.

— А вы руки помыли? — сюсюкающе-пьяным голоском спросила Лариса, больно ущипнув его сквозь джинсовую куртку за руку. — Ну-ка, идите, негодник вы этакий... Ванная вон там.

Шубин, в очередной раз покраснев, только теперь уже не от злости, а от стыда, тихо извинился и пошел туда, куда показала ему хозяйка.

Войдя в ярко освещенную ванную комнату, сверкающую золотом ручек, колец и всяческих металлических приспособлений для полотенец, мыла и прочего душисто-пенного арсенала молодой женщины, Шубин машинально оценил стоимость всей этой роскоши и уже собирался присвистнуть в восхищении, как вдруг, повернувшись, так и замер, в ужасе уставившись на огромное, в полстены, зеркало... Кровь, которую, казалось бы, только что плеснули на стеклянно-ртутный прямоугольник зеркала, густыми потеками струилась вниз, алея и расплываясь на белом куске мыла в розовой мыльнице-ракушке, и, превращаясь в мутноватые ручейки, капала затем на глянцевую поверхность белоснежной фарфоровой раковины. И все это происходило на глазах Шубина! Кровь появилась здесь ТОЛЬКО ЧТО... Она НЕ ЗАСТЫЛА. Не успела застыть.

Он оглянулся в поисках жертвы и чуть не свернул себе шею — в ванной он был один. Где же тот или та, кому еще недавно принадлежала эта кровь? Кто посмел вскрыть жилы живому существу, да еще и в присутствии трех (!) человек, находящихся в квартире!

Игорь, схватив пистолет и спрятав его за спину, осторожно пятясь, вышел из ванной и медленным шагом направился в кухню, откуда доносились голоса женщин. Стараясь оставаться незамеченным, он резко открыл первую же дверь и оказался в спальне, которая отлично просматривалась. Если убийца и мог где-нибудь спрятаться, то только в огромном, светлого дерева шкафу. Шубин резко открыл сначала одну дверцу, потом и другие две: идеальный порядок на полочках, ряд цветных вешалок, коробки с обувью, круглые шляпные картонки.

Он вернулся в коридор и заглянул так же резко в другую комнату — немного мебели, телевизор, музыкальная аппаратура... За шторами — Игорь проверил — ни души. И так во всей квартире. Невидимый убийца находился где-то здесь и творил зло, но он был неуловим, равно как и НЕРЕАЛЕН...

— Игорь, где вы? — услышал он и пошел на голос. Это была Лариса, которая за каких-то несколько часов успела втереться Юле в доверие и стала чуть ли не ее подругой. Зачем это ей? И сам же ответил — из страха. А что ей еще остается делать в незнакомом городе и без друзей? Маникюрша... Откуда у нее столько денег? Он сказал себе, что завтра же утром проверит, действительно ли она приехала из Петрозаводска и чем там занималась.

— Я здесь, — ответил он и собирался уже свернуть, чтобы попасть на кухню, когда внимание его привлек округлый темный предмет, висевший на ручке двери одной из комнат, в которой он уже был, кажется СПАЛЬНИ... Ну конечно, он был здесь пару минут назад и еще заглядывал в шкаф, но на ручке двери ничего не висело, это он помнил хорошо.

Предмет оказался темно-синим беретом. Шубин взял его и вошел с ним в кухню.

— Вот... берет нашел, — сказал он, надевая его на указательный палец и вертя им, как фокусник.

— Что за берет? — удивилась Лариса и, слегка покачнувшись, поймала готовый слететь с пальца Шубина головной убор богемы, миниатюрный и из хорошего, судя по внешнему виду, пушистого английского драпа. — Это не мое. Юля, ты что, пришла ко мне в берете?

— Каком берете? Я пришла БЕЗ НИКОМУ, — улыбнулась Юля сонной и вялой улыбкой. Шубин подумал, что Земцову надо срочно везти домой и укладывать спать.

— Ну и бог с ним, с этим беретом, вы ужинать будете или нет?

— Я думаю, что после ужина Юлю надо будет отвезти домой. И вы, Лариса, не судите ее строго...

— Игорь, прекрати. — Юля задрала голову и покачала ею в немом протесте. Это должно было означать, что она не нуждается в защитнике, друге и адвокате в одном лице.

— Лариса, у вас не шла кровь из носа? — спросил, страшно смущаясь, Игорь. — Я имею в виду — совсем недавно?

— Нет, — весело ответила Лариса и, приподняв указательным пальчиком кончик носа, продемонстрировала ему две ровных и чистых ноздри. — У меня вообще с давлением все в порядке. Это у моей тетки постоянно шла носом кровь. А почему вы об этом спрашиваете?

— Там... в ванной комнате... на зеркале... кровь... Много крови, словно кто-то плеснул ее или как бывает, когда выстрелят в голову... Большие потеки и брызги, просто жуть... Вы ничего не слышали?

Лариса, лицо которой мгновенно побледнело, стояла, тупо уставившись на Игоря, и, казалось, ничего не понимала. Крошечный листик зеленого салата прилип к ее нижней губе, подрагивающей в надвигающейся буре нервных слез, — Шубин знал эту примету у женщин и поспешил не допустить истерики.

— Может, мне все это только показалось?

Юля, которая почти спала, прислонив голову к стене, никак не отреагировала на его слова.

И тогда Игорь решил вернуться в ванную комнату, чтобы еще раз убедиться в том, что ему все это не померещилось, что он, в конце концов, не спятил!

Но зеркало никто не помыл — кровь была на месте. А с кухни до него донесся тихий беспомощный скулеж: Белотелову все-таки прорвало...

«Ладно, — подумал Игорь, — позвоню ей завтра и спрошу, из какой фирмы был агент Саша, а заодно и его фамилию. Если он, конечно, реально существует...»

* * *

— Скотина! — Тамара рассматривала огромный синяк на бедре, который остался у нее после Горкина, и удивлялась тому, как же она не почувствовала боли тогда, когда обо что-то ударилась или ЕЕ УДАРИЛИ.

Сидя в ванне, по грудь в горячей мыльной воде, она то и дело поворачивала голову, чтобы посмотреть на свое отражение в запотевшем большом, во всю стену, зеркале, и для этого ей всякий раз приходилось стирать мокрой ладошкой мутный налет от пара, чтобы успеть увидеть там, в образовавшемся чистом оконце, свое красное лицо и струящиеся вдоль него волнистые, потемневшие от воды прядки волос.

Отец крикнул ей что-то, но она не разобрала. Куда-то он собрался — снова, наверно, играть в карты. Он даже просил ее открыть дверь, но ей было лень подниматься, чтобы выполнить его просьбу.

— Уходишь? — устало спросила она, повышая голос, чтобы он ее услышал.

— Ухожу, у нас тут...

Но в это время она перевела кран с водой в ванну и последние его слова не расслышала. Скорее всего он собирался ей сказать что-нибудь насчет ужина.

— Иди, я поем сама, позвонишь мне потом, ладно? — Она уже еле ворочала языком, настолько обессилела от горячей воды и всего, что произошло с нею за последние несколько часов.

— Позвоню.

Она услышала, как хлопнула дверь, и облегченно вздохнула. Наконец-то она сможет спокойно, без всяких нравоучений провести вечер так, как ей этого хочется. А хочется ей тишины, покоя, хочется забраться в постель с подносом, полным еды, и просто отдохнуть, не прислушиваясь к монотонному и вечно виноватому голосу отца, который и сам, наверно, рад куда-нибудь испариться, раствориться в объятиях своей молоденькой и уже брюхатой от него любовницы, а туда же — учит жизни...

Тамара с трудом выбралась из ванны и, придерживаясь за стену, чтобы не упасть, вышла в прихожую, чувствуя, как бухает и ломит где-то под лопаткой сердце. Вздохнула полной грудью, постояла немного, приходя в себя, и двинулась дальше, в комнату, откуда доносились звуки работающего телевизора.

Первое, что она увидела, это сидящего в кресле мужчину, при виде которого Тамара совершенно ясно поняла, что сошла с ума. Обкурилась или перепила. Она закрыла глаза. Открыла. Мужчина поднялся и теперь говорил ей что-то, но она из-за шума в ушах не могла его услышать.

— Извините, но ваш отец должен был предупредить вас... — Мужчина отвернулся, чтобы не смущать ее, голую, всю в капельках воды, зефирно-розовую и блестящую от чистоты и влаги.

— Я сейчас оденусь. — Она вернулась в ванную за халатом, закуталась в него и снова вошла в комнату, села в глубокое кресло рядом с гостем, скромно повернувшимся к ней спиной, и сказала, с трудом преодолевая тошноту и головокружение: — Как вас зовут? Вы ведь папин друг детства?

— Да, а зовут меня Игорь, можно без отчества. Сперанский.

— А где папа? Да повернитесь же вы, на самом деле! Я уже одета...

Он повернулся, и Тамара, увидев совсем близко от себя его синие глаза, проникающие до самого дна ее женской сущности, обмерла от охватившей все тело истомы. Это не было похоже на ощущения, которые вызывал в ней даже Льдов своим появлением или звучанием своего голоса. Тяжелая и душная волна, свернувшись в горячий, почти огненный тугой клубок, застряла в горле и тотчас растеклась в груди, сродни жаркому чувству детской, щенячьей радости от предвкушения чего-то необыкновенного, от чего может зависеть вся дальнейшая жизнь. Такое бывает, когда переезжаешь на новую квартиру и оказываешься в комнате, где тебе предстоит жить долгие годы, и эта комната кажется тебе невероятно большой и светлой, полной смутных видений будущих радостей и праздников...

Примерно такое же чувство она испытывала, глядя на этого большого и взрослого человека, так непохожего на тех полумальчиков-полумужчин, с которыми она проводила время, сознательно опускаясь с ними все ниже и ниже, скользя по опасной тропинке вниз, кубарем скатываясь в хлябь животных удовольствий, на самое дно физиологических конвульсий, не имеющих ничего общего с прежними девичьими мечтами о сладком трепете невинных поцелуев...

Она уже не помнила, когда и как стерлась та грань, та яркая, будто от фломастера, полоска между дозволенным и недозволенным, которую специально для нее провели взрослые, слишком давно это было, да и та ли рука держала этот самый фломастер... Мама сама упорхнула — только и видели ее распушенный пестрый и блестящий хвост. А папа мирно и тихо жил за своей чертой, в своем мирке, пахнувшем горячим какао и гренками, которые ему готовила его Машенька (он сам рассказал ей об этом однажды, когда сильно выпил) и где тоже не было места Томочке. Так почему же было не создать свой хрустальный, наполненный теплом и удовольствиями шар, куда можно забраться с ножками и болтать ими, как в солнечный июльский денек, когда, сидя на мостках, ради острых ощущений вспениваешь быстрыми шлепками пяток упругую прохладную воду... Вот только как же получилось, что этим хрустальным шаром стала заплесневелая и полная вони от застарелой грязи и затхлости квартирка Иоффе, ничего не подозревающего старика, запутавшегося как в жизни, так и в пространстве и потерявшего временные и денежные ориентиры в этом быстро меняющемся мире?

Сейчас, глядя на неизвестно откуда появившиеся в руках гостя розы, много белых роз с обращенными к ней полураскрывшимися головками, источающими нежность и аромат, который она еще не слышала, но предчувствовала, раздувая нервно и спешно ноздри, словно желая, чтобы розовый запах не прошел мимо. Ей вдруг почудилось, что все это уже было, и нечто пресное и обыденное кольнуло ее в грудь — неужели это сон?

— Вас зовут Игорь? А почему вы здесь? — задавала она эти вполне уместные, но ставшие сейчас дежурными вопросы, между тем как сама уже тянулась к этому мужчине, одетому в чистую красивую и дорогую одежду, чтобы прикоснувшись к нему, убедиться в том, что он реально существует.

— Сказать вам то, что принято говорить в подобных ситуациях, или вы хотели бы услышать правду?

— Можно по-порядку: сначала расскажите сказку, а потом правду, и, в зависимости от того, что мне больше понравится, мы будем строить дальнейший вечер.

Сперанскому показалось, что он знает ее всю жизнь, что всегда знал и слышал этот молодой и сильный голос, связанный с внутренней силой пятнадцатилетней девочки, которая наверняка четко представляет себе, что ей нужно от жизни и какими грязными и скользкими путями ей придется пробивать дорогу к зрелости. Таким, как Тома, гувернантки не нужны, и кнут — тоже. Им нужно другое — чтобы их оценили умные и опытные мужчины, которые взялись бы их приручить.

— Эти розы вам, Тамара. — Сперанский протянул ей букет, обернутый снизу гофрированной тонкой, молочного цвета бумагой, перехваченной в талии золотой тонкой лентой.

— Вы волшебник? Откуда розы? Ведь их не было, когда я вошла в комнату...

— Я не волшебник, я негодяй, который собрался похитить вас у вашего отца. Мне сорок лет, я много старше вас, но мне нравится в вас все, даже эти прозрачные капельки воды, сверкающие на кончиках ваших мокрых волос. Я ни на что не претендую, просто прошу, чтобы вы позволили мне иногда видеть вас. Можно?

Он подошел к ней и взял ее руку в свою, поднес к губам — она не отдернула. Но ей стало нехорошо, ее снова затошнило от сознания несовместимости всего, что происходило и происходит в течение одного этого вечера. Так не бывает. Вот сейчас, в эту минуту, что она стояла с протянутой для поцелуя рукой перед Сперанским, ей почудилось, что руки Горкина все еще продолжают держать ее за бедра, а губы его, слепые и холодные, ищут источник новых мужских сил... Раньше, представляя себе пусть даже и Горкина или вспоминая ту или иную картинку пережитого на продавленном диване Иоффе, она чувствовала томление внизу живота и готова была вновь испытать все снова, но теперь вместо этого вдруг возникла вполне ощутимая боль, как будто тело ее изнутри саднило и кровоточило от чрезмерной ненасытности.

— Он поставил чайник? — спросила Тамара, ежась от внезапного озноба (ее тело, еще недавно такое горячее, быстро остывало, а капельки воды с мокрых волос, о которых упомянул Игорь, затекая за ворот халата, струились холодными струйками вдоль спины).

— Нет, он не поставил чайник. Если вы в состоянии принять мое приглашение, то мы бы могли поужинать в ресторане. Вам стоит только сказать, и я тотчас позвоню туда и закажу столик. Даже если там все занято, нам накроют в кабинете. Ну так как?

Она покачала головой: нет, так не бывает. Такое она видела только в бразильских сериалах, но даже там подобные сцены выглядели неубедительно.

— Хорошо, тогда я пойду оденусь, а заодно посушу волосы феном... — Она взяла со стола фен, который еще недавно ремонтировал (или делал вид, что ремонтирует) ее отец, и удалилась в свою комнату, прижимая к груди букет. Но уже через минуту, опомнившись, вышла оттуда, держа розы на вытянутых руках, и произнесла извиняющимся тоном: — Пожалуйста, поставьте цветы во-он в ту большую вазу, хорошо?

* * *

Она проснулась от сильнейшей головной боли и сначала не могла понять, где и, главное, в чьей постели находится. Узкая кровать практически исключала возможность присутствия рядом кого-нибудь другого.

— Доброе утро. — В неожиданно распахнутую дверь ввалился пританцовывающий — во всем белом, спортивном — мускулистый Шубин, который выглядел так, словно, на ходу делая зарядку и бегая по квартире, решил заглянуть к Юле, чтобы понять, спит она или только притворяется.

— Господи, Игорь, как же ты меня напугал, — прошептала пристыженная своими фантазиями Юля: она на какое-то мгновение приняла малознакомую ей спаленку Игоря (в которой еще ни разу не ночевала, поскольку они до этого обычно спали вместе с Игорем на его широком диване в гостиной) за жилище Сергея Зверева! Размечталась! Он исчез из ее жизни так же неожиданно, как появился...

— А где бы ты хотела проснуться? В апартаментах Белотеловой? Ты вообще-то помнишь, как я тебя выносил оттуда, как грузил в машину, как укладывал спать? С кем ты связалась? И как ты, человек осторожный и, прямо скажем, трусливый, могла оказаться наедине с женщиной, в доме которой по зеркалам струятся потоки свежей крови, а на дверных ручках вырастают — прямо на глазах! — синие береты?

И она сразу все вспомнила. Шубин рассказал ей о том, что видел собственными глазами в ванной Белотеловой.

— Она заплатила, а потому мы должны работать, — как ни в чем не бывало ответила Юля, выбираясь из вороха простыней и подушек, и, смущаясь, натянула на голое тело мужскую рубашку — первое, что попалось ей на глаза. — Горячая вода есть?

Шубин, истомившись перед дверью ванной, разговаривал с ней сквозь шум воды:

— Ты одна теперь никуда не сунешь нос, понятно? Ты же не дура и должна понимать, насколько все это опасно. Сейчас же поедем к Сазонову или Корнилову, к кому хочешь...

— К Сазонову. — Юля, неожиданно и резко открыв дверь, чуть не прибила Шубина и, проскользнув, завернутая в банное полотенце, обратно в спальню, заговорила уже оттуда: — У Корнилова и так забот полон рот — он же занимается сейчас убийством мальчика и самоубийством девочки, они с Крымовым вроде в паре работают... Надо вплотную заняться риэлторской фирмой, торгующей квартирами, разыскать агента Сашу. — Она появилась на пороге спальни одетая и без тени тяжкого похмелья, рвущаяся в бой. — Может, кофе?..

Обругав несчастного Шубина за пустой холодильник и выставленную на подоконнике батарею опустевших жестяных банок из-под кофе и чая, Юля дала увезти себя в кондитерскую, расположенную возле их агентства, где они позавтракали приторными ореховыми рулетами с кофе, завершив это пиршество купленными по дороге бананами.

Щукина встретила их издевательской улыбочкой, пожелала им удачи в интимной жизни и поприветствовала губной трелью — на манер индейского клича.

Она совсем сошла с ума, эта выпавшая из всяких норм поведения, счастливая до одури Щукина. Так бы, во всяком случае, охарактеризовала ее поведение Земцова.

— Надя, что там у Крымова? — спросил, не обращая внимания на ужимки и кривляние Щукиной, Игорь, падая в кресло и закуривая. Похоже, ему нравилось поведение Щукиной, уверенность которой в том, что Юля провела ночь в его объятиях, доставляла ему некоторое, пусть и пахнувшее самообманом и ребячеством, удовольствие.

— Я сегодня заезжала к своим девчонкам, взяла у их копии экспертиз... — посерьезнела Надя и хлопнула по столу толстым конвертом. — Я только просмотрела, не углубляясь в подробности, но здесь даже специалистом не надо быть, чтобы понять, чем занимаются наши детки в школе... Девочка была на третьем месяце беременности, вовсю курила, пила, принимала наркотики — жуть! Я вообще не представляю, что будет дальше... А ведь она из хорошей семьи... Что же тогда говорить об остальных? У нее была прорва мужиков, я в анализах не разбираюсь, но мне девчонки сказали про какие-то антигены, РАЗНЫЕ антигены... Незадолго до смерти она находилась в контакте с двумя мужчинами, а ведь ей всего-то четырнадцать лет!...

— Ты Чайкину звонила? — перебил ее Шубин, ясно давая понять, что сейчас не время выражать эмоции и что пора наконец всерьез заняться делом. — Что показали результаты вскрытия трупов Льдова и Голубевой?

Надя с готовностью выложила перед Шубиным две прозрачные папки — ксерокопии официальных документов с отпечатанными на них текстами результатов судмедэкспертизы.

Шубин углубился в их изучение, а Юля, достав из своей сумки предусмотрительно прихваченные ночью Игорем из квартиры Белотеловой вещественные доказательства явлений полтергейста (сорочку, зеленое платье, синий берет, тампоны с образцами крови, а также чулки), вывалила все это на стол Щукиной и вкраце объяснила ей, насколько важна экспертиза этих вещей и особенно крови. Надя даже бровью не повела и как будто бы забыла об их неприязни. Возможно, ей надоела эта игра и нервозность, которая мешала работе и заставляла всех находиться в напряжении. Или же время, отпущенное природой на так необходимую ей демонстрацию личного счастья, попросту себя исчерпало?..

— Слушай, Земцова, интересное дело... — говорила она, забыв обо всем на свете и вертя в руках пакетики с вещами, найденными на квартире Белотеловой. — Ни разу в жизни не встречала ничего подобного... А ведь ты вчера была в этой квартире совершенно одна?

— Ну конечно!

— И всех этих вещей не было?

— В том-то и дело, что нет.

Шубин, отвлекшись от своих бумаг, шумно выдохнул и рассказал о потоках крови в ванной комнате Ларисы.

— Ну, ребята, вы и даете! Да здесь и козе ясно, что убийство агентши и ранение вашей Белотеловой связаны... Ничего себе дельце! А Крымов-то, Крымов знает? Он в курсе?

— Так, в общих чертах...

— Понимаю — он, как всегда, поиздевался над тобой и решил для себя, что у клиентки просто не все дома, так? — Щукина уже говорила о Крымове с присущим ей, как потенциальной жене, сарказмом и панибратско-критической ноткой явно преждевременной иронии. Юля еще отметила, что Щукина слишком много на себя берет и что Крымов, если он не совсем дурак, должен как можно скорее поставить ее на место. Хотя Щукина и сама должна была бы понимать, чем может закончиться для нее подобное неуважительное поведение. Или — вдруг осенило Юлю — мужчины все мазохисты, и им нравится, когда с ними так обращаются?

Но мысли об этом как прилетели, так и улетели,

оставив в сознании крутой мультяшный ВОПРОС, точнее, знак вопроса... Она усмехнулась представленному и вернулась к разговору о Белотеловой.

— Теперь, когда и я, и Игорь увидели все ЭТО своими глазами, Крымов навряд ли махнет на такую клиентку рукой. К тому же, дорогие мои, не забывайте, что нами получена от нее довольно кругленькая сумма... Вот примерный планчик. — Юля достала из сумочки блокнот и вырвала оттуда листок с вопросами, которые готовила в сумерках Ларисиной квартиры, пока не увидела на ковре темное пятно свернутого платья...

— «Анализы крови Белотеловой...» — процитировала Щукина и возмущенно прищелкнула языком. — Ты мне напомнила, кстати, что нужно позвонить в областную больницу, они обещали собрать немного ее крови, которую у Белотеловой взяли на анализ сразу, как только ее привезли после ранения... А эта, насколько я понимаю, на тампонах, — кровь с зеркала?

— Там два тампона, — подал голос Шубин, — один тот, что Юля взяла с зеркала в прихожей, а тот, что посвежее, я собрал с зеркала в ванной...

— Игорь, ты прелесть! — развела руками Юля, которая слышала об этом в первый раз. — А где ты взял вату?

— В ванной на полочке, у нее там чего только нет.

— А я вот даже не помню, как ты меня оттуда уводил...

— Правильнее было бы сказать — УНОСИЛ. Я вообще не понимаю, с какой стати вы, кумушки, так упились. Прикинь. — Он повернулся к ловящей каждое слово Щукиной. — Я прихожу, а они напились вдрызг какого-то спирту и сидят тепленькие, ужинают.

— Я не знала, что это спирт, думала — водка. Выпила совсем немного на пустой желудок и, как сейчас помню, принялась извиняться на съеденную клубнику... А потом мы ели салат... — Тут Юля запнулась, чтобы не проговориться о Звереве, то есть об истиной причине, заставившей их напиться. Хотя у них с Лари-

Анна Данилова

5 – 1295

129

сой были РАЗНЫЕ поводы выпить: Лариса пила от страха, а Юля — оттого, что так и не поняла, чем обидела Сергея, который пулей вылетел из квартиры.

— Наверно, салат был из белены, — заключила со смехом Щукина, — кстати, я могу приготовить кофе.

— Потом. Посмотри лучше еще разок на вопросы, давайте распределим, кто чем будет заниматься, а потом я поеду к Сазонову...

— Хорошо. Итак, я беру на себя все экспертизы: белье, кровь и прочее... А вы занимайтесь личностью девушки-агента, да и самой Белотеловой. Игорь, думаю, что тебе лучше всего помочь Крымову и, если потребуется, продолжить опрос свидетелей.

— Щукина, ты, кажется, собралась варить нам кофе? Вот и вари, — огрызнулся Шубин, четко уловивший появившиеся начальственные нотки в тоне зарвавшейся секретарши. — И если ты спишь с Крымовым, это еще не говорит о том, что ты стала частью интеллекта, ты меня поняла?

— Значит, так, вот этот, — Щукина ткнула пальцем в сторону кресла, на котором полулежал, обложившись бумагами, Шубин, — сегодня кофе не получит. И завтра, возможно, тоже.

Юля, вздохнув от того, что перемирие длилось всего несколько минут, пожала плечами и, придвинув к себе телефон, позвонила Сазонову.

— Петр Васильевич? Это Земцова. Вы не возражаете, если я сейчас к вам приеду?

* * *

Плотно поев и получив от этого семейного — долгого, наполненного разговорами на хозяйственные темы — чрезмерно сытного завтрака великое удовольствие, как если бы он только что побывал в гостях у своей матери, Крымов подождал, пока Надя уберет на кухне и оденется, затем повез ее в НИЛСЭ (Научно-исследовательскую лабораторию судебных экспертиз), а сам отправился на встречу с Галиной Васильевной Ивановой — директрисой школы.

— На Земцову не нападай, — инструктировал он ее на прощание, глядя, как стоит она на бордюре и в нетерпении переминается с ноги на ногу, сухо и деревянно постукивая каблучками, как рассеянно слушает его, задрав голову и рассматривая проплывающие над ними белые пухлые облака, смешно сдувая рыжие прядки с лица и то и дело облизывая морковного цвета губную помаду с полураскрытых губ. Он любовался безраздельно принадлежащей ему этой маленькой гибкой женщиной, сильной и властной, по-хорошему злой и эгоистичной, простой и невероятно сложной одновременно, способной заставлять его без конца удивляться и находиться в состоянии возбуждения именно тогда, когда это нужно ей. Ему нравилось ее худенькое и стройное тело, кошачьи, дикие повадки и неожиданно принимаемые ею позы, открывающие то и дело ее красивую нежную грудь — две маленькие крепкие округлости, прочно удерживаемые разумными, но в тоже время дразнящими вырезами одежды — или гладкие, шелковистые, почти всегда затянутые в тончайшие колготки бедра.

— К Шубину не приставай, Чайкина потереби насчет результатов вскрытия Льдова... Звони ему запросто, как будто ничего не произошло. Вечером я отвезу тебя к Миллерше, позвони ей и извинись за то, что вчера не заехали, она ждала, я знаю... Если честно, то я совершенно забыл о твоей примерке. А на будущее — меня не жди, действуй самостоятельно: бери машину и поезжай сама куда надо, не маленькая. Ты меня поняла?

Надя поцеловала сложенные щепотью кончики пальцев и дунула на них, потом, расхохотавшись и нацепив черные узкие очки от солнца, кивнула головой, как присмиревшая ученица, и легко взбежала на высокое крыльцо лаборатории.

Крымов, удовлетворенно прищелкнув пальцами и вспомнив, ГДЕ и с КЕМ он провел время, отпущенное им же самим на визит к Миллерше (он действительно при виде Ларчиковой совсем потерял голову!), покатил в район колхозного рынка, неподалеку от которого и находилась семьдесят шестая школа.

Галина Васильевна ждала его. Молодящаяся, с крашеными белыми волосами, остриженными по-мальчишески радикально, встретившая его в меру наштукатуренным лицом директриса даже встала ему навстречу, демонстрируя отлично сшитый черный костюм с выглядывающей у шеи тонкой кружевной блузкой, напоминающей своим верхом ворот ночной рубашки.

— Здравствуйте, Евгений... извините, не знаю вашего отчества. — Она говорила с трагическими нотками в голосе.

— Можно просто Женя, — улыбнулся ей Крымов, — я так больше привык...

— Как-то неудобно... Хотя ведь вы так молоды. Я слушаю вас, Женя, и готова ответить на все вопросы.

— Хорошо. Начнем с того, сколько человек учится в девятом «Б» и в каких отношениях с Вадимом Льдовым были его одноклассники, — хорошо бы пройтись прямо по алфавиту. Времени у нас предостаточно. Можно пригласить классную руководительницу, и мы все вместе, проанализировав каждого ученика в отдельности, попытаемся создать схему дружеских и неприязненных отношений каждого с Льдовым. Надеюсь, у вас это не вызовет недоумения или возражения?

— Разумеется, нет. Сейчас я приглашу Татьяну Николаевну Ларчикову, чтобы вы могли с ней побеседовать прямо с журналом в руках, но перед ее появлением мне бы хотелось кое о чем вас предупредить. Татьяна Николаевна — женщина непростая. Скажем так — она не прижилась в нашем коллективе.

Крымов слушал не перебивая. Ему до смерти хотелось слушать и слушать монотонный голос Ивановой, чтобы знать об этой невероятной Ларчиковой ВСЕ! Он даже не стал задавать директрисе наводящие вопросы, чтобы не сбить ее мысль: пусть себе говорит.

— Как бы вам получше объяснить, чтобы вы не подумали, что у нас все преподаватели такие. Школа у нас в общем-то благополучная.

Крымов проглотил и это: семьдесят шестая школа занимала первое место по употреблению наркотиков! Галина Васильевна, вероятно, не хотела в это поверить.

— Ларчикова — учительница молодая, неопытная. Может быть, даже в чем-то и наивная. Понимаете, есть такие учителя, которые допускают вольности в обращении со своими учениками. У них на уроках полностью отсутствует дисциплина, дети не слушаются таких учителей и издеваются над ними... Я не могу сказать, что у Ларчиковой нет дисциплины, но именно Вадим Льдов вместе с Витей Кравцовым очень жестоко подшутили над ней... Не знаю даже, как вам и сказать... наверное, лучше будет все-таки показать вам эти снимки... Вот, — она проворно достала из ящика стола заранее приготовленные фотографии и протянула их Крымову, — полюбуйтесь. Однажды вечером Вадик и Витя остались подольше в школе, разделись (точнее, разделся один Льдов) догола в мужском туалете, который находится по соседству с кабинетом литературы, в котором работает Ларчикова, ворвались к ней, заперли дверь на швабру и, пока Льдов обнимал свою классную руководительницу и пытался поцеловать ее (исключительно ради кадра!), Кравцов снимал...

Деректриса перевела дыхание, как если бы ее только что отпустил из своих объятий голый и возбужденный Льдов (она сидела красная и вспотевшая от волнения; пудра свернулась на щеках, словно подогретое прокисшее молоко), и натужно вздохнула, как вздыхают пожилые, привыкшие насиловать свои чувства люди. Ведь, по сути, ее-то лично это не касается, и неужели она думает, что кто-нибудь поверит в то, что она так сильно переживает за честь школы или тем более за честь красивой и молодой учительницы русского языка и литературы?!

Крымов тоже лгал, когда подробно рассматривал снимки — он отлично помнил каждый из них.

— Ну, что скажете?

— Я не вижу связи между этими снимками и тем, зачем я к вам сюда пришел. Ну, порезвились ребята, выпили, наверно, немного пива или легкого вина, расшалились... Учительница молодая, они ее не боятся... Это же так естественно.

— Может, вы и правы. Но я обязана была вам это показать. Потому что Татьяна Николаевна из-за этого инцидента подала заявление об уходе. Вы понимаете, что это значит в наше трудное время, когда практически невозможно найти работу, уйти САМОЙ? Вам и это тоже не кажется подозрительным?

— По-моему, все выглядит вполне логично.

— Я не понимаю вас. О какой логике может идти речь?

— Ее выставили в смешном виде, ведь снимки наверняка ходили по рукам...

— Конечно. — Галина Васильевна замахала руками. — В этом-то вся и штука!

— Может, ваша Ларчикова и осталась бы в школе, да только если бы ЛЬДОВ БЫЛ ЖИВ...

Директриса прикусила губу: кажется, все шло по заранее спланированному ею сценарию.

— Вы хотите сказать, что кому-то может теперь прийти в голову, что его смерть — результат ее мести?

Она вульгарно, прямо-таки грубейшим образом выразила то, ради чего и готовила себя с самого утра, настраиваясь на разговор с Крымовым: представить ненавистную ей Ларчикову — это мутное бельмо на здоровом глазу школы — в качестве убийцы Льдова!

— Я так не говорил, — мягко поправил ее Крымов. — Но именно ЭТОГО может опасаться сама Татьяна Николаевна. Хотя, я просто уверен, никакого отношения к гибели Льдова она не имеет. Но сейчас идет следствие, мы опрашиваем всех, кто мог бы иметь отношение к этому делу. Смерть Льдова наступила в определенный день и определенный час, а потому из круга подозреваемых уже совсем скоро выпадут те, у кого есть свидетели непогрешимости их алиби... Вот вы, например, — он улыбнулся, и даже сам себе стал от этого противен (зачем издеваться?), — где были пятого апреля приблизительно в пять часов вечера и до шести?

— Не знаю. — Директриса недоуменно хихикнула, и этот нервный смешок резко оборвался на самой низкой ноте: Галина Васильевна подняла голову и широко раскрытыми подведенными глазами уставилась на невозмутимого Крымова: — Что вы хотите сказать, Женя (она сделала ударение на его имени), что Я МОГЛА УБИТЬ СВОЕГО УЧЕНИКА?

— Но ведь кто-то же его убил, — спокойно ответил Крымов, не меньше ее возмущенный тем, что Иванова подозревает Ларчикову.

— Я понимаю, конечно, что ваше дело — искать убийцу, но во всем же должна быть мера...

— Но ведь вы заподозрили Татьяну Николаевну, причем даже приготовили для меня снимки... Согласитесь, если абстрагироваться от личностей, то убийство девятиклассника его же классной руководительницей — это ли не абсурд? Просто мне не хотелось бы, чтобы эта трагедия послужила средством для сведения счетов. А ваша неприязнь к Ларчиковой прямо-таки бросается глаза. Поверьте, мне известны случаи, когда таких вот Ларчиковых специально подставляли... — Он хотел сказать: «Такие же вот чистенькие и принципиальные Ивановы», но сдержался. — Давайте лучше не будем гадать, а пригласим вашу Татьяну Николаевну и постараемся разобраться в психологической атмосфере класса... А что касается этих мерзких снимков, то они, на мой взгляд, отлично демонстрируют нам всю нелепость затеи унизить и оболгать учительницу — достаточно посмотреть на полное страха и удивления лицо Ларчиковой, чтобы понять, что придуманный Льдовым сюжет неубедителен.

— Хорошо, — холодно ответила Иванова, вставая из-за стола и направляясь быстрым шагом к двери: — Вера Ивановна, позовите, пожалуйста, Ларчикову, она ждет в библиотеке...

* * *

— Не бойтесь. Вы у меня. — Корнилов сидел на краешке постели и держал Людмилу за руку. — Вы меня помните?

Голубева, прикрывшись одеялом, покачала головой. Растрепанная прическа, опухшее от сна лицо, удивленно-испуганный взгляд и угол черной кружевной сорочки с тонкой бретелькой, впившейся в белое, чуть приоткрытое плечо, — все это почему-то делало ее облик в глазах Корнилова особенно трогательным и почти родным. Ему показалось, что эта женщина оказалась в его доме не случайно и глупо будет отпускать ее вот так, обыденно и буднично...

— Мне было плохо? Я что-нибудь говорила во сне? Я у вас НИЧЕГО НЕ ПРОСИЛА?

— Нет, вы крепко спали, и я не посмел вас будить. Если вы помните, я спросил вас, ждет ли вас кто-нибудь, но вы так ответили...

— Могу себе представить, ЧТО я ответила... Я должна вас поблагодарить. — Она слабо улыбнулась, и эта улыбка совершенно изменила ее лицо, сделала моложе.

— Меня не за что благодарить. Вы мне лучше скажите, чем я могу вам помочь?

— А чем можно помочь человеку, у которого отняли последнее, что у него было, — единственно родного и близкого человека?.. Разве что пристрелить меня, как собаку... — Она и эти слова говорила убийственно весело. Это могло стать началом истерики, а потому Корнилов крепко сжал руку Людмилы и даже сделал ей больно, чтобы только отвлечь...

— Извините, я забыла, как вас зовут...

— Виктор Львович, ничего... Людмила Борисовна, пойдемте позавтракаем, а заодно серьезно поговорим. Даже учитывая ваше состояние и горе, которое вы переживаете, мы должны выяснить, как прошел последний день вашей дочери: с кем она встречалась, с кем разговаривала по телефону, быть может, ей кто звонил и вы услышали хотя бы обрывок разговора... Поймите, все это крайне важно...

— Я поняла, — перебила его Голубева и усмехнулась, — вы собираетесь увязать смерть моей девочки с убийством Льдова? Это бред. Ничего общего в этих трагедиях быть не может.

— Откуда такая уверенность?

— А вы за сегодняшнюю ночь, наверное, придумали версию, будто бы моя дочь убила Льдова, а после этого отравилась? Наташа пришла из школы в два часа дня. Льдов, по-моему, тогда был еще жив? Она пообедала (я знаю это, потому что я сама прибегала домой с работы за банкой, у нас в институте продавали дешевое подсолнечное масло, а заодно и перекусила) и прилегла, сказала, что ей нездоровится... Это сейчас я понимаю, как называется это ее нездоровье, но разве могла я тогда предположить, что она ждет ребенка... Вы осуждаете меня, считаете меня никчемной матерью, которая упустила свою дочь, но мне действительно и в голову не могло прийти ТАКОЕ! Поверьте мне... Она была хорошая, послушная девочка, и у меня к ней никогда не было никаких претензий... Вот разве что эта ее влюбленность... Скажите, а сейчас невозможно определить, от кого у нее был этот реденочек. Я имею в виду, не от Вадима?... Можно же провести исследование плода и прочее...

— Я пока не готов ответить на этот вопрос, но уверен, что в ближайшее время все выяснится... Пойдемте все-таки позавтракаем, выпьем чайку, а уж потом вы мне расскажете, что делала Наташа в тот день после обеда...

За столом Голубева чувствовала себя явно неуютно, она выпила полчашки чаю и отодвинула от себя тарелку с бутербродами:

— В горло не лезет. Можно, я покурю? Значит, так. Она была дома приблизительно до четырех часов, а после этого пошла к своей подружке, Оле Драницыной, однокласснице. Я знала, что они дружат: Драницына, Тараскина, Перепелкина, Синельникова... Нормальные девочки, почти всегда вместе. Я знала, что Вадим Льдов был для них кумиром, что они все были влюблены в него, и сначала не придавала этому особого значения. Но уже осенью, когда они пошли в девятый класс, я стала замечать, что моя Наташа постоянно говорит только о нем, плачет по ночам, жалобно скулит, как собачонка... Я даже хотела увезти ее отсюда в деревню к матери, так Натали устроила такую истерику, что я поняла — им нельзя расставаться...

— Вы имеете в виду — нельзя расставаться со Льдовым?

— Ну да!

— Теперь, когда вы все знаете о своей дочери, вы можете предположить, что и вышеперечисленные подружки Наташи вели подобный образ жизни...

— Простите, у меня в голове так и не уложилось то, что вы мне сказали... Может, это ошибка? — Голубева жалобно, по-бабьи, разрыдалась, словно долго сдерживалась, обманывая самое себя, а теперь вот не выдержала, дала волю слезам.

Виктор Львович, понимая, что разговора все равно не получится, встал и уже более резко и громко, словно пытаясь привести ее в чувство, произнес:

— У вас все руки исколоты... — Он запнулся, потому что любая следующая фраза прозвучала бы как упрек, как обвинение, как осуждение, а какое право он имел судить женщину, о которой ничего не знал и видел второй или третий раз в жизни?

Она, всхлипнув, громко икнула и стала машинально потирать те места на руках, где под рукавами одежды прятались сиреневые пятна гематом и следы от игл.

— Мне... мне нечего сказать вам. Тем более что вы и сами уже все видели.

Она обняла себя руками и съежилась, словно от холода: ее знобило — зубы начали выбивать мелкую дробь...

— Я мог бы помочь вам, — осторожно проговорил Корнилов, не имея ни малейшего представления о том, какая реакция может последовать у Людмилы после этих слов, — но мне важно, чтобы вы сами этого захотели. Вы еще молоды и можете снова стать счастливой.

Он боялся произносить вслух избитые клише увещеваний, чтобы вразумить эту и без того умную, но забредшую в тупик женщину, которая ему нравилась и которой он искренне хотел помочь.

— Спасибо вам, вот уж не ожидала. Но только вы и сами знаете, что говорите все для воздуха... Такие, как я, НЕ ИЗЛЕЧИВАЮТСЯ. Мои гормоны счастья исчерпаны, мне требуется все больше и больше этого сладкого яда, который, возможно, и заменил мне дочь... И все же я хочу, чтобы вы знали, что Натали была хорошей девочкой, и если с ней такое и произошло, то только от слабости... Возможно, ей было одиноко, и она зашла не в ту дверь. Такое встречается...

Корнилов подумал о том, что можно было бы отвезти Людмилу к себе на дачу и попробовать помочь ей пережить ломку, окружить ее вниманием и заботой, попытаться создать ей условия, при которых она бы забылась хоть на время... А почему бы и нет? Вот он, взрослый мужчина, бьется над извечными проблемами очищения общества, ловит преступников, зная, что продажные судьи все равно отпустят их на свободу, вместо того чтобы хотя бы раз в жизни сделать счастливым конкретного человека. Вот только где бы ему найти слова убеждения, такие, чтобы она поверила ему и, конечно же, поверила в себя, в свою способность преодолеть эту ватную бесчувственность, переходящую в острую необходимость наполнить свою кровь временным химическим счастьем?

— Отвезите меня, пожалуйста, домой. Мне надо привести себя в порядок.

Она произнесла это холодным и даже надменным тоном, словно сожалея о проявленной перед ним слабости, встала и, тихонько постукивая подушечками пальцев по скулам, как если бы она вбивала в кожу крем, направилась к выходу.

— И все равно — смерть Льдова никак не связана с моей дочерью, вы сами очень скоро в этом убедитесь...

Глава 7

Сазонов встретил Юлю улыбкой:

— Привет конкурентам! Хочешь чайку?

— Нет, спасибо, Петр Васильевич, не хочу. У меня к вам огромная просьба. Вы, наверно, уже в курсе убийства девушки-риэлтора на Некрасова?

— Ты по ее душу пришла? А вас-то кто нанял? Ее тетушка?

— Что это вы смеетесь? У нее есть тетушка?

— Да в том-то и дело, что лично я слышу от тебя первый, что эта девушка работала в риэлторской фирме. При ней нашли документы на имя Масловой Дины Валерьевны. — Сазонов придвинул Юле лист бумаги. — Вот, полюбуйся, она была безработной, стояла на учете на бирже.

— Все правильно, — проронила Юля, доставая блокнот и вписывая туда новое имя.

— Что правильно? — нахмурил белесые густые брови Сазонов и хмыкнул. — Земцова, не молчи, а отвечай, когда тебя спрашивают старшие.

— Дело в том, Петр Васильевич, что таких агентов по недвижимости, каким была она, — я имею в виду доморощенных, которые ходят по городу, срывают объявления частных лиц о продаже или покупке квартир, чтобы потом выставить себя посредником и сорвать хороший куш, — полным полно. Попробуйте, к примеру, продать без посредников свою квартиру, расклейте в вашем микрорайоне объявления, и вы уже через час ни одного из них не найдете — все они будут сорваны, а ваш телефон будет разрываться от звонков огромного количества подобных агентов. И каждый будет норовить обмануть вас. И обманут — это их профессия.

— Но ведь я могу отказаться от их предложений и снова расклеить объявления, а еще лучше — дам объявление в газету...

— И вам снова будут названивать посредники. Они, как тараканы, вездесущи и своего не упустят.

— Да брось ты, Земцова, зачем мне платить кому-то проценты, когда я спокойно могу дождаться настоящего, ПРЯМОГО покупателя?

— Обычно люди не только продают, но одновременно и покупают квартиру, а найти и оформить сразу и быстро две сделки бывает очень сложно. К примеру, вы продаете свою квартиру с тем, чтобы купить другую — большей площади, например. К вам приходит риэлтор, пудрит мозги, уверяя, что уж с вас-то он ничего не возьмет, поскольку он поимеет лишь с ПОКУПАТЕЛЯ вашей квартиры, и с него, агента, достаточно... Вы верите, поручаете ему продать вашу квартиру и найти другую и ждете, пока вас не повезут смотреть будущее жилье. Вы верите своему агенту, потому что встречаетесь с ним каждый день, он улыбается вам, старается угодить во всем, приходя вовремя и делая за вас все черновую работу, начиная с оформления срочной приватизации и кончая визитами к нотариусу без очереди...

— Так он показывает мне мою новую квартиру или нет?

— Безусловно! Он возит вас по двадцати-тридцати адресам, показывая квартиры, в половине которых, кстати, никто не живет (он специально выбирает такое время, чтобы дома никого не было, и чтобы у вас не было возможности поближе познакомиться с настоящим продавцом, и чтобы вы вместе с ним не КИНУЛИ агента!), пока наконец вы не находите то, что вам нужно. У вас загораются глаза, и этот огонь видит опытный агент, который понимает, что вы попались на его крючок, что вам по-настоящему нравится эта квартира и теперь из вас, тепленького, можно вить веревки...

— Но каким образом, если он называет мне, к примеру, цену, которая меня устраивает... Ведь параллельно этому он еще и находит покупателя на мою квартиру?

— Правильно. Ваша квартира почти продана, ее уже посмотрел потенциальный покупатель и согласился с вашей ценой и с гонораром агенту, который нашел ему эту квартиру, и, казалось бы, теперь вы можете спокойно оформлять сделку, зная о том, что вы-то агенту ничего не должны, вы же договаривались...

— Ну и?.. В чем загвоздка-то, я не понимаю?!

— А в том, что во время вашего второго или даже третьего визита на ту квартиру, которая вам приглянулась, в которой вы уже мысленно сделали евроремонт и расставили вашу итальянскую мебель, вас встречает молоденькая улыбающаяся девушка и представляется... АГЕНТОМ, ВЕДУЩИМ ЭТУ КВАРТИРУ. А ведь вы были уверены, что эту квартиру «вел» именно ваш агент, обещавший ничего не брать с вас. Девушка-агент поделится затем гонораром с ВАШИМ агентом, но какова психологическая травма! Ведь этой девушке вы должны будете заплатить пять процентов уже от стоимости большой квартиры, а это немалые деньги... И вы их заплатите.

— Не заплачу.

— Заплатите, потому что во время оформления документов вы уже внесли залоговую сумму и в случае отказа от покупки будете обязаны вернуть хозяину квартиры сумму, в два раза большую... Такие дела.

— Ловко, ничего не скажешь. Хорошо, что я не собираюсь ничего ни продавать, ни покупать. Я только не понял, к чему ты мне все это рассказала?

— А к тому, что мошенническое поведение агентов может послужить причиной мести. Почему бы и нет?

— Слушай, а откуда ты так хорошо все это знаешь?

— А у меня мама именно так влипла прошлым летом, и, если бы вы слышали, какими словами она, культурная женщина, отзывалась об этой девушке-агенте! Понятное дело, мама поохала-поохала и перестала, а ведь другой человек может и...

— Брось, это не причина для убийства. Это все эмоции. А что касается того, что Маслова могла быть вовсе не агентом, а подсадной уткой с пачкой фирменных бланков для заполнения залоговых документов и прочего, это запросто. Но почему тебя заинтересовала эта Маслова и что ты делала на квартире этой... — он открыл папку с бумагами и тут же захлопнул ее, — Белотеловой?

— Это моя знакомая, — соврала Юля и покраснела.

— Ты хочешь сказать, что оказалась у нее СЛУЧАЙНО? И когда же ты успела с ней познакомиться, если она только весной приехала сюда, а до этого жила в Петрозаводске?

— Пару дней тому назад. Она делала мне маникюр.

— Тогда понятно... Она действительно работает маникюршей в салоне «Елена», но никогда бы не подумал, что ты выбираешь себе подруг из такого круга...

— Петр Васильевич, сноб вы эдакий! Да сейчас многие приличные женщины с высшим образованием вынуждены продавать пирожки на вокзале или мыть трамваи в депо... А устроиться в парикмахерскую или, еще лучше, в престижный и дорогой салон, куда ходят жены и любовницы сегодняшних нуворишей, — это уже верх везения!

— Ну, все это я и без тебя знаю. Ладно, что-то мы с тобой отвлеклись, Земцова. Ты, кстати, хорошо выглядишь. Как там поживает Крымов? Что-то он у меня редко стал бывать, все с Корниловым дружбу водит, ну да ладно... Так на чем мы остановились?

— Я, конечно, обманула вас насчет Белотеловой, никакая она мне не подруга. И оказалась я у нее не случайно. Она — наша клиентка. Очень дешево купила квартиру в том самом доме, на Некрасова. Мне надо бы разыскать агента по имени Саша, который помогал ей оформлять сделку, чтобы расспросить, почему квартира была продана за четверть цены...

— Ничего себе! Белотелова должна радоваться этому, а она пришла к вам. Зачем?

— Хороший вопрос, действительно: зачем? А затем, что на этой квартире стали происходить очень странные вещи... Вот поэтому-то она к нам и обратилась.

— И какие же вещи?

Отступать было поздно, потому что она и так уже

довольно много рассказала, тем более что и скрывать что-либо от Сазонова тоже не имело смысла — связь того, что происходило на квартире Белотеловой, с убийством Масловой была очевидна, и кто, как не Петр Васильевич, поможет ей распутать этот узел и найти объяснение всем этим загадочным явлениям...

Однако она ограничилась придуманными ею странными звонками и голосами в квартире Ларисы, поскольку прекрасно понимала, какое недоумение вызовет у Сазонова, этого здравомыслящего и сурового человека, рассказ о возникших ниоткуда вещах и брызгах свежей крови на зеркале.

— Все это чушь собачья, и эта Лариса просто водит всех за нос. Но она к вам пришла, вы начали работать — значит, так тому и быть. И ты, естественно, ждешь от меня подробностей относительно убийства Масловой? Что ж, не стану тебя томить — результатов вскрытия, разумеется, у меня еще нет, и неизвестно, когда они вообще появятся, но если тебя интересуют ее вещи, я позволю тебе на них посмотреть...

— А зачем? — не поняла Юля. — Вы считаете, что я могу что-то найти в ее белье, одежде или сумочке? Ведь вы же сами наверняка все просмотрели...

— А теперь взгляни ты. Мне будет любопытно, заметишь ты что-нибудь особенное в ее вещах или нет.

— Тогда несите...

Сазонов принес из соседнего, смежного кабинета, где у него стоял большой металлический сейф, пакет с вещами убитой Масловой, и Юля, надев тонкие резиновые перчатки, которые носила с собой в сумочке специально для таких случаев, принялась изучать его содержимое. В одежде и белье девушки она не нашла ничего примечательного — все миниатюрное, дорогое, но довольно безвкусное. Маслова любила сочетание черного и красного и при выборе деталей гардероба не утруждала себя тем, чтобы придерживаться какого-то определенного стиля. Обычная девица, которой время от времени перепадали крупные деньжата, которые и тратились ею скорее всего сразу же, на случайные и претенциозные вещи с пошловатым душком скрытой порнографии (такое белье, например, можно встретить на страницах российских суррогатов «Плейбоя»).

В сумочке под крокодиловую кожу Юля нашла тюбик губной помады, пудреницу, грязный носовой платок, потертый кожаный кошелек, набитый смятыми сотенными купюрами, упаковку голландских презервативов, пачку сигарет «Мальборо» и шикарную — явно чей-то подарок — зажигалку...

. — Странно, — сказала Юля, нервно щелкая зажигалкой и любуясь тугими желто-фиолетовыми языками пламени, — а Маслова мне сказала, что зажигалка не работает...

И тут ее взгляд упал на клочок бумаги с написанными на нем адресом и номером телефона.

— Петр Васильевич, что же вы раньше молчали?

— О чем?

Совершенно сбитая с толку, Юля смотрела на Сазонова, не понимая, знает ли он, что и адрес, и телефон, найденные среди вещей Масловой, принадлежат ей, Юле Земцовой. Ведь это сазоновское «о чем?» могло свидетельствовать о том, что, предлагая Юле найти что-то особенное в этих вещах, он имел в виду совсем другое, чего она еще не успела обнаружить. А раз так, то, может, и не стоит пока афишировать, что в сумочке Масловой нашлась записка с координатами Земцовой. Мало ли...

— О том, что у вас в сейфе припрятана бутылка пива.

— А ты откуда знаешь?

— Так ведь даже пакет пахнет пивом...

— Не заливай, — догадался Петр Васильевич, что его дурачат, — оно закупорено. Ты снова от меня что-то скрываешь. Что такого ты увидела в этой записке? Кому принадлежат этот телефон и адрес?

— Не знаю... Меня заинтересовало другое: откуда у нее такая дорогая зажигалка? Хотя если учесть то, что она могла работать на какого-нибудь официального агента по недвижимости и получать свою долю, то вполне возможно, что она ее заработала...

— Какая же ты невнимательная, Земцова! А Крымов тебя хвалит... Смотри, — и Петр Васильевич торжественно ткнул пальцем в ту же записку, но только осторожно перевернув ее, — на обороте был, оказывается, еще один адрес, который знала почти каждая женщина города, — тебе этот адрес ни о чем не говорит?

— Никольская, двадцать пять? Никольский роддом? Женская консультация? А что в этом удивительного?

— А то, что через эту самую женскую консультацию мы могли бы выяснить, по какому поводу была у них Маслова...

Юля, покашливая, дала понять, что причин для посещения женщиной гинеколога может быть великое множество и что это ничего не доказывает и уж тем более не свидетельствует о том, что это может быть как-то связано с убийством девушки.

— Петр Васильевич, если вы замолвите за меня словечко и познакомите прямо сегодня с вашей хорошей знакомой по имени Рита из информационного центра, то я сообщу вам кое-что очень важное...

— Земцова, где ты научилась этим рыночным отношениям? Я тебя прямо не узнаю! Какой торг может быть между нами, коллегами? Ты собираешься меня облапошить, я это чувствую — положите-ка ей на блюдечко с золотой каемочкой живого и здорового информатора...

— Она ваша родственница, а оклады у них там, в ИЦ УВД (так, кажется, называется их контора) маленькие. Вот и подумайте, есть резон знакомить меня с нею или нет? Тем более, может отыскаться и другая девушка, которой не помешает прибавка к жалованью...

— Ладно, я позвоню ей прямо сейчас и предупрежу о твоем визите, но ведь ты тогда вообще забудешь дорогу ко мне?

— Нет, не забуду. И Крымову напомню, чтобы заехал...

Речь шла о ежемесячной конкретной сумме, выплачиваемой Сазонову Крымовым за тесное сотрудничество и оказываемые информационные услуги. Очевидно, в этом месяце Крымов почему-то тянул с выплатой, поэтому-то Петр Васильевич и торговался с Земцовой так откровенно и вместе с тем играя зачем-то так не шедшую ему роль честного инспектора уголовного розыска. В отличие от Корнилова, который помог Крымову сколотить это частное сыскное агентство, Сазонов в этом проекте вообще не принимал никакого участия, но вошел в долю исключительно благодаря своей должности — очень часто УГРО и прокуратура вели дела параллельно с крымовским агентством, поэтому выгоднее было вести эти дела ВМЕСТЕ, чтобы потом не только получить удовлетворение от очередного раскрытого, скажем, убийства, но и заработать на этом реальные, «живые» деньги.

— Так что такого важного ты собиралась мне рассказать?

Она вздохнула (все равно же узнает!) и призналась в том, что на листке написан ее домашний адрес и телефон.

— Да, Земцова, ты далеко пойдешь...

* * *

Возвратившись домой после ужина в ресторане «Колумбус» в сопровождении своего нового знакомого, Тамара моментально уснула. У нее не было сил даже на то, чтобы раздеться, поэтому Сперанскому, находящемуся в состоянии отведавшего валерианки кота, ничего не оставалось, как укрыть ее, разомлевшую и переутомленную, легким одеялом, а самому тоже, разумеется в костюме, улечься в гостиной на диване. Ему казалось невероятным все то, что происходило с ним, а потому он беспрестанно щипал себя, чтобы не потерять ощущения реальности.

Если бы его спросили тогда, о чем они говорили за ужином, он бы даже не вспомнил, потому что все его внимание было поглощено прекрасной и недосягаемой девушкой, сидящей напротив него за столом. Лицо Томы, блаженное и вместе с тем слегка испуганное, как он посчитал, непривычностью обстановки, сначала было довольно бледным, но концу вечера краски загустели — глаза потемнели и стали лиловыми, щеки покрылись жарким румянцем; колечки светлых мягких волос повлажнели, некоторые спиральными прядками прилипли к высокой шейке.

Игорь, в отличие от Томы, сразу же погрузившейся в сон, долго не мог уснуть, лежал с открытыми глазами и мечтал, как подросток, о той благословенной ночи, когда ему позволено будет увидеть Тому нагую, и эти мечты под утро выплеснулись в сладкую, бурную физическую радость, которая, однако, кроме страшного стыда, ему ничего не принесла.

Утро сделало серым все вокруг, и Игорь, понимая, как может он выглядеть после бессонной, мучительной ночи, проведенной на узком диване, да еще и в одежде, первым делом заперся в ванной, принял душ, побрился бритвенными принадлежностями Перепелкина, после чего ополоснул лицо горячей водой, промокнул голубым жестковатым холостяцким (у семейных почему-то все полотенца мягкие, должно быть, во время стирки в них что-то добавляют) полотенцем и, почувствовав себя уже более уверенно, пошел будить Тому.

Приоткрыв дверь и намеренно не постучавшись, чтобы иметь возможность разглядеть, если удастся, хотя бы ЧТО-НИБУДЬ из того, что ему видеть не позволено, он, встретившись глазами со строгим взглядом Томы, лежащей, поджав почти под подбородок голые колени, смутился и поспешил тотчас закрыть дверь. Как вдруг услышал:

— Вы что же это, Игорь Сергеевич, у нас ночевали?

Он просунул в щель голову и виновато кивнул.

— Я проспала, мне же в школу пора, а меня никто

не разбудил. Забросили все меня совсем... Даже вы не догадались, а ведь у нас сегодня контрольная по физике.

Он так и не понял, шутит она или нет, но ему подумалось, что, попроси она его еще ночью, чтобы он разбудил ее, навряд ли он посмел бы это сделать. Ему казалось несовместимым то, что связывалось в его сознании с образом этой прелестной девушки с таким пошлым понятием, как школа. Он с детства терпеть не мог школу, и страх перед учителями и классной доской до сих пор остался в его крови. Будь его воля, он всех детей определил бы на домашнее обучение, и уж, конечно, своих, если бы они у него были, никогда не отдал в такую школу, где учился сам. Лицей или колледж с небольшим количеством учеников и тщательно отобранным штатом преподавателей — это еще куда ни шло. Но чтобы отдать своих детей на растерзание банде совершенно неуправляемых, диких и невоспитанных сверстников и кучке озверевших от безденежья несчастных преподавателей — никогда.

— Тебе нравится ходить в школу? — спросил Игорь, для того чтобы просто услышать ее голос, а заодно получше узнать ее отношение к этой сфере жизни.

— Нет, это никому не нравится. Но ведь НАДО. Впрочем, я все равно опоздала. Поэтому позвольте встать, не стойте у двери, подите-ка лучше согрейте чай или сварите кофе.

Она не узнавала себя. Ведь еще вчера вечером в ресторане она дала себе слово отдаться этому мужчине при первом же удобном случае, а вместо этого позорно заснула как была, в платье; вот и теперь, стоит ей только окликнуть его, как он войдет в спальню, закроет за собой дверь и сделает с ней то, ради чего и остался здесь. Она не могла понять роль отца во всей этой странной и дурно пахнущей истории. Конечно, в жизни бывают разные ситуации, и этому солидному господину по фамилии Сперанский, может, действительно негде переночевать, но отец-то зачем ушел? Как он мог поставить своего гостя в столь идиотское положение?..

Анна Данилова

Она села на кровати и посмотрела в окно: бледные солнечные лучи, преломляясь в мутном голубоватом стекле (этой весной так никто и не помыл окна!), ложились широкими желтыми полосами на подоконник, треугольники вытертого паркета, постель...

Зазвонил телефон, Тамара, перекатившись на другой край кровати, взяла трубку:

— Да...

— Это я, — услышала она совсем близкий голос Лены Тараскиной. — Слушай, у нас сегодня отменили уроки, в школу приехали из милиции, беседуют с нами. А ты чего не пришла? Заболела?

— Да нет, проспала. А чего это ты так разнервничалась? Не знаешь, что говорить про Вадьку? Или про Голубеву? Учились они нормально, в порочащих связях не состояли...

— Я что еще звоню-то... Ты не знаешь, где Ольга Драницына? Она тоже не пришла.

— Понятия не имею. Ты домой ей звонила?

— Звонила. Но там никто не берет трубку.

— Да мало ли... Как там Ларчикова себя чувствует? Дрожит небось как осиновый лист?

— Да нет. Она долго пробыла в кабинете директора, к ним приехал какой-то шикарный мужик на «мерсе», похож на Алена Делона, потом они вышли вместе и куда-то упылили. Но на мента он не похож, может, из каких-нибудь спецслужб или администрации?.. Вообще-то, Тома, до меня еще не дошло, что Вадика убили. Ведь это подумать только: топором по голове! За что? Я постоянно спрашиваю себя об этом, но ответа не нахожу.

— А мне знаешь что в голову пришло сегодня утром, когда я только проснулась?

— Нет, не знаю, — усмехнулась Тараскина. — Что ты залетела от Горкина?

— Дура. Я подумала о том, что мы вчера вели себя как последние скоты.

— Да брось ты... Жизнь продолжается, а их-то все

равно уже не вернуть. А ты видела, что наши мужики делали с Драницыной?..

— А ты-то откуда знаешь, кто и что с кем делал? Тебя же там не было? — Этот разговор уже начал утомлять и раздражать Тамару, которой стало не по себе при мысли, что их разговор может подслушивать на кухне Сперанский — там находился еще один телефонный аппарат. — Синельникова, что ли, рассказала?

— Ну рассказала, и что? Как будто я Ольгу не знаю.

— Значит, не знаешь, если разыскиваешь ее сейчас. Я, кстати, хотела у тебя спросить, откуда у нее деньги?

— А вот это — загадка и для меня. Ну ладно, вечером придешь? — Лена имела в виду квартирку Иоффе.

— Не знаю.

Она положила трубку и посмотрела на дверь. Где-то там, в глубине квартиры, готовил завтрак мужчина, который еще вчера, когда она лежала с Горкиным, занимал ее мысли и чувства. И вот теперь он здесь, у нее дома, и остается только взять его, и многое в ее жизни переменится. У нее появятся деньги, настоящие деньги, а не карманные, которые ей скупо выделял отец. Она знала, что чем старше мужчина, тем больше он заплатит за близость. Двое мужчин, с которыми она встречалась время от времени (с одним в гостинице, с другим — на квартире его друга), были щедры с ней и давали ей не только деньги, но и покупали вещи, о которых она их просила. Так в ее гардеробе появились новые ботинки, дорогие, черные, словно из жесткого бархата, с тонкими кожаными шнурками, которые завязывались на манер старинных башмаков на бант, — отец бы скорее застрелился, чем позволил ей такую покупку. Поэтому Томе пришлось обмануть его, сказав о том, что ботинки ношеные и достались ей за смехотворную цену. Кроме этого, она купила дорогую замшевую сумочку-несессер, куда складывала, помимо «заработанных» долларов, расчески, разные щеточки-пилочки, маникюрные ножнички, часики, шпильки, косметику. На сумочку, которая стоила десять учительских окладов, Перепелкин даже не обратил внимания — ну купила сумку, и купила, скопила карманные деньги — вот и все! Теперь Тамара поставила себе целью купить к зиме норковый полушубок. Она понимала, что деньги раздобудет, а вот как объяснить появление столь дорогой вещи отцу? В этом случае иметь в благодетелях влюбленного в нее лучшего друга отца было бы идеальным оправданием такого приобретения, да и всех последующих тоже. Связью со Сперанским можно будет прикрывать и прочие свидания и подарки...

Тамара выскользнула из постели и, накинув на себя халатик, вошла в ванную. Но, взглянув там на себя в зеркало и увидев припухлости под глазами и почерневшие от размазанной туши веки, какие-то розовые пятна на лице и следы от несвежей пудры и румян, ужаснулась тому, что могла предстать перед Игорем Сергеевичем в таком неприглядном виде. А волосы? Разве можно в таком виде появляться перед мужчиной, да тем более перед таким солидным, как Сперанский?

Тамара почистила зубы, приняла горячий душ, вылив себе на лицо и тело почти полфлакона тягучего, как мед, сладкого и пенного геля, помыла голову, вытерлась насухо и только после этого, улыбнувшись своему отражению, накинула халат и выпорхнула из ванной, чуть не сбив с ног проходящего мимо двери Сперанского.

— Тамара, о боже... — Он подхватил ее в объятия и, не удержавшись, поцеловал во влажную, пахнущую мылом щеку. — Я хотел с вами поговорить и все объяснить, но, видимо, так и не решусь. Завтракайте без меня, а мне пора... И еще — извините меня, пожалуйста. Это я во всем виноват. Ваш отец здесь ни при чем. Просто я совсем потерял голову, едва увидел вас. Но вы еще такая юная, учитесь в школе. Как я мог, боже мой, как я мог?! Пожалуйста, не подумайте обо мне ничего плохого, у меня по отношению к вам только самые чистые намерения... Нет, вы прекрасная девушка, и держать вас в объятиях — верх блаженства... Но я не могу, не имею права. Я сожалею. Я бы мог стать вашим другом, это правда. И если бы вы позволяли мне иногда видеть вас, говорить с вами, я уже был бы счастлив. Теперь все зависит только от вас. Я оставляю вам свою визитку — звоните, если захотите меня видеть. Я не женат и никогда не был. Мне понравились вы, но вы — не женщина, вы девочка, и поэтому должны простить меня... Что я такое говорю? — И Игорь Сергеевич, склонившись в странном поклоне, словно собираясь пробить дверь головой, стремительно выбежал из квартиры. Хлопнула дверь. Тамара, глядя перед собой широко раскрытыми глазами и чувствуя, как пол ускользает из-под ее ног, прислонилась к стене и вдруг, содрогнувшись, истерически расхохоталась.

* * *

История Ларисы Белотеловой поразила Шубина настолько, насколько может произвести на благоразумного и рассудительного человека встреча с паранормальным явлением, которое почти невозможно объяснить. Потеки крови на зеркале в ванной лишили его покоя. Колеся по городу в поисках риэлторской фирмы «Восток», той самой, в которой работал агент Саша Павлов (Шубин узнал это из утреннего телефонного разговора с Белотеловой), он уже в который раз пытался найти всему этому объяснение, но всякий раз воображение заводило его в тупик: в квартире их было трое, дверь была заперта, окна — закрыты, спрашивается: откуда могло взяться столько крови? Да к тому же еще свежей, ведь она СТЕКАЛА ПО ЗЕРКАЛУ, а не была высохшей, как в первом случае, с Земцовой, которая обнаружила кровавые брызги на зеркале в прихожей! Он внимательно осмотрел все потолки и стены в поисках каких-нибудь специальных приспособлений типа пульверизаторов, при помощи которых можно было бы таким вот дичайшим образом заливать кровью или красной краской зеркала с тем, чтобы свести с ума новую хозяйку этой чертовой квартиры, но ничего подобного так и не нашел. Но главное, конечно же, заключалось в том, чтобы отыскать причину этого представления... Он категорически не верил в эти «стивен-кинговские примочки», как отозвался об этих явлениях Крымов. Крымов, несмотря на занятость, связанную с расследованием убийства Льдова и смерти Голубевой, живо заинтересовался Ларисой и попросил Шубина поподробнее рассказать ему все, вплоть до описания во всех деталях внешнего облика Белотеловой. И хотя последние вопросы о странных явлениях, происходящих в ее квартире, он задавал с видимой иронией, Шубин понял, что Крымов «зацепился» за это дело. Особенно поразила Крымова свежая, стекающая по зеркалу кровь... «Ну в самом деле, — пытал он Шубина, — не приснилась же тебе эта кровь и этот берет?» Хотя с беретом все могло обстоять гораздо проще — Белотелова была пьяна и могла просто не помнить о его существовании. Но как объяснить появление прямо перед глазами Земцовой лифчика и платья?

Шубину все это было неприятно, потому что, расскажи он об этом кому угодно, его бы подняли на смех. Даже сами слова «лифчик» или «бюстгальтер» могли вызвать ироничную улыбку. Да он сам бы рассмеялся в лицо тому, кто поведал бы ему такую фантастическую историю.

Он ждал результатов экспертиз — только реально существующие тампоны с образцами этой самой крови или красной жидкости, которую он принял за кровь, могли ответить на вопросы, которые он задавал сам себе вот уже целое утро и половину ночи.

В городской организации, куда он обратился, чтобы узнать, действительно ли зарегистрирована риэлторская фирма «Восток», ему дали адрес этой фирмы. Приехав туда, он увидел крохотную комнату на первом этаже жилого дома, с металлической дверью, выкрашенной в темно-красный цвет. В комнатке находилась девушка с компьютером. Когда Шубин попытался узнать у нее, сколько Саш работает в фирме и как бы ему найти того, кто занимался продажей квартиры на улице Некрасова, девушка с улыбкой вздохнула и кокетливо проронила: «Ну вот, и вы туда же...» Оказалось, что такие, как он, желающие найти Сашу, приходят к ней «пачками». Что в фирме «Восток» нет ни одного Саши и тем более Павлова. Для убедительности она достала папку с уставными и прочими фирменными документами. Среди штата сотрудников действительно не было ни одного Александра и ни одного Павлова. Шубин, возвратясь в машину, перезвонил Белотеловой, которая к тому времени уже находилась на работе, и попросил ее описать внешность агента.

— Невысокий, крепкий парнишка с короткими рыжеватыми волосами и светлыми глазами. На лице много веснушек, а у переднего зуба, кажется слева, отломан кусочек... Носит синие джинсы и тщательно выглаженные клетчатые рубашки с коротким рукавом.

Шубин вернулся к девушке-секретарше фирмы «Восток» и, уже официально представившись, спросил, не знает ли она человека, которому подошло бы такое описание.

— Нет, хотя о том, что этот агент рыжий и носит клетчатые рубашки, я уже слышала. Неужели вы не понимаете, что это самозванец, который прикрывается именем нашей фирмы? Он проворачивает свои делишки и, как мне кажется, пользуется нашим компьютерным банком информации. Потому что потенциальные клиенты просто уплывают из-под нашего носа. Но, скажу я вам, он настоящий профессионал и оформляет документы идеально — комар носа не подточит. Так что мы будем вам благодарны, если вы его найдете и привлечете за незаконную деятельность. Тем более что вам известна его фамилия!

— Я что-то никак не пойму: как это человек, не имеющий никакого отношения к фирме, может прикрываться ею? У него что, есть ваши бланки?

— Понятия не имею. Да и зачем продавцу или покупателю какие-то бланки, если агент строит свои отношения с клиентом исключительно на взаимном доверии и обоюдной выгоде? Я и сама бы с удовольствием работала самостоятельно и не платила никаких налогов, тем более что лицензия на такого рода деятельность стоит немалых денег...

— Так в чем же дело?

— У нас крупная фирма, и наша деятельность не могла бы остаться незамеченной налоговой полицией, а вот такие шустрые маклеры «Саши» практически неуловимы. Они нашли квартиру клиенту? Нашли. Получили свои проценты — и гуд бай!

— Выходит, что этот Саша просто использует вас в качестве источника информации о возможных клиентах? Но тогда следовало бы проверить, кто из ваших сотрудников делится с ним этой самой информацией.

— Правильно. Да только проверить почти невозможно, Саша наверняка делился с этим человеком своим гонораром. Я вот сижу здесь на окладе, вы думаете, это так интересно?

— А как вас зовут, если не секрет?

— Вика.

Шубин подумал о том, что на Сашу могла работать и сама Вика, а потому вдруг сказал:

— А что вы делаете сегодня вечером, Вика? Может, поужинаем вместе?

— А как зовут вас? — спросила в свою очередь девушка.

— Я же показал вам документ — Игорь Шубин.

— Так вот, Игорь Шубин, грубая работа. Вы думаете, я не понимаю, зачем вы собрались со мной поужинать? Хотите, чтобы я подвыпила и рассказала вам, что это именно я работаю на вашего агента-невидимку? Я замужем и ужинать ни с вами, ни с кем-либо другим не собираюсь. Я не такой человек. Так что ищите информатора в другом месте. Еще вопросы будут?

— Будут. Если вы не хотите ужинать, так, может, хоть пообедаете со мной?

Он вышел на улицу и глубоко вдохнул теплый сухой воздух. Ему захотелось, чтобы сейчас пошел дождь и прибил пыль, освежил молодую листву на деревьях, вымыл крыши домов и остудил его горячую голову. Он посмотрел на небо, но увидел лишь нежную голубую прозрачность, пронизанную слабыми солнечными лучами, самого же солнца почему-то не было видно.

Шубин не поверил Вике и решил проследить за ней. Но как? Выход один — надо еще раз попытаться пригласить ее на ужин, или обед, или даже завтрак.

Он сел в машину и поехал в морг, к Чайкину.

* * *

На занятия она в то утро не пошла — возле магазина «Лазурь», находящегося в квартале от школы, Олю уже поджидал Михаил Яковлевич (в последнюю встречу он просил не называть его «дядей Мишей», а лучше по имени-отчеству). Усаживаясь в машину рядом с ним и как бы нечаянно касаясь лица водителя душистыми длинными прядями мягких шелковистых волос, Оля почувствовала легкое волнение при виде волосатых мужских рук, сжимающих оплетенный тонкими полосками кожи руль...

Ей вообще нравилось смотреть на крупное и сильное мужское тело, возбуждающее темным, густо заросшим волосами пахом и широкой грудью, покрытой жесткой серебристой — «перец с солью» — растительностью. А руки, как восхищали ее умные руки Михаила Яковлевича, которые, казалось, хорошо знали тонкое и нежное тело Оли, умели коснуться его так, что перехватывало дыхание и сердце начинало биться чаще, громче, бухая в ритм их совместным движениям. Казалось, он учил ее какому-то неведомому ремеслу, молча показывая, как ей лучше двигаться и что делать. Причем его молчаливая грубость распаляла куда больше, чем ласковые слова его друга, Николая Васильевича, который в последнее время очень много говорил

Оле о любви. В ответ на это она смеялась ему в лицо, предпочитая ему дядю Мишу.

...Нацепив на маленький носик большие, с радужным отливом стрекозиные очки, которые ей купили еще на прошлой неделе специально для подобных поездок по городу, чтобы ее никто не узнал, Оля жеманно поздоровалась со своим любовником и тут же, не в силах скрыть хорошего настроения и захлестнувшего ее желания, показала ему язык:

— Вот вам!

— Прекрасно! — Михаил Яковлевич, внимательно осмотрев Олю теплыми и немного грустными глазами, скользнул правой рукой ей под юбку и, склонившись к Олиной шейке, поцеловал ее сухими горячими губами. — Ты моя худышка, мой леденец... Поехали?

— Поехали. — Она засучила длинными ножками в нетерпении и восхищении перед волнующей поездкой: что там за дача? Кто там будет? — Только скорее, чтобы меня никто не засек.

Вскоре машина вырвалась за город и растворилась в голубоватой зелени садов, набухших розовыми почками будущих яблонь и вишен.

— Абрикосов в этом году не будет, — задумчиво проронил Михаил Яковлевич и, тут же очнувшись, снова погладил Олю по коленкам. — Ты же никогда не видела мою дачу?

— Нет, никогда. Но там, наверное, скучно.

— Тебе не придется там скучать. — Он сидел к ней в профиль, и его густые блестящие темно-каштановые с проседью волосы трепал тугой свежий ветер, ворвавшийся в салон через открытое окно. Черная рубашка с коротким рукавом и серые широкие брюки были тщательно выглажены и пахли сладковатым запахом утюга, горячей ткани и одеколоном. Оля уже знала этот запах, он тоже заставлял ее волноваться. Если бы еще из магнитофона полилась грустная хоровая музыка, которая теперь уже привычно вызывала в ней глубокие физиологические ассоциации, она бы знала, как себя вести, чтобы и Михаил Яковлевич остался ею доволен, и самой испытать остроту близости и того, что происходило с ней в моменты наивысшего наслаждения.

Оля понимала, что приобретенный в результате встреч с Михаилом Яковлевичем сексуальный опыт возвышает ее над всеми Тараскиными и Синельниковыми, отдававшимися сверстникам на квартире Иоффе и не получающими и тысячной доли тех удовольствий, которые можно испытать только со зрелыми мужчинами. Но, с другой стороны, ей нравился контраст, который она ощущала, когда после Михаила Яковлевича ее обнимали совсем еще молодые и сумасшедшие в своей неуправляемости Горкины и Кравцовы. Разве что Льдов был на голову выше этих молокососов. Но Льдова убили. Вот только за что? Неужели за то, что...

— Оля, ты предупредила маму, что задержишься?

Она очнулась и тряхнула головой.

— А у нас в классе парня убили, представляете? Топором по голове. Прямо в школе... в кабинете географии.

Михаил Яковлевич, обгонявший в это время идущую впереди машину, резко нажал на газ и едва успел вырваться вперед, чтобы занять место на правой полосе, — слева от него, навстречу, неслась, почти летела белая призрачная «Мазда»...

Оля зажмурилась и услышала, как ее любовник выругался.

* * *

Все произошло так неожиданно, что Юля даже не успела осознать, как же получилось, что она, не предупредив никого из своих, очутилась в Петрозаводске... На борту самолета городской администрации, который направлялся в Карелию, находилась компания, которой для полного состава не хватало лишь губернатора, — три министра и заместитель главы администрации. «Земцова, — орал ей в трубку Корнилов, который от Сазонова узнал о намерении Юли заняться личностью Белотеловой, — если хочешь полететь в Петрозаводск, то через полтора часа приезжай в аэропорт, найди возле специального пропускного пункта человека по фамилии Харыбин, это мой хороший друг, а я его предупрежу, что ты по распоряжению прокурора полетишь на губераторском самолете, — бумагу я отправлю Харыбину со своим помощником, ну как, поняла?» Юля не поверила своим ушам. Но первым делом почему-то подумала не о цели своей поездки, а о Крымове, который будет ее разыскивать по всему городу. Она представляла себе его лицо, когда он узнает от Корнилова или от нее самой о том, где она провела ночь и каким образом добралась до Петрозаводска, и ей становилось приятно и смешно. Ее смущало только то, с какой легкостью открывается перед нею путь к прошлому Ларисы Белотеловой. Обычно после того, как одна удача следует за другой, наступает полоса сплошного невезения. Нельзя сказать, чтобы эта поездка была верхом ее мечтаний, но она могла помочь ей ответить на вопрос, откуда у такой молодой и одинокой женщины появились такие большие деньги на покупку элитной квартиры? Ну и, конечно, неплохо было бы узнать, от какой такой личной жизни сбежала Лариса из Петрозаводска.

Юля летела в маленьком отсеке, смежном с основным, более комфортным салоном, в котором дремали сильные мира сего, поглощая время от времени коньячок и закусывая лимончиком и крохотными аппетитными канапе, которые проносила на подносе мимо Юли стройная и просто-таки сногсшибательная по степени сексапильности стюардесса. Прислушиваясь к сонной тишине соседнего салона, Юля думала о том, что все эти министры и прочие вельможи, не испорченные как внешней, так и внутренней культурой, потому едут молча, не переговариваясь друг с другом, что уже все и давно друг другу сказали. «Наверное, у них руки чистые, — усмехнулась она, глядя, как в очередной раз мимо нее несется на всех парах блондинистая стюардесса, распространяя вокруг себя ароматы кофе и духов, — ведь они моют их друг другу с утра и до самого вечера. Пока открыты банки... где тоже моют-отмывают, но уже деньги. Кругом сплошная чистота».

Полковник Харыбин, который неизвестно чем занимался (Юля так и не поняла, на кого он работает, то ли на администрацию, то ли на прокуратуру, а может, и на другие, более секретные службы), пришел к ней спустя полчаса после начала полета, сел в расположенное напротив кресло и предложил закурить. Это был маленький, с лисьими глазками, симпатичный и ироничный человечек в сером, хорошо сшитом костюме и в рубашке — удивительное дело! — без галстука!

— Юля Земцова! Я давно мечтал с вами познакомиться, еще тогда, когда вы раскрутили дело Ломова.

— Вы хорошо проинформированы. Уж не вербовать ли вы меня собрались?

— Отлично. Пять баллов.

— Это по какой шкале? Рихтера?

— Если бы нас не подслушивали, то я бы завербовал вас в качестве своей любовницы. Говорю это открытым текстом, потому что с такими женщинами, как вы, нужно действовать именно таким образом. Но понимаю, что получу отказ, который принесет вам, как это ни грустно для меня, массу чисто женского удовольствия.

— С чего это вы взяли?

— То, что вы откажете мне или что этот отказ принесет вам удовольствие?

— Вы меня совсем не знаете.

— Знаю. Я знаю о вас практически все. У нас в городе всего миллион с небольшим населения, поэтому все про всех все знают. Вы были любовницей Ломова, и он не скрывал этого. Больше того, ему нравилось бравировать этим...

— Я бы хотела остаться одна... — Дремота, которая вот-вот должна была плавно перейти в сон, исчезла, а в душе появилось вакуумное пространство, которое тотчас заполнилось до отказа соленой и холодной досадой. Даже сердце закололо.

— Извините, что напомнил вам о нем, но мне кажется, что вы крайне неразборчивы в своих связях.

— Вы же хамите, Харыбин.

— Меня зовут Дмитрий. Вот и сейчас вы связались не с тем человеком. Вам не приходило в голову, что Крымов использует вас на все сто, если не на двести процентов? И клиенты идут не к нему, а к вам.

— Да вы что?!

— Не кипятитесь. Выслушайте меня. Во-первых, у вас есть имя — многие в городе знают о раскрытых вами делах. И все — не переживайте! — понимают, что Крымовым здесь и не пахнет. Это вы с Шубиным пашете, да еще Щукина вам помогает, потому что умеет обращаться с нужными людьми и всегда знает, кому и сколько сунуть...

У Юли горели уши. Она и представить себе не могла, что кто-то может так хорошо разбираться во всех внутренних делах их агентства и посвящен даже в секретные способы поощрения продажных работников правоохранительных городских организаций, работающих одновременно и на прокуратуру, и на Крымова.

— Давайте начистоту. Чего вы от меня хотите?

— Я хочу, чтобы вы перешли к нам.

— К кому это К ВАМ? Вы работаете у Корнилова?

— Вы прекрасно знаете, где и на кого я работаю. Мы давно следим за вами и хотели бы переманить вас к себе. Подумайте, над вами не будет Крымова — человека, давящего на вас психологически и заставляющего вас подчиняться ему как мужчине...

— Ну, это уж слишком!

— Мне об этом говорил даже Ломов, представьте себе. Он все знал о ваших с Крымовым отношениях и тяжело переживал из-за этого...

— Да ваш Ломов был извращенцем! Он чуть не убил меня!

— А вы думаете, Зименков работал на Ломова?

Юля почувствовала, как ее замутило. Тайна убийства Ломова, оказывается, была известна Харыбину и, стало быть, той организации, на которую он работает! Значит, она у них на крючке!

Ей стало дурно при мысли, что ее в любую минуту могут привлечь за соучастие в убийстве Ломова — человека, который заманил ее в подвал дома, где накануне лишил жизни школьницу, чтобы и с ней, с Юлией Земцовой, поступить таким же зверским образом. И если бы не Зименков, которого она защищала еще будучи адвокатом и который ее спас тогда... Так вот, оказывается, кто такой Харыбин! А Корнилов? Да ведь он, наверно, все знал и специально свел их здесь, чтобы дать возможность своему лучшему другу обработать и переманить Земцову... Но ведь Корнилов, по сути, является негласным хозяином крымовского агентства, поскольку именно он предоставил средства на его организацию. И деньги эти пахли марихуаной... Или кокаином? Не отпусти он человека, занимающегося наркотиками, не было бы и тех денег. А что, если и Харыбин имеет отношение к этой грязной афере?

— Ладно, с вас и так достаточно. Просто я хотел предупредить вас об одном человеке, который с определенной целью возник рядом с вами.

— Вы ревнуете меня к нему? — Юля поняла, что речь идет о Звереве.

— Да. И не скрываю этого. Поверьте мне, что ничего, кроме разочарования, он вам не принесет.

— Но и у вас тоже ОПРЕДЕЛЕННЫЕ ЦЕЛИ относительно меня, не так ли?

— Да. Но у меня много целей, а у него — одна. Возможно, что у него и вспыхнули к вам какие-то чувства чисто мужского свойства, но ничего серьезного...

— Можно подумать, у вас серьезные намерения.

— С вами просто не может быть ничего несерьезного. Вы слишком целостны и умны, чтобы вами играть. Но ваша женская природа отравляет вам жизнь. Вы не можете существовать без мужчины. Поэтому и морочите голову бедолаге Шубину...

— Слушайте, Харыбин, я вас не боюсь. Подите

Анна Данилова

вон, и чтобы я вас больше здесь не видела! Можете записать этот наш разговорчик на магнитофон и отнести своему начальнику. Понятно? Я вас не боюсь. Я вообще никого не боюсь.

— Я знаю. Разве что темноты... — С этими словами Харыбин поднялся, с грустной улыбкой кивнул ей головой, как это делали офицеры еще в начале века, отдавая честь, и вышел из салона.

Юля слизнула с губ неизвестно откуда появившиеся слезы и закрыла глаза: ее только что морально изнасиловали.

Глава 8

Крымов отвез Ларчикову домой и, позвонив Щукиной, предупредил ее о своем приезде:

— Ты собиралась к Миллерше?

Надя, услышав это, заворковала по-голубиному в трубку, называя Крымова ласковыми словечками-прозвищами, которые придумывала на ходу и радовалась им, как ребенок. И Крымов, не привыкший к такому приторному сюсюканью, вдруг размяк от этого сиропа лести и неестественно бурной радости и понял, как хорошо быть идиотом-мужем при такой простой и гибкой, как ивовый прутик, женщине. Это вам не Юля Земцова, которая светится изнутри холодноватой рассудочностью с привкусом эмансипации. Хотя ценность такой женщины как любовницы несравнимо выше (главное, выбросить это вовремя из головы!)...

Они договорились на три часа — Наде еще предстояло заехать в НИЛСЭ по поводу экспертизы вещей из квартиры Белотеловой, и раньше половины третьего она бы все равно не освободилась.

— А где Земцова? — спросила Щукина в самом конце разговора, чтобы, быть может, лишний раз убедиться в том, что у Крымова не дрогнет голос, когда он будет говорить о Юле, а заодно и узнать, постоянно ли он находится в курсе всех ее перемещений в пространстве.

— Земцова? Как, разве ты еще ничего не знаешь?

— О чем? — насторожилась Надя, и под ложечкой у нее засосало в предчувствии чего-то нехорошего, тревожного: неужели Юля снова влипла во что-нибудь лишь для того, чтобы все кругом заволновались, чтобы опять оказаться в центре всеобщего внимания? Это было бы слишком...

— О том, что она улетела в Петрозаводск примерно с час назад.

Надя испытала нечто вроде маленького электрического шока, отрезвляющего, заставляющего впредь быть начеку и не дающего возможности расслабиться. А ведь она время от времени по-настоящему расслаблялась, и самоуверенность ее относительно Крымова и их предстоящей свадьбы просто-таки била через край — она и сама это чувствовала, но ничего не могла с собой поделать. Крымов с каждым днем принадлежал ей все больше и больше, он становился ее вещью, но в самом хорошем смысле этого слова; она сделает все, чтоб он был счастлив, но при условии его полного повиновения и преданности; в случае его измены ей придется испить не столько яд предательства и нелюбви, сколько чужого, готового обрушиться на нее в любую минуту презрения. Женского презрения и злорадства. От этих мыслей, хлестких и ледяных, проносящихся в ее голове хоть и редко, но доставляющих даже своей тенью жгучую боль, ей становилось страшно. Очень страшно, и она старалась отогнать от себя надвигающиеся кошмары, о которых никто, конечно, и не подозревал...

— В Петрозаводск? По делу Белотеловой?

— Да. Ну все, мне пора. В три я за тобой заезжаю, как договорились. Целую.

Крымов повесил трубку и взглянул на часы: половина второго. У него была еще уйма времени, чтобы поближе познакомиться с Белотеловой. А почему бы и нет? Женщина она явно интересная — уже то, что она сумела заморочить всем мозги, что-то да значит. Кроме того, она красива, следовательно, у нее наверняка есть мужчина, который платит за обладание ее красотой... Иначе откуда у такой молодой женщины столько денег на покупку квартиры, да и вообще на такой радикальный переезд? И что именно заставило ее покинуть Петрозаводск?

Он доехал до салона «Елена», в котором работала Лариса, и сразу же увидел ее сквозь прозрачные аквариумные окна — она сидела за маленьким столиком, освещенным электрическим светом лампы, и делала маникюр клиентке с высокой прической. Странное и довольно унизительное занятие для женщины такого пошиба, как Лариса. Да и вообще, с ней связано слишком много всего странного и необъяснимого. Это ранение... Какая-то убитая агентша...

Крымов вышел и машины и появился в дверях салона, раздувая ноздри от удовольствия, которое он получал уже от самого присутствия здесь, в этом царстве женских тайн. Даже запахи — химического и физиологического толка — действовали на него возбуждающе, как и сами посетительницы с белыми тюрбанами на головах или вообще похожие на страшненьких овечек с десятками стягивающих скальп тугих и жестких бигуди... На фоне этих безобразных в своей неприбранности женщин, Лариса Белотелова (а он узнал ее по довольно точному описанию Шубина) в голубом прозрачном пеньюарчике, с аккуратно уложенной прической, смотрелась превосходно. Крымов, еще не успевший остынуть от тепла и запахов Ларчиковой, с которой провел почти все утро, не мог не сравнить с ней Белотелову. Безусловно, Лариса выглядела более сильным и цельным человеком, нежели запутавшаяся в своих слабостях Ларчикова. Хотя обе женщины были на редкость хороши, соблазнительны и вызывали у Крымова прилив желания. Однако последнее обстоятельство уже начинало настораживать его, и он даже забеспокоился, не скажется ли его чрезмерное влечение к женщинам на его здоровье, работоспособности и предстоящей женитьбе.

Он молча стоял и смотрел на нее, пока она, почувствовав этот взгляд, повернула в его сторону голову. Да, теперь он окончательно понял, как нелепо смотрелась эта чудесная и чистая женщина на фоне грязной парикмахерской, нахально присвоившей себе название салона. Это не салон, а забегаловка, где голову клиенту моют дешевым средством для мытья кафеля и унитазов, а вместо духов используют освежители воздуха для туалетов. Крымову вдруг захотелось взять Ларису за руку и вывести из этого душного помещения, чтобы она никогда больше не стригла грязные ногти клиенток и не дышала этим смрадом. Но вместо этого он лишь поклонился, приветствуя ее, на что Лариса, показав взглядом, что сейчас, мол, занята, подождите немного, снова принялась работать пилочкой. Спустя несколько минут она и в самом деле освободилась, получила с клиентки деньги и, сунув их в карман, стремительным шагом направилась к Крымову.

— Вы на маникюр? — улыбнулась она, показывая белые, ровные, будто у голливудской звезды, зубки. — Проходите, я сейчас принесу горячую воду...

— Моя фамилия Крымов.

Она уронила мокрое полотенце, которое держала в руках. Подняла его, выпрямилась и покачала головой:

— И как же это я сразу не догадалась. А ведь я видела вас мельком... Агентство, ну как же!

— Вы не могли меня видеть, потому что сразу же зашли к Земцовой.

— Я видела вас через окно, вы сидели, должно быть, в своем кабинете. Кроме того, я видела рекламу вашего агентства в газете, а там, если вы помните, была ваша фотография.

— Тем более странно, что вы предложили мне сделать маникюр...

— Вы по делу? У вас есть новости? Готовы результаты экспертизы белья? Крови?

— Какой красивый у вас крестик... — Крымов уже

несколько секунд смотрел на глубокую ложбинку на груди Ларисы, в которую уткнулся, словно спрятавшись от нескромных глаз, совсем уж интимный, до неприличия маленький золотой нательный крестик; тончайшая цепочка, держащая это крохотное распятие, сверкала вытянутым треугольником от шеи и до выреза халата.

— Кстати, о крестике. Вы знаете, это не мой. Я говорила о нем Юле — этот крестик с цепочкой я тоже нашла в моей новой квартире. Это — единственное, что я забыла отдать ей на экспертизу. А ведь крестик необычный, я таких раньше нигде не видела. Вот, посмотрите, в самом центре, на пересечении линий, крошечный бриллиант или, возможно, хрусталик. А рядом — вмятинка, ее довольно хорошо видно.

— Я лично ничего не увидел, потому что этот крестик предпочел дневному свету ваше нежное тело. Его почти не видно на вашей груди...

— Крымов, я знала, что вы опытный соблазнитель, но не предполагала, что до такой степени.

— И кто же вам рассказывал обо мне?

— Подружки, — хмыкнула она, качнув головой в сторону притихших девушек, работающих рядом и с любопытством рассматривающих Крымова. — Они знают вас, а вот уж откуда — этого я не знаю. Должно быть, у вас был роман с одной из них...

— Скорее всего у меня были романы с их клиентками — я предпочитаю богатых бездельниц парикмахершам и маникюршам...

— Мне можно прямо сейчас ударить вас по физиономии или отложить на потом? — покраснела Лариса, явно шокированная такой грубостью и цинизмом.

— Вы не маникюрша, Лариса, и прекрасно об этом знаете. Человек, который в состоянии купить квартиру в доме, о котором даже я могу только мечтать, не может целыми днями вычищать грязь из-под ногтей... Пойдемте ко мне в машину, и вы мне все-все расскажете, хорошо? Я понимаю, что с Юлей вы могли бы быть более откровенной, но время идет, дело стоит, а

Юля сейчас занята другим, тоже очень важным и срочным делом — я отправил ее в командировку в Москву, и вернется она не раньше, чем завтра-послезавтра.

Он не мог сказать ей, что Юля улетела в Петрозаводск, а потому на ходу выдумал Москву.

— Я не пойду в вашу машину. Рассказывать вам мне абсолютно нечего. Но если вас что-то интересует, то я готова ответить на ваши вопросы прямо здесь, в холле, тем более что он пустой. Спрашивайте.

— Откуда у вас деньги на покупку квартиры?

— У меня был мужчина, который неплохо зарабатывал. Он купил мне две квартиры в Петрозаводске, их я впоследствии продала.

— А мужчина? Куда делся мужчина? И разве можно так разбрасываться богатыми любовниками?

— Значит, можно.

— Он жив?

— А почему вы спрашиваете об этом?

— Мало ли...

— Да, он жив, я даже могу дать вам его адрес и телефон в Петрозаводске, и вы сами убедитесь в том, что я говорю правду. Он держит два ресторана и казино. Его фамилия Соляных. Зовут Николаем.

— Почему вы с ним расстались?

— А вот это уже не ваше дело.

— И он смирился с тем, что вы уехали из Петрозаводска и продали подаренные им квартиры? Ведь должно было случиться что-то особенное, чтобы вы решились на такой отчаянный поступок.

— Что случилось, то и случилось. Говорить с вами на эту тему я не собираюсь. Быть может, когда у меня будет соответствующее настроение, я сама расскажу об этом, но только Земцовой, тем более что она мне очень понравилась. Она умная и сердечная девушка, а сейчас таких мало... Я вообще не понимаю, как вы могли ее отправить в какую-то там командировку, если я наняла вас и заплатила вам деньги, чтобы вы вели в первую очередь МОЕ дело... А ведь сумма-то довольно приличная. Если вы пришли сейчас ко мне, чтобы я доплатила вам за срочность, то я готова... Ради этого я могу снять с книжки остальные деньги и отдать их вам. Поймите, что я плачу НЕ ВАМ, а лишь за свое спокойствие. Мне надоело жить в постоянном страхе. Ведь вы все сначала не поверили мне, посчитав меня сумасшедшей, но теперь-то так уже не думаете? Ведь и Шубин видел кровь на зеркале... А Юля, бедняжка, так испугалась, когда появилось это платье...

— А что общего у вас с Масловой?

— А это еще кто?

— Девушка-агент, которую убили возле вашей квартиры.

— Ее фамилия Маслова? Надо же... У меня с ней ничего общего. Я думаю, что она хотела предложить мне какую-нибудь недвижимость, я уже говорила об этом Юле... Я понимаю ее, ведь она работала в паре с Сашей. После того как я купила эту квартиру, она подумала, что у меня много денег и мне может понадобиться дача на Волге или какой-нибудь дом за городом... Но конкретно на определенный час я с ней не договаривалась.

— Она не звонила вам?

— Звонила, они оба звонили мне время от времени, предлагали свои услуги. Представьте, они собирались «посватать» мне ремонтную бригаду. Удивительные люди, способны оказать любые услуги, лишь бы вытрясти с клиента побольше денег...

— ... и в то же самое время этот Саша продал вам квартиру за четверть цены, — закончил за нее Крымов, усмехаясь, — вам не кажется это странным?

— А может, он знал, что в ней творятся такие дела...

— Я лично уверен, что рано или поздно мы всем этим явлениям найдем разумное объяснение. А пока ответьте мне вот еще на какой вопрос: не знаете ли вы бывшего хозяина этой квартиры?

— Я лично с ним не знакома и даже не видела его, поскольку сделка в регистрационной палате производилась без моего участия...

— Как это?

— Очень просто — я терпеть не могу все эти очереди-хождения и прочее... Я выписала доверенность на имя Саши, и он принес мне уже готовые документы, договор купли-продажи и расписку в получении Пермитиным денег...

— Как вы сказали? Пермитиным? Так, значит, бывший хозяин этой квартиры — Пермитин? — Крымов не поверил своим ушам. Круг удивительным образом замкнулся — любовник Ларчиковой оказался бывшим хозяином квартиры, в которой происходят паранормальные явления. Становилось все интереснее и интереснее. Крымову вдруг до смерти захотелось познакомиться с чудаком, который так дешево отдал свою квартиру, и расспросить его, человека, какое-то время пожившего в этих волшебных стенах, в чем же кроется причина этих странностей...

— Все? Вы спросили у меня все, что хотели? Я могу идти, а то меня ждут клиентки?

Он почувствовал, как изменился тон Ларисы — она говорила уже более холодно и жестко, словно, спросив о Пермитине, Крымов чем-то обидел ее.

— Так вы будете заниматься моим делом или нет?

Крымов молча смотрел на Ларису, отмечая и собирая в один букет все прелести ее лица и тела — вмиг погрустневшие фиалковые глаза, нежные веки, уставшие от слез, узкое бледное лицо, крупный раскрутившийся локон, выбившийся из прически и прикрывший маленькое розовое ушко, тонкая белая шея и мерцающая на груди золотая цепочка...

— Вот, возьмите, может, пригодится, — и Лариса сняла с себя цепочку с крестиком и на раскрытой ладони протянула ее Крымову. — Ну все, я могу идти?..

Крымов сунул цепочку в карман и, подхватив летящую вверх, к выбившемуся непослушному локону, руку Ларисы, поцеловал ее:

— Я вам позвоню...

Она пожала плечами и, что-то пробормотав про себя, легко и бесшумно вышла из холла. Эта удивительная и странная женщина исчезла, растворилась в чуждой для нее приторно-душной атмосфере.

Анна Данилова

* * *

В гулком и прохладном зале морга, где обычно производились вскрытия, Леша Чайкин подвел Шубина к телу Дины Масловой.

— Она много курила, а совсем недавно перенесла воспаление легких. В принципе выпивала, взгляни на ее печень... она вон там, в тазу.

Игорь только что рассказал Чайкину о том, что довелось ему повидать в квартире Белотеловой, и совсем не удивился, когда увидел на лице непривычно трезвого и серьезного Чайкина слабую улыбку:

— Представляю, как завелась Земцова... Эти дела как раз по ее нраву, она любит раскручивать подобные загадки. Как там она вообще — успокоилась насчет Женьки?

— Похоже, она совсем успокоилась. В том плане, что ее не интересую даже я. — Впервые Шубин позволил себе расслабиться настолько, чтобы рассказать о своих чувствах к Земцовой кому-то. — И это невыносимо... Зато на ее горизонте появился другой мужчина, но и он куда-то исчез... Не знаю, зачем ему вообще понадобилось приходить к нам в агентство. Сначала мы подумали, что он собирается поручить нам слежку за его женой, такое встречается чаще всего, но оказалось, что он просто пришел К ЗЕМЦОВОЙ.

— Интересно. А она-то сама тебе что-нибудь рассказывала о нем?

— Нет, ничего. Хотя, насколько я понял, они были вместе у одной нашей клиентки, той самой Ларисы Белотеловой, возле квартиры которой и убили Маслову... Слушай, Чайкин, как ты можешь изо дня в день вскрывать трупы? Так же можно рехнуться.

— А я уже давно рехнулся. Скажи, какой нормальный мужик позволит бабе так обращаться с собой?

— Ты про Надю?

— Тебе не кажется, что Крымов обладает просто феноменальными способностями по части охмурения женщин? И чего они все в нем находят? — Чайкин возмущенно и одновременно безнадежно махнул рукой: мол, ничего тут уже не поделаешь!

— Он красивый и решительный, — пожал плечами Шубин, который всегда отличался объективностью и которому были свойственны приступы самобичевания. — А я некрасивый и нерешительный. Я, возможно, всего один или два раза повел себя как настоящий мужик, а в остальное время только и делал, что чего-то ждал. А женщины любят смелых и даже нахальных мужчин, чтобы от их сумасбродства кровь стыла в жилах, а от прикосновения била дрожь... Во всяком случае, мне так кажется. Хотя, какой мужчина нужен Земцовой, я так и не понял.

— Ты дурак, Игорь. Она любит тебя, но просто не осознает этого. Я уверен, случись что с тобой...

— Нет, — перебил его Шубин, — это уже не будет доказательством любви... Случись что со мной, она, конечно, сделает все, что в ее силах, чтобы помочь, но только это будет проявлением дружбы или даже привязанности, но не любви. Она не любит меня, в том-то и дело... И давай не будем больше об этом. Я и так раскис — ты видишь. А это только лишний раз доказывает, что я — не для нее. Ей нужен сильный мужчина, которого бы она боялась...

— Но ведь Крымова она не боится.

— Значит, и Крымов не для нее.

— Слушай, Игорек, ты пришел ко мне из-за Масловой?

Шубин молча смотрел на таз, в котором лежала печень — жуткое зрелище, — и почему-то не мог решиться на то, ради чего он и приехал к Чайкину.

— Вообще-то я заявился сюда, чтобы кое-что проверить. Но у меня нет никаких причин задавать тебе вопрос, который не дает мне покоя вот уже несколько часов...

— Игорь, ты говоришь загадками. Говори, что еще случилось? Ты хочешь спросить, когда Крымов в последний раз выдавал мне гонорар? Отвечаю — в прошлом месяце. Так что с этим все в порядке. Но я ему уже давно сказал, что работаю на вас не из-за гонорара. Меня деньги никогда по-настоящему не интересовали. Другое дело, их можно накопить и поехать, скажем, летом на юг или купить себе машину, пусть даже и подержанную, как это сделал мой коллега Тришкин. Он вообще хитрый, и у него всегда есть деньги. Иногда мне кажется, что он их печатает... Представь, он пару месяцев тому назад купил себе «Фольксваген». Тришкин — патологоанатом! Спрашивается, откуда у него такие деньжищи?!

— Так спросил бы...

— Не мое это собачье дело... Но мы, кажется, отвлеклись. Я слушаю тебя, Игорек. Что ты хочешь от меня услышать?

— Понимаешь, во всей этой истории с Белотеловой есть пробел. И на мой взгляд — существенный пробел. Мы с Земцовой все ходим вокруг да около и не узнали до сих пор самого главного...

— И что же?

— Какую роль в истории с покупкой дешевой квартиры играл АГЕНТ САША. А ведь надо быть законченным идиотом, чтобы продать за бесценок эту квартиру, причем, мне кажется, что бывший хозяин продал квартиру с мебелью, иначе когда бы Лариса успела ее обставить. Ну скажи, Леша, какой смысл было ему продавать ее за четверть цены, когда на этой сделке можно было запросто заработать кучу денег?...

— Понятия не имею. Разве что сам хозяин поставил перед ним такие условия, чтобы сделка совершилась в кратчайшие сроки. Может, ему срочно понадобилось куда-нибудь уехать?

— Именно так. Белотелова сказала, что бывшему владельцу срочно понадобилось уехать в Москву, у него там умер кто-то из родственников. Но разве это причина для того, чтобы потерять ТАКИЕ ДЕНЬГИ? Леша, я ничего не понимаю, и мне, представь, не с кем об этом поговорить. Юля улетела в Петрозаводск — наводить справки о Ларисе, Крымов по уши занят убийством одного девятиклассника...

— Льдова?

— Вот-вот. А Щукина... вот она-то мне как раз и нужна, чтобы поскорее выяснить, что же такое было разбрызгано на зеркалах... Я запутался, честное слово. Я не могу понять, как может быть связано убийство Масловой с Белотеловой.

— Ты собирался мне что-то сказать.

— Да. Я собирался спросить тебя, не встречался ли тебе в течение последнего месяца человек... точнее, труп молодого парня, невысокого, коренастого и крепкого, рыжего, со светлыми глазами... в клетчатой рубашке? Я понимаю, что скорее всего это мои домыслы и фантазии, но слишком уж все странно...

Чайкин молча, лишь кивком головы позвал его за собой в холодильную камеру, где, выдвинув один металлический ящик, показал ему труп молодого мужчины с рыжими короткими волосами, слипшимися на виске от спекшейся крови.

— Не этот, случайно?

— З-зубы, покажи зубы... передние...

Чайкин указательным пальцем поднял верхнюю губу мертвого парня, и Шубин увидел, что от одного переднего зуба отломан кусочек.

— Кажется, это он.

— Его убили еще в начале месяца. Выстрелом в голову. Этим убийством занимается прокуратура. Точнее — ЗАНИМАЛАСЬ.

— Не понял.

— И не поймешь. Но, учти: я тебе ЕГО не показывал. Так-то вот. А теперь иди. Я позвоню тебе вечером.

Ошарашенный Шубин на ватных ногах вышел из морга и поехал домой. По дороге ему позвонил Крымов и назвал фамилию бывшего хозяина квартиры: Пермитин.

* * *

Отец без разговоров дал ей адрес Сперанского; он вообще поумнел со дня их последней встречи — так, во всяком случае, показалось Тамаре. Ведь обычно он расспрашивал ее о том, как прошел у нее день, как дела в школе и прочее из дежурного набора вопросов, а теперь, после того как он оставил их — Тамару и Сперанского — одних на целую ночь и без его, отцовского присмотра, он даже не спросил, как провели они время или хотя бы о чем они говорили. И это вместо того, чтобы, во-первых, извиниться за свое бегство и видимую причастность к заговору и, во-вторых, хотя бы сделать вид, что он обеспокоен тем, как сложились или не сложились отношения единственной и любимой дочери с его лучшим другом. Поведение отца можно было бы охарактеризовать как верх тактичности — он сделал вид, что ничего особенного не произошло, а если и произошло, то не стоит забывать, что все кругом взрослые и зачем портить себе и окружающим настроение каверзными и пошлыми вопросами типа «было — не было». Тамара не дурочка и прекрасно понимает, что если отец оставил ее на ночь в обществе взрослого мужчины, значит, это следует воспринимать как благословение. С одной стороны, Томе, как маленькой женщине, это льстило, а с другой — она чувствовала себя чуточку несчастной из-за того, что отец мог так легкомысленно поступить с ней, ничего не объяснив и, главное, не предупредив о своих планах...

Но все ее волнения, связанные с отцом, остались позади — теперь ее интересовал только Сперанский. И кто знает, переживала бы она так остро его уход, проведи он с ней ночь в постели... В том-то и дело, что он ушел, бросил ее в тот самый момент, когда все только начиналось, и ощущения эти были так свежи и остры, что она чуть не заплакала, когда услышала звон ключей и поняла, что вернулся отец. Бросившись к нему на шею, она залилась слезами, как делала это в той, прошлой, детской жизни, когда, повиснув на шее у папы, можно было облегчить душу какими-то признаниями-сомнениями и, конечно, потоками теплых и соленых слез.

— Папа, он ушел неожиданно и ничего мне не сказал... Пожалуйста, дай мне его адрес, и я спрошу его хотя бы, что же такое случилось... — канючила она ему в ухо. — И не запрещай мне с ним встречаться...

Перепелкин молча достал записную книжку и переписал ей оттуда все телефоны и адреса Сперанского, какие только у него имелись.

— Ты завтракала? — спросил он, словно это было сейчас самым важным.

— Он приготовил завтрак, но мне кусок в горло не лезет...

В школе Тамара даже смотреть не хотела на Горкина, за одну ночь он стал ей противен до отвращения. И когда он подошел к ней на перемене и сказал, что «вечером собираемся», она фыркнула и ушла на другой этаж, где всю перемену простояла у окна, представляя себе фигуру Сперанского на залитой солнцем спортивной площадке перед школой.

А потом она села в автобус и поехала на Садовую, где неподалеку от областной больницы находился офис Сперанского. Она нашла серое высотное здание и, наугад перемещаясь по мраморным коридорам и узким белым лестницам, позабыв о существовании лифтов, нашла-таки фирму «Пласт». В уютной и крохотной приемной ее встретила улыбчивая и донельзя размалеванная секретарша.

— Это завод пластмассовых изделий? — спросила Тамара, чувствуя на себе оценивающий взгляд потенциальной соперницы.

— Да, а вы к кому?

— А где же сам завод? И почему у вас такой маленький офис? Где директор?

— Девушка, вы задали столько вопросов... Вы к кому, я спрашиваю?

— К Сперанскому Игорю Сергеевичу. Я — его племянница.

— Извините, но его сейчас нет.

— А где же он?

— Как раз на заводе. Но это далеко, за городом. Он должен вернуться часа через полтора, у него назначены здесь две встречи. Если хотите, можете его подождать, только представьтесь, пожалуйста, а я ему сейчас перезвоню и спрошу, как быть с вами...

Секретарша спрятала на время свои коготки — к чему тратить ревностный пыл, если пришла всего лишь безобидная племянница?

— Звоните, — как можно равнодушнее ответила Тамара и присела на краешек кожаного дивана.

Она слышала только половину диалога, и поняла, что Игорь Сергеевич, находящийся на другом конце провода, готов прислать за «племянницей» свою машину.

— Подождите немного, — разочарованно протянула секретарша, еще помахивая в каком-то рассеянно-удивленном трансе телефонной трубкой перед своим носом, — за вами сейчас приедет машина.

— Хорошо, спасибо. Я подожду на улице, — сказала Тамара и вышла из приемной.

На улице у нее закружилась голова. Ей стало нехорошо. Она вообще не понимала, что с ней происходит. Кровь пульсировала в щеках, как если бы Его Величество Стыд хлестал ее по лицу, приговаривая: какая же ты свинья, Перепелкина, как ты могла прийти сюда к влюбленному в тебя человеку, зная наперед, что ничего, кроме грязи, он от тебя не получит.

Она уже представила себе, как Горкин или Кравцов потрясают перед лицом Сперанского пачкой фотографий наподобие тех, какие они сделали Ларчиковой, чтобы отомстить ей за Льдова... Эти мальчишки не отпустят Тамару, а если и отпустят, то только для того, чтобы содрать с нее и со Сперанского деньги. Они будут выкачивать из них доллары, шантажируя Игоря Сергеевича связью с несовершеннолетней Перепелкиной, как выкачивали раньше с Веры Корнетовой за то, чтобы не лишать ее девственности.

Тамара закрыла лицо руками и замотала головой. Сейчас приедет машина и отвезет ее к Сперанскому. Он сначала удивится, а потом скажет ей, чтобы она никогда больше не приезжала и не испытывала его терпение. Она уже начинала чувствовать свою власть над ним, и потому оставалось совсем немного до того, чтобы он перешагнул грань, после которой все его последующие поступки и действия будут считаться преступными.

Она увидела подъезжающую к крыльцу, на котором она все еще стояла в нерешительности, большую черную машину с тонированными стеклами. Из машины вышел незнакомый крупный лысоватый мужчина:

— Это вы — Тамара?

Он обращался к ней. Приехали за ней.

— Нет, я не Тамара.

— Извините.

Мужчина скрылся за дверями. Он пошел искать другую Тому Перепелкину, которая еще год-полтора тому назад могла бы сесть в эту машину и поехать на завод пластмассовых изделий, чтобы увидеться там с Игорем Сергеевичем. Но той Томы уже не было. Она умерла на квартире старика Иоффе, а вместо нее родилась жадная до удовольствий другая Тома Перепелкина. И вот теперь она стояла на крыльце и не знала, куда ей идти и что делать.

Сообразив, что ее могут увидеть из окна, Тамара сбежала с крыльца и, свернув в первый же переулок, быстрым шагом дошла до ближайшей автобусной остановки. Через сорок минут она уже была на другом конце города, в тихом зеленом парке, где дала себе волю разрыдаться на одной из скамеек. Проходящий мимо мужчина в темных очках и светлом старомодном костюме из душного синтетического кримплена сел рядом и попытался ее успокоить. От него пахло дешевой, с карамельно-цветочным запахом, туалетной водой, а на загорелой и блестящей, словно полированной, лысине с темными пигментными пятнами шевелились от слабого ветерка несколько седых длинных волосков. Темные, как будто нанесенные шоколадным кремом тонкие губы его улыбались, открывая желтоватые прокуренные зубы.

Он сказал ей, что живет недалеко от парка и у него дома есть хорошие немецкие успокоительные капли, и если она не хочет ему рассказывать о том, что с ней произошло и почему она плачет, то он и не станет ее ни о чем расспрашивать. Тамара встала и послушно пошла за ним, чувствуя в ногах неприятную слабость, так хорошо знакомую ей, которая всегда сопутствовала ее свиданиям со взрослыми любовниками. Это напоминало болезнь, одним из признаков которой был внутренний зуд, от которого зависело ее тело, требующее удовлетворения. (Оля Драницына как-то сказала по этому поводу, что это происходит от чрезмерного употребления шоколада и яиц, что организм надо тренировать и не распускаться до такой степени, чтобы ложиться по первому же требованию плоти под каждого встречного; нельзя, говорила она, зависеть даже от своего тела; она имела в виду, что отдаваться следует только тем, кто хорошо платит.)

Большой тенистый двор, окруженный пятью старыми кирпичными домами, дышал теплом распустившихся тополей, акации и дикой смородины. Они поднимались по узкой, с запахом сырости и кошачьей мочи лестнице куда-то наверх; Тамара смотрела, как ее новый знакомый, который просил называть себя Славой (хотя на вид ему было лет шестьдесят с лишним), большим допотопным ключом открывает коричневую тяжелую дверь и отодвигает в сторону пеструю гобеленовую занавеску, предлагая своей гостье поднырнуть под нее.

В темном большом коридоре пахло вареной капустой и хлоркой. Слава сказал, что он сейчас один, соседи на даче, и Тома сразу поняла, что они находятся в коммунальной квартире.

Комната, куда он пригласил ее войти, была желтой от пробивавшегося сквозь желточного цвета занавески солнечного света, который, едва Тамара перешагнула порог, сразу померк, а в открытое окно, подрагивающее с внешней стороны занавески, вдруг ворвался холодный, пахнущий улицей и тополиной листвой ветер.

Слава, дрожа от нетерпения, достал из старинного буфета совершенно новую, словно только что отпечатанную на цветном принтере сторублевую купюру, но, увидев удивленные глаза Тамары, сидящей неестественно прямо на жестком деревянном стуле и следящей за его движениями, помедлил немного и достал еще две точно такие же, сложил их вместе и, свернув в трубочку, резко сунул, предварительно приоткрыв своими горячими и сухими пальцами губы, Тамаре прямо в рот. Она даже не успела покраснеть, а лишь выхватила деньги и зажала их в руке, как брешь, образовавшаяся после этого ее движения, тут же была заполнена.

Она, как парализованная, по-прежнему сидела на стуле, закрыв глаза и стараясь ничего не чувствовать. Мужчина, который заплатил ей за это неслыханное удовольствие, был, несмотря на возраст, сильным и энергичным, твердым и жилистым; держа одной рукой Тамару крепко за волосы, придерживая ей таким образом голову, другой, раскрытой ладонью, он заботливо обнимал ее за щеку, как если бы у нее был флюс. Звуки, едва различимые на фоне распоясавшегося в своей маразматической дури старого будильника, стоявшего всего в метре от уха Тамары, сводили ее с ума. «Ну и пусть, — думала она, — пусть все идет, как идет, и это даже хорошо, что все так получилось; каждый должен знать свое место, а мое место вот в этой желтой комнате, с этим стариком, который имеет право за свои пенсионные деньги делать со мной все, что ему заблагорассудится».

Она пробыла в этой комнате до самого вечера — Слава еще дважды открывал дверцу буфета и доставал из-за серой мути стекол деньги, одним лишь взглядом умоляя ее лечь сначала на мягкую, розовую, пропахшую нафталином перину, а потом лягушкой расположиться на краешке старинного, явно трофейного зеленого канапе.

А в девять часов она уже звонила в дверь квартиры Иоффе.

* * *

Корнилов обрадовался, когда ему сказали, кто пришел по его душу. Горкина! Мама одного из одноклассников Льдова.

Она вошла чуть ли не на цыпочках — простая женщина, для которой визит к следователю прокуратуры — целое событие. Химическая завивка полугодовой давности, слегка отекшее лицо, карминная помада на маленьких, поджатых жизнью и природным терпением губах, испуганные зеленые глаза. На ней был серый трикотажный костюм, плотно облегающий ее округлое и бесформенное маленькое тело. Тысячи похожих на нее женщин влачат уже ставшее привычным беспросветное существование, смысл которого сводится к единственному — свести концы с концами, чтобы хоть как-то прокормиться. О том, чтобы дать своим детям высшее образование, не может быть и речи. Как правило, их мужья пьют, а дети ведут почти растительный образ жизни.

— Моего сына зовут Женя. Женя Горкин. Он учится в девятом «Б», где учился и Вадик Льдов. Я была у директорши школы, Галины Ивановны, и она посоветовала мне обратиться к вам.

Женщина нервничала, голос ее дрожал.

— Как вас зовут?

— Елена Михайловна.

— Что случилось, Елена Михайловна? Успокойтесь, пожалуйста. Хотите воды? Вы что-нибудь знаете об убийстве Льдова?

— Нет, я ничего не знаю, но тот, кто убил Вадика, живет рядом с нами и может убить кого угодно... Мне страшно, понимаете?...

— Что-нибудь случилось? — снова повторил свой вопрос Корнилов.

— Да, случилось. У нас пропал видеомагнитофон и все, абсолютно все золотые вещи: обручальные кольца — мое и мужа, — цепочка с кулоном «Телец», маленький перстенек с искусственным рубином. А еще... сто долларов. Я держала на черный день. Эти деньги у нас остались от продажи маминого погреба.

— Вы кого-нибудь подозреваете?

— Да я не то что подозреваю, я просто знаю, кто все это взял, вот и все... — и она, не выдержав, расплакалась.

Но Корнилов и так понял, кого она имеет в виду.

— Как вы узнали, что это ваш сын?

— Потому что видела, видела, понимаете, своими собственными глазами, как он выносил этот магнитофон из квартиры... Это было в половине второго ночи. Я проснулась от шума, встала и вышла в коридор. Женя шел с магнитофоном в руках к двери... Понимаете, я испугалась. Я сначала подумала, что это не он, а вдруг бы этот бандюга выстрелил в меня или прирезал... Я вернулась в спальню, разбудила мужа, но, когда мы вышли из нашей спальни, Женина комната была пуста. Его нигде не было. Я хотела позвонить в милицию, но в это время он вернулся! На цыпочках прошел мимо нас с отцом и лег спать. В коридоре сильно запахло сигаретным дымом и как будто бы даже спиртным. Я думаю, что он во что-то влип... Его заставили, понимаете? Он вообще в последнее время изменился, стал дерзким, для него обругать меня матом ничего уже не стоит... Он все время где-то пропадает с Максимом Олеференко, и еще с ними Кравцов. Этот Кравцов дружил с Льдовым, вот я и подумала, а что, если Кравцов вместе с Льдовым по глупости во что-то вляпались, Льдова убили, а Кравцов задолжал кому-то деньги?..

— Но почему вы пришли к такому выводу?

— Кравцов звонил Жене за сутки до этого, до этой ночи... Я сама брала трубку и могу поклясться, что это был его голос. Женя говорил ему, что у него денег нет, что ему и занять-то негде. Он не знал, что я подслушиваю их разговор. А я сразу сказала тогда отцу, что Кравцов во что-то влип. А поскольку он дружил с Вадиком...

— А вы не спрашивали Женю утром, куда он дел видеомагнитофон, не брал ли он деньги?

— Спрашивали, конечно. С ним говорил отец. А меня в комнату не пустили. Костя (так зовут моего мужа) вышел от Жени и говорит мне: ты, мол, баба, не суйся, дело это серьезное, сами как-нибудь разберемся.

— Ваш муж знает, что вы здесь?

— Нет. Он мне запретил рассказывать об этом кому-либо. Но мне страшно... Я была на похоронах Вадика, ведь они совсем еще мальчики... И еще, — добавила Горкина совершенно уж убитым голосом, — по-моему, Женя выпивает... Он иногда возвращается, и от него пахнет то пивом, то водкой... Мы с отцом уже с ним не сладим. Он катится в пропасть... Я не знаю, что мне делать.

— А наркотики... Вы не знаете, он не колется?

— Я не видела у него на руках ничего такого... Но зато несколько раз видела его лицо и... глаза... Это был уже не мой сын. Совершенно чужой человек с мертвыми глазами. Он говорил мне: «Ма, оставь меня...» Вы же знаете, молодежь сейчас ранняя, я у него в брюках, в карманах, находила эти... — Она покраснела. — Он мужчина, у него кто-то есть, раз он покупает эти штуки. Только бы не подцепил какую-нибудь гадость...

— Вы не разговаривали с родителями Олеференко? Может, подобное происходит и у них?

— Я незнакома с ними, не знаю... Но с полгода тому назад, зимой или поздней осенью, как раз после поездки в Москву...

— Какой поездки?

— Ларчикова, это наша классная руководительница, организовала очень дешевые путевки для своих учеников в Москву, на экскурсию... Их было пятнадцать человек, в том числе и наши мальчишки. И Льдов, и Кравцов, и Олеференко, и девочки... Так вот, сразу после этой поездки мама одной из девочек, Веры Корнетовой, встретилась мне как-то в магазине и рассказала о том, что у них пропали бабушкины золотые часы и деньги. А потом я уже от других узнала, что их ограбили, унесли видеомагнитофон и норковую шапку матери, отца у них нет... Это, видимо, так подкосило их, что бедная женщина тяжело заболела, а Вера целый месяц не ходила в школу, ухаживала в больнице за матерью. Мы, родительский комитет, собрали деньги, купили ей зимнюю шапку, только не норковую, конечно... Социальный педагог организовала единовременное пособие, и все вроде бы закончилось более-менее благополучно, Вера вернулась в школу... А в марте, тоже мне кто-то рассказывал, Корнетовы собрались уезжать в деревню, к родственникам. Я их прекрасно понимаю... Работы-то здесь нет, на что жить? Там у Верочки тетка живет, и тоже одинокая. Я бы сама перебралась в деревню, развела хозяйство, но у меня муж не приучен к сельскому труду, не любит он землю...

Горкина вздохнула и кулаком неловко вытерла слезы со щеки.

— Вы хотите, чтобы я узнал, кто и зачем заставил вашего сына вынести из квартиры видеомагнитофон?

— Нет, просто мне кажется, что эта ниточка тянется к Льдову...

— Хорошо, я попробую разобраться во всем этом. Но только вы пока никому не говорите о своем визите сюда. И сына не пытайте, не расспрашивайте ни о чем, но, если услышите, что еще у кого-то из ваших знакомых происходят подобные вещи, обязательно сообщите мне. Договорились? Вот вам номер моего телефона... — Корнилов протянул ей листочек с номером. — А что эта девочка... Корнетова. Она уже уехала?

— Не знаю, должны были уехать. Но я не думаю, что их ограбление было связано с Вадиком, это я просто так вспомнила, жалко людей... Знаете же сами: где тонко, там и рвется...

— Елена Михайловна, тут у меня есть список класса, многих ребят я уже расспросил, где кто был в момент убийства... У всех, представьте, алиби. В основном все были дома, и у них имеются свидетели. А вот где был ваш сын и еще... — Корнилов просмотрел лежащий перед его глазами на столе список учеников 9 «Б» с черными галочками и красными крестиками возле фамилий, и взгляд его остановился на Перепелкиной Тамаре, — Тамара Перепелкина? Они не могли быть вместе?

— Не знаю... Тамара девушка из хорошей семьи, красивая, хорошо учится. Я не думаю, что они могли быть где-нибудь вместе. А почему вы спрашиваете об этом? Их что, кто-нибудь видел?

— Жанна Сенина сказала мне, что ваш сын Женя сначала был влюблен в Наташу Голубеву, а теперь у него роман с Тамарой Перепелкиной. Я пока еще не знаю, имеет ли это какое-то значение, но вы же сами только что сказали, что убийца Льдова живет где-то рядом, а потому надо обращать внимание на все...

— А вы еще не выяснили, из-за чего Наташа Голубева... отравилась? Это правда, что от любви к Вадику Льдову?

— Не знаю, я пока еще ничего не знаю. Наши дети, Елена Михайловна, как раковины-беззубки. Они все закрыты от нас и живут своей, обособленной жизнью. Уверен, что ученики 9 «Б» знают куда больше того, что рассказали мне, и все они, я просто чувствую, чего-то или кого-то боятся. Возможно, есть человек, причем взрослый человек, который доставляет им наркотики... Что вы так на меня смотрите?! Сегодня утром в школу приехала группа врачей из районного подросткового кабинета, чтобы провести медосмотр девятиклассников. Понятное дело, что это была внеплановая акция с целью выявления наркоманов, и никто, представьте, почти никто из 9 «Б» не сдал кровь, а девочки не пришли к гинекологу. Вот скажите, в наше время такое могло случиться? То-то и оно, что нет. Но не станешь же применять физическую силу, чтобы взять анализы крови и прочего?..

— А что же делать?

— Я понимаю вас, родителей, ведь если вы даже и заподозрили что-то связанное с наркотиками, никто из вас мне ничего не расскажет — кому же хочется доносить на собственных детей, тем более что за это светит приличный срок... Но учтите, что по наркотикам эта школа внушает самые большие опасения. Такие дела...

Горкина задумчиво смотрела в окно, за которым раскачивалась от ветра и шелковисто шелестела листьями бледно-зеленая ива.

— Дождь... Обещали дождь и ветер.

И как бы в ответ на ее слова где-то вдалеке прогремел гром.

Глава 9

Из гостиницы, как и договаривались, Юля позвонила Корнилову домой.

Услышав в трубке знакомое покашливание Виктора Львовича, Юля почувствовала, как кожа ее покрывается мурашками. «Боже, какая же я впечатлительная...» Но она знала, откуда этот внезапный прилив сентиментальных чувств: Харыбин! Как ей хотелось пожаловаться Корнилову на этого противного фээсбэшника, так зло и грубо потрошившего ее, неподготовленную к подобной встрече. Но телефон наверняка прослушивался — иначе как еще можно было объяснить такую великолепную информационную подготовку внутренних служб, держащих свою лапу на пульсе всего происходящего в городе.

Больше всего ее потряс факт, что ВСЕ ЗНАЛИ о ее интимных отношениях с Ломовым. Ведь он был извращенцем, каких поискать. И, что самое постыдное, она ПРИНИМАЛА ЕГО УСЛОВИЯ ИГРЫ. Значит, она — такая же ненормальная, каким был он! Но что поделаешь, ей всегда нравились необыкновенные, оригинальные люди. Она ужаснулась собственным мыслям и тотчас вернулась в реальность, где по-прежнему звучал голос Виктора Львовича.

— Как дела, птичка?

— Птичка устала и хочет есть и спать. Хотя больше всего мне хотелось бы сейчас встретиться с человеком, который помог бы мне найти нити, ведущие к прошлому Белотеловой. Вы же знаете, какой я азартный игрок и как мне порой мешает это и в жизни, и работе...

— Ты говорила с Харыбиным?

— Виктор Львович!

— В чем дело? Откуда такое раздражение? Он что, обидел тебя?

— Не притворяйтесь, будто вы ничего не знали... Он ведь прилетел сюда вместе со всеми, а сейчас сидит в соседнем номере и наверняка подслушивает нас.

— Ты слишком высокого мнения о нем.

— Это вы, Виктор Львович, подставили меня, и это именно с вашей помощью я оказалась в калоше... Я понимаю, что это не телефонный разговор, но я не совершала никакого преступления, и поэтому мне нечего бояться! Господин Харыбин, если вы сейчас подслушиваете нас, знайте, что я вас не боюсь...

— Юля, что с тобой? — недоумевал в трубке голос Корнилова. — У тебя все в порядке?

— Смотря что считать порядком. В моем гостиничном номере вымыты полы, в вазе стоит букет искусственных роз и чистая пепельница. Быть может, это и есть порядок?

— Успокойся и возьми себя в руки.

— Давайте-ка я лучше возьму в руки не себя, а ручку и запишу фамилию другого вашего друга, который, надеюсь, поможет мне разыскать здесь, в Петрозаводске, родных и близких, — уже более примирительным тоном произнесла Юля. — Надеюсь, он не окажется таким грубым, как Харыбин.

— Послушай, это просто какое-то недоразумение, Харыбин — прекраснейший человек, он много для меня сделал, и я уверен в нем, как в самом себе! Может, вы просто не поняли друг друга?!

— Виктор Львович, диктуйте мне телефон вашего карельского друга, или я сейчас же вылетаю обратно...

— Что-то ты, подруга, совсем расклеилась... Записывай: Соболев Павел Иванович, инспектор уголовного розыска, телефон...

В конце разговора Юля извинилась перед Корниловым за свою невыдержанность и сделала вид, что согласилась с ним относительно личности Харыбина.

— Да, возможно, вы и правы, и мы с Харыбиным просто не поняли друг друга, — проронила она скрепя сердце и, пожелав Виктору Львовичу спокойной ночи, положила трубку.

За окном накрапывал дождь, и его деликатная дробь придавала всему вечеру особое, грустное настроение.

Юля сидела в кресле и рассматривала большой букет роз. Они были прямо как настоящие — нежные, с тонкими розовыми и белыми лепестками, между которыми забились и сверкали при электрическом свете лампы прозрачные капли росы... Юле даже показалось, что розы пахнут... Неуловимый сладковатый запах свежести напомнил ей почему-то свадьбу и царапающий своими шипами тонкие кружевные перчатки букет роз, подаренный ей Земцовым. Боже, как же давно все это было и какие восхитительные цветы тогда украшали свадебный стол!

Она приподнялась, чтобы поближе рассмотреть и понюхать розы, как вдруг резко выпрямилась, едва коснувшись лицом прохладных лепестков: цветы-то были ЖИВЫЕ! Она не поверила своим глазам. Потрогала пальцами — и капли воды настоящие, и лепестки, и листья... и шипы, конечно.

Кто? Кто посмел войти сюда к ней и оставить этот букет, который наверняка стоит целое состояние?

На столе зазвенел телефон и заставил Юлю вздрогнуть. Она не знала, брать трубку или нет, но рука сама уверенно схватила ее и прижала к уху:

— Слушаю.

— Добрый вечер, Юля. Я хотел извиниться перед вами. Это Дмитрий.

— Для меня вы Харыбин, понятно? И мне не нужны никакие извинения, сами знаете, что все это лишь сотрясение воздуха, я не верю в искренность вашего раскаяния. И черт бы вас побрал вообще!.. Это ваши розы?

— Ваши. Вы собираетесь выбросить их в окно?

— Розы здесь ни при чем. Вы были так грубы со мной в самолете, что никакие розы на свете не смогут заставить меня простить вас или даже попытаться воспринимать как-нибудь иначе, чем как полковника внутренних органов Д. Харыбина. Я бы посмотрела, как бы вы выглядели, окажись на моем месте...

— Я тоже как на ладони, не переживайте. Сейчас полночь, но некоторые рестораны еще открыты. Если бы вы согласились поужинать со мной, я был бы просто счастлив.

— Это исключено, я не могу вас видеть. Какое право вы имели так унизить меня, вспомнив Ломова? Вы же не могли не знать, насколько болезненны для меня связанные с ним воспоминания! И после всего этого вы собираетесь поужинать со мной, чтобы продолжить начатую операцию по вербовке?

— Послушайте, Юля, мы же не в шпионов играем, перестаньте произносить вслух это слово, вас может подслушать какая-нибудь горничная...

Юля бросила трубку. Откуда взялся этот полковник? И почему, услышав его голос, она так нервничает?

В дверь постучали.

— Кто там?

Но, вместо ответа, дверь распахнулась, и на пороге она увидела невысокого человека с лисьими глазами. Сейчас, при вечернем освещении, он показался ей чуточку старше и в то же время элегантнее, солиднее.

— Пойдемте пройдемся... Вы извините меня за сегодняшнее, но я ведь и завтра вам повторю все то же самое.

— Зачем вы пришли ко мне? Я же не разрешала.

— Хотите, я сделаю так, что к вам в номер сейчас принесут ужин?

Юля посмотрела на окно — на улице шел дождь.

Харыбин, Зверев, Шубин, Крымов...

Человек, которого она в самолете готова была отхлестать по щекам, подошел к ней и, слегка склонив голову, внимательно посмотрел ей в глаза.

— Послушай, никто и никогда ничего не узнает, — прошептал он ей на ухо, и его руки обняли ее. — И не надо меня ненавидеть или бояться. Одной неразборчивой связью больше — одной меньше, не все ли равно? Юля Земцова, разреши мне остаться у тебя на ночь. Если тебе, как и всякой глупой женщине, нужны сумасбродства, дикие выходки с цветами и шампанским, дорогими подарками и прочей чепухой, то я все это предусмотрел. В одном кармане у меня кольцо, в другом — духи, внизу, в холле, стоит корзина роз и большой торт, я не знаю, чем еще тебе угодить... Квартира у меня тоже есть, две машины, я не женат. Понимаю, что выгляжу как идиот, но ничего не могу с собой поделать. Я терпел, когда ты спала с Крымовым, все-таки он роскошный мужик, ничего не скажешь. Смолчал, когда вы стали играть с Шубиным в молодоженов, потому что он тоже мне нравится... Но когда к вам заявился Зверев, которого в нашем городе практически никто не знает, и стал обхаживать тебя, терпение мое кончилось, и я попросил Корнилова организовать нам встречу.

— А самолет в Петрозаводск?.. Это тоже вы устроили?

— Нет, но я сделал вид, что имею к этому отношение. Нас с тобой взяли с оказией. Но похлопотал, естественно, я.

— Я не могу оставить вас здесь на ночь. Я же вас совсем не знаю.

— Тебе предоставляется прекрасная возможность ликвидировать этот пробел в биографии. Я бы просто хотел побыть рядом с тобой, послушать твой голос, досыта насмотреться на тебя. Пойми, я уже года полтора любуюсь тобой и не знаю, как к тебе подойти и с чего начать ухаживания... Не стану лукавить — у меня было много женщин, но... когда у нормального мужчины на весь день портится настроение при мысли о том, что женщина, в которую он влюблен, ложится в постель с другим, это уже диагноз, тебе не кажется? Я понимаю, что ты еще не забыла Крымова, но я помогу тебе это сделать... Однако я не Шубин, который безропотно терпит твои колебания, — ты будешь жить либо только со мной, либо без меня. Ты понимаешь, о чем я говорю?

Юля молча высвободилась из объятий Харыбина, вернулась в кресло и села, забравшись в него с ногами. Волосы ее золотистой волной струились от головы к коленям. Она была так хороша, что Харыбин (и это было видно по его сверкающим влажным глазам и появившемуся на щеках румянцу), едва сдерживая себя, чтобы не наброситься на нее, как он проделывал это сотни раз в своих фантазиях, усилием воли заставил себя сесть в кресло напротив и крепко сцепил пальцы рук.

— Я не могу настаивать на чем-либо, но погулять-то мы можем?

— Можем, — ответила она, рассудив, что прохлада дождя остудит не только его порозовевшее от возбуждения лицо, но и сердце.

Они вышли в дождь без зонта и где-то с час шатались по ночным улицам Петрозаводска, подставляя мелким, бисерным брызгам лица и раскрытые ладони.

— Послушайте, Дмитрий, вы всегда так поступаете с женщинами, которых хотите?

— Нет, конечно. Обычно женщина, которая мне нравится, догадывается об этом, а потому сама же и провоцирует меня на какой-то поступок. Иногда это случается очень быстро, а в другой раз ждешь несколько месяцев, пока не выполнится обязательная в таких случаях программа с цветами и духами. Меня лично это раздражает. Я не Крымов и не умею ухаживать. Зато я знаю, что нужно женщине вообще. Да вот, собственно... — Он достал маленькую красную коробочку, в которой оказалось тонкое золотое кольцо с прозрачным камнем, похожим на бриллиант или цирконий.

— Но если делать подарки женщине для вас — бессмысленный поступок и, возможно, даже пытка, то оставьте это кольцо себе или вообще выбросьте... Вы неоригинальны, Харыбин. — Юле не понравились его рассуждения. — Думаю, что это элементарная жадность, которую вы прикрываете псевдооригинальностью. Нормальный мужчина, да к тому же еще и влюбленный в женщину, испытывает приятнейшие чувства, доставляя ей удовольствие. Если вы такой принципиальный, то и я стану подражать вам, — и с этими словами Юля швырнула красную коробочку в канализационную решетку, куда медленно, прижимаясь к каменному бордюру, текла черная, в желтых бликах огней, вода.

— Но ведь это было золотое кольцо с бриллиантом, — остановился Харыбин и некоторое время молча смотрел на решетку. — Это неразумный поступок, Юля.

— А заявляться ко мне в гостиничный номер после полуночи и просить разрешения остаться у меня на ночь — это, по-вашему, разумно? Никакой женщине, даже самой некрасивой или распущенной, не нравится, когда ее принимают за шлюху. Я согласна с вами в том, что я какой-то период жизни не могла разобраться со своими мужчинами, но Крымова я действительно любила, а вот Игорь... Я хотела стать ему женой, но не смогла, и это трудно объяснить. Хотя уверена, что он был бы мне хорошим мужем, никогда не устраивал бы мне сцен и с пониманием относился к тому, чем я занимаюсь. Мне нравится МОЕ ДЕЛО.

— Я знаю. Но как же тогда прикажете быть мужчине, который хочет добиться вашего расположения?

— Вы снова перешли на «вы», а это хороший знак. Теперь вы уже не станете проситься ко мне в номер?

— Не знаю. Вы не замерзли?

— Нет, я чувствую себя отлично.

— Вы приехали сюда, чтобы выяснить прошлое Белотеловой? Я бы мог вам помочь.

— Вот от этого я не откажусь. Тем более что ее дело становится все запутаннее. Вам кто-нибудь рассказывал о ней?

— Нет. Я бы вообще не хотел, чтобы вы задавали мне подобные вопросы.

— Понимаю. Но тогда и вы не вмешивайтесь в мои дела, понятно?

— Не злитесь. Набросьте-ка лучше мой пиджак, а то еще простудитесь. Женщинам нельзя мерзнуть, от этого они болеют и становятся сварливыми и капризными.

— А вы противный и вредный, Харыбин, и глаза у вас хитрющие... Почему вы до сих пор не женаты?

— Не знаю. Некогда было, да и не встречал такой женщины, которая бы устраивала меня во всех отношениях.

Анна Данилова

— Объясните, пожалуйста, поподробнее.

— Не хочу. Главное, что мы сейчас вместе, идем рядом, разговариваем, и мне пока больше ничего не надо... Разве только это... — И он, остановившись, двумя руками взял ее за талию, прижал к себе, отыскал губами ее губы и поцеловал.

«Послушай, никто и никогда ничего не узнает...»

* * *

— Я не хочу с ними, — сказала Оля.

Она стояла босая на полу, на втором этаже дачи Михаила Яковлевича, возле окна, и чувствовала его дыхание на своем затылке. Накрапывал дождь, постепенно темнела внизу, между цветущими деревьями, земля. Громко, по-хозяйски, щебетали птицы, перелетая с ветки на ветку. У ворот дачи, в тени небольшого дуба, стояла серая иностранная машина, вытянутая, как будто отраженная в кривом зеркале. Из нее только что вышли двое мужчин. Михаил Яковлевич объяснял Оле, что он многим обязан им, что они очень занятые и серьезные люди, обремененные сложными проблемами, в том числе и чужими, в частности, и его, Михаила Яковлевича, проблемами, связанными с кредитом; и хотя Оля имела самое смутное представление о том, что такое банковский кредит, она поняла, что ее любовник собрался расплатиться ею, Олей Драницыной, за этот самый кредит, оформить который ему помогут вот эти самые мужчины.

— А у них есть жены?

— Ты задаешь глупые вопросы, а у нас очень мало времени. Кроме того, я же назвал тебе сумму. Тебе ведь нравится делать это за деньги, ты мне сама говорила об этом.

— Но я же их совсем не знаю. — Оля даже притопнула ногой об пол. — А если они из милиции?

Девочка, которая за неполные пятнадцать лет смогла перешагнуть своими стройными ножками так много граней, отделявших ее детскую, полную родительских притязаний и школьных мытарств жизнь от сегодняшней, насыщенной новыми переживаниями и радостями, вдруг испугалась этих незнакомых мужчин, стоящих сейчас под дачными окнами и в нетерпении курящих одну сигарету за другой. А ведь они приехали сюда из-за нее, чтобы сделать то, что делают с ней все ее знакомые мужчины. Значит, им это нужно, а если нужно, то пусть заплатят в два раза больше или, если они договаривались без денег, а за кредит, пусть за них ей заплатит сам дядя Миша. И она назвала новую цифру.

— Послушай, здесь тебе не базар.

— Тогда я сейчас выпрыгну в это окно и убегу в деревню, найду там милиционера и все расскажу ему про вас и про этих... с кредитами. Я думала, что мы будем здесь одни.

— Во-первых, отойди от окна и не кричи так громко, а то тебя услышат.

— Ну и пусть. Я вас не боюсь.

— Хорошо, договорились. — Он крепко схватил Олю за руку и больно сжал ее. Она вскрикнула, и стоящие внизу мужчины как по команде подняли головы вверх, но Оля уже сидела на кровати и пересчитывала деньги. Руки ее дрожали, а в животе стало холодно, словно она проглотила кусок льда, который теперь таял где-то внизу, вызывая легкую тошноту и мурашки. Это был страх. Самое лучшее, чего бы ей сейчас хотелось, это оказаться дома, в своей комнате, и чтобы мама позвала ее на кухню обедать. Она даже почувствовала аромат горохового супа, который так любила.

...Мужчины даже не раздевались. А когда они уехали, Михаил Яковлевич, войдя в комнату, где на кровати лежала насупившаяся, с презрительной миной на лице, Оля, подошел к ней, молча поцеловал ее в живот и уселся рядом с ней с видом доктора, пришедшего навестить выздоравливающую пациентку:

— Ну, как самочувствие?

— Я хочу есть, — с вызовом ответила она, натягивая на себя простынку.

— Никаких проблем, сейчас поедим, я привез печенку, мы ее мигом поджарим. Ты любишь салат из свежих помидоров?

— Люблю.

— Я забыл сказать тебе «спасибо».

— Пожалуйста. — Она отвернулась от него к стене.

— А чего ты такая грустная?

— Ничего.

Она знала, что он так просто ее не оставит, что перед тем, как пожарить печенку, дядя Миша ляжет к ней в постель. Она изучила его очень хорошо и всегда знала, о чем и в какой момент он ее попросит, а то и прикажет сделать.

Вот и сейчас, лежа к нему спиной и не видя его, она, прислушиваясь к звукам, поняла, что он уже разделся. Скрипнул под его коленом пружинный старый матрац, и этот звук тотчас эхом отозвался где-то за окном, в саду. Оля, зажмурившись, замерла, почувствовав, как, сорвав с нее простыню, дядя Миша обнял ее сзади и, распаленный, уже готов был войти в нее, но звук в саду повторился.

Михаил Яковлевич грязно выругался и тяжело зашлепал босыми ногами к окну. Увидев что-то в саду, он выругался еще раз и, обернувшись к неподвижно лежащей на кровати Оле, хриплым от волнения и даже испуганным голосом скомандовал:

— Вставай быстрее, собери свою одежду и спрячься в нише, видишь, на стене полоска рваных обоев, там фанерная дверца, а за ней пустота, там я зимой держу подушки и всякий хлам...

— А что, кто-то пришел? — Оля медленно встала и, сгибаясь от слабости и ломоты во всем теле, принялась поднимать с пола свои вещи (в принципе ей было глубоко наплевать на то, кто и зачем пришел на дачу, она была слишком утомлена, чтобы думать еще и об этом), после чего забралась в приоткрытую для нее нишу за кроватью, где устроилась на старой подушке, закрыла глаза и почти сразу уснула.

А проснулась она от крика. Кричала женщина, и

голос Оле показался очень знакомым. А потом он резко оборвался, захлебнувшись на самой высокой и душераздирающей ноте, и Оля, неловко повернувшись и попросту вывалившись из ниши прямо на голый дощатый пол, увидела страшную картину.

Дядя Миша стоял посреди комнаты с ножом в руках, а перед ним на полу, в луже крови, лежала полуодетая молодая женщина, в которой Оля узнала свою классную руководительницу — Татьяну Николаевну. Еще окончательно не проснувшись, но понимая, что этот огромный и острый нож в любую минуту может быть всажен ей в горло, как это только произошло с Ларчиковой, Оля бросилась к раскрытому окну, спрыгнула вниз, на землю, и, не обращая внимания на боль в лодыжке, побежала к лесу, чтобы оттуда выбраться на центральную трассу, а там рукой подать до железнодорожного узла. В маленьком кармашке юбки, закрытые застежкой-«молнией», лежали «заработанные» ею деньги, с которыми она могла бы купить билет хоть до Владивостока. Но ей хотелось домой, к маме, в теплую кухню, где пахнет гороховым супом и укропом...

Выстрел прогремел совсем близко. Исторгнув каркающий гортанный стон, Оля, на лету взмахнув руками, как подбитая крупная птица, свалилась боком на влажную, пахнущую сыростью и дубовыми листьями землю.

* * *

Адрес Александра Павлова, маклера, который занимался продажей квартиры Пермитина, Крымов с Шубиным выяснили за несколько минут, позвонив Корнилову.

Каково же было их удивление, когда они, прекрасно зная, что Павлов убит и лежит теперь в морге, подойдя к двери его квартиры, расположенной почти в центре города, услышали громкую танцевальную музыку, голоса и смех...

— Может, у него сегодня поминки, — мрачно пошутил Крымов, нажимая на кнопку звонка.

Но дверь открыли не сразу, прошло довольно много времени, пока на звонки отреагировали.

— Вы к кому? — спросила кудрявая смешная голова неопределенного пола с пьяными глазами и большим мокрым ртом.

— Павлов Александр здесь живет?

— Точнее будет сказать — ЖИЛ. Он умер, и его жена продала нам эту квартиру.

Кудрявая голова исчезла, дверь захлопнулась, но музыка продолжала звучать.

В машине Крымов, который вот уже несколько минут о чем-то сосредоточенно думал, и Шубин ждал, когда же тот разродится и поделится своими соображениями, вдруг сказал:

— Слушай, Игорек, а тебе не показалось странным, что адрес Александра Павлова нам выдали прямо как с блюдечка, через несколько секунд?

— Так ведь у них там мощная компьютерная база адресных данных и все такое прочее...

— Но не до такой же степени! Кроме того, я просто уверен, что Александров Павловых у нас в городе как собак нерезаных, а адрес нам дали именно этот. Это во-первых. Во-вторых, почему мы сразу поверили в то, что в морге у Чайкина находится ТОТ САМЫЙ Павлов, который нам нужен? Ты же сам сказал, что Леша вел себя довольно странно и просил ему перезвонить. Может, мы поторопились, и, прежде чем поехать сюда, нам надо было сначала позвонить ему и спросить, чего он боится и почему тело Павлова лежит в морге уже почти месяц. Почему несчастного парня, который занимался продажей этой НЕХОРОШЕЙ квартиры, до сих пор не похоронили?

— В таком случае надо было хорошенько расспросить Корнилова. Ведь это он тебе дал по телефону этот адрес, и с чего ты взял, что он звонил в информационный центр?

— Так мы же ему перезванивали!

— Ну и что. Он мог сделать вид, что звонит туда, а на самом деле этот адресок уже был записан в его блокноте.

— Но если это так, значит, мы снова во что-то влипли, причем по-крупному. Ой не нравится мне этот рыжий Павлов, похоже, от него тянется след туда, куда нас одни не хотят пускать, а другие рады бы, да не знают, как нам об этом сообщить...

— Ты думаешь, что ниточка тянется наверх?

— Думаю. И знаешь почему? Потому что, когда начинаются такие вот нестыковки или, наоборот, все складывается, как в детсадовской мозаике — быстро и гладко, значит, нами кто-то управляет. Терпеть не могу играть в поддавки. Да еще Земцовой нет...

— А при чем здесь она?

— А при том, что она поехала не одна.

— А с кем же? — удивился Шубин.

— Да есть один тип, я его терпеть не могу. Харыбин.

— Дима?

— Ты с ним знаком?

— Не сказать, чтобы мы были друзьями, но он всегда был мне симпатичен, я вообще люблю умных людей. А зачем он-то поехал в Петрозаводск? Думаешь, что мы работаем не одни?

— Не знаю, ничего не знаю... Он мог поехать с ней по двум... или даже нет, по трем причинам. Первая — ФСБ заинтересовалось Белотеловой, а значит, и Сашей-маклером, и сейчас они просто используют Юлю, чтобы с ее помощью докопаться в Петрозаводске до связей Белотеловой и, главное, до источника ее средств; вторая — Харыбина отправили с целью переманить нашу Земцову, о чем меня, кстати, уже предупреждал Корнилов; а третья и самая, на мой взгляд, подлая причина — Харыбин собирается соблазнить ее...

— Ты рехнулся, Крымов. Остановись... — разозлился Шубин из-за ревности Крымова. — Просто посади ее на цепь.

— Я знаю Харыбина, как знаю и то, что он уже

давно положил на нее глаз. И тянется это еще с ломовского дела.

— Откуда такая информация? Он что, сам тебе признавался?

— Нет, но когда она зимой исчезла и срочно понадобились снегоходы — ты помнишь? — это он отправил своих людей в М. на поиски Земцовой. И то, что мы остались живы в этих катакомбах, хотя подошли почти к подземному аэродрому, это тоже его работа. В таких случаях обычно стреляют без предупреждения. Мы вообще многого не знаем, что творится в двух шагах от нас, за стеной, за спиной...

— Но с чего ты взял, что он положил на нее глаз?

— А ты сядь как-нибудь вечерком и проанализируй все дела, которые она вела. Вспомни Зименкова... Ты не знаешь, как это он умудрился выйти из тюрьмы и оказаться в том подвале, куда Ломов заманил Земцову, именно в тот самый момент, когда этот чертов горбун чуть было не прирезал ее? И таких совпадений слишком много, чтобы на них нельзя было обратить внимания. Она под крылом Харыбина. Вот и сейчас. Мы с тобой здесь, а она — там. Кто ее там подстраховывает? Она ходит как живая мишень и не знает, что находится под прицелом. Смотри, какая интересная вырисовывается цепочка: Пермитин — Саша-маклер — Белотелова — Маслова. Так?

— Так.

— А теперь смотри, какую цепочку мы имеем в школе: Голубева — Льдов — Ларчикова — Пермитин. Так?

— Не понял.

— Ларчикова — любовница Пермитина.

— Крымов, у тебя паранойя? Тебе постоянно кажется, что кругом одни любовники.

— Я знаю, что говорю. Я проследил за ними. Вот и слепи теперь эти две цепочки в одну, и что получается? ГОЛУБЕВА — ЛЬДОВ — ЛАРЧИКОВА — ПЕРМИТИН — САША-МАКЛЕР — БЕЛОТЕЛОВА — МАСЛОВА. Из этих семерых в живых осталось только трое. А теперь прибавь к этому списку кровь на зеркалах и женские вещи в квартире Белотеловой — ну и как тебе сюжетец? Звони Чайкину.

Шубин достал из кармана телефон и позвонил в морг. Он был удивлен, когда Леша, услышав его голос, пробормотал, как если бы не хотел говорить при посторонних: «Я сейчас занят, перезвоните позже», — после чего сразу же повесил трубку.

— У него кто-то есть. Он не может говорить.

— Я буду не я, если не узнаю, кто у него сейчас и почему он не может говорить... Чертовщина какая-то! Поехали. Пристегнись...

Минут через десять «Мерседес» Крымова влетел на площадку университетского дворика, где в подвале одного из корпусов находился морг. Поставив машину таким образом, чтобы ее невозможно было увидеть из окон морга, Крымов кустами пробрался к главному входу, в то время как Шубин зашел с другой стороны, чтобы в случае, если оттуда кто-то будет выходить, они смогли увидеть его.

Но Чайкин был один. Он встретил их в съехавшей на ухо белой шапочке и замызганном халате. Поверх халата был повязан рыжий клеенчатый фартук, с которого медленными струйками стекала кровь. На столе, от которого он, по всей видимости, только что отошел, лежало вскрытое тело очень полной женщины...

— Мужики, — устало вытирая пот со лба, пробормотал Леша Чайкин, — я же сказал вам, чтобы вы перезвонили мне ВЕЧЕРОМ...

— К тебе заехать? — спросил Крымов.

Леша кивнул головой и, показав на свои руки, которые еще держали пилу, — мол, не видите, что ли, что занят, — повернулся к ним спиной.

— Послушай, ну не «жучки» же там... — возмущался уже в машине Крымов. — Слушай, что вообще происходит? Ты что-нибудь понимаешь?

Но Шубин, все мысли которого были заняты Земцовой, в его представлении она и сейчас пряталась — в прямом смысле! — под большим и белым, словно у взрослого ангела, крылом Харыбина, ничего ему не ответил.

— Шубин, ау! Очнись, мой друг, жизнь прекрасна и удивительна. Не переживай, ничего ТАКОГО с ней в Петрозаводске не случится. Поедем, я отвезу тебя в агентство, тем более что меня там уже давно ждут... Мы сегодня с Надей должны платье примерить...

Шубин, медленно повернув голову, словно специально для того, чтобы представить Крымова, надевающего через голову свадебное, в оборках, платье, усмехнулся.

— Ты что это на меня так смотришь? Небось представил, как я выгляжу в белом тюле и с фатой на голове?

И Шубин расхохотался. И подавил своим хохотом мгновенно ставшего несчастным Шубина, чья предательская фантазия все продолжала рисовать Юлю Земцову в объятиях фээсбэшника Харыбина.

* * *

Кравцов отвез вещи Горкина, которые тот вынес ночью из квартиры, скупщику краденого, Лосю. Тот жил на окраине города в частном домишке, окруженном старыми полудикими вишневыми деревьями, — идеальное место для подобных встреч и сделок. Сюда же к нему, всегда трезвому, но больному туберкулезом костей бывшему уголовнику, приезжали постоянные покупатели, промысел которых состоял в том, чтобы продать ворованное добро в такие же грязные, как и у них самих, руки. Любая утечка информации могла привести к Лосю, а от него к ворам, за которыми стояли уже более серьезные криминальные силы, чей авторитет мог либо защитить от тюрьмы, либо засадить за решетку, а то и вовсе лишить жизни. В зависимости от поступка.

Итак, Женя Горкин расплатился с Кравцовым за возможность остаться в его компании, и Виктор воспринял это как свою первую удачу. Но затем, сравнивая свой поступок с тем, что совершил бы, окажись на его месте Льдов, он понял, что, вместо того чтобы успокоиться и сполна насладиться унижением Горкина, он заработал лишнюю головную боль. Родители Горкина, которым и в голову не придет, что это их собственный сын вынес из дома все самое ценное, обратятся в милицию, и уж тогда Горкин, никогда не отличавшийся большим умом, может не смолчать и расскажет все матери. Хотя Виктор доходчиво объяснил ему, что его ждет, если он проговорится...

Вадик Льдов просто попросил бы Горкина принести или отнести безобидную с виду сумку с наркотой, зацепив его таким образом. Горкин — трус, и если ему сказать, что каждый его шаг зафиксирован людьми из отдела по борьбе с незаконным оборотом наркотиков, то он, перепуганный насмерть, будет подчиняться беспрекословно, даже в туалет будет отпрашиваться. И что самое важное — во всем этом не будет внешнего криминала, как с кражей, а, значит, не возникает проблема РОДИТЕЛЕЙ.

Рассуждая таким образом, Кравцов на следующий день после того, как отвез вещи Лосю, сделал вид, что заболел, и остался дома. Он лежал и думал о том, ЧТО сейчас может происходить в доме Горкиных. Он мог бы позвонить туда, чтобы выяснить, дома ли Женя или в школе, и если дома, то выспросить его, не рассказал ли он о ночных делах родителям.

Но позвонить он так и не успел, его опередили. Голос звонившего назначил ему «стрелку» на пустыре за ботаническим садом, неподалеку от старого кладбища. А вот к этому Кравцов готов не был. Он позвонил Вале Турусовой и попросил ее зайти к нему.

— Ты что, один? — Валя, не разуваясь, прошла прямо к нему в комнату и плюхнулась в кресло. — Что случилось? Почему половина класса вообще не пришла? У нас медосмотр был, девчонки тоже не захотели пойти, больно надо, чтобы нас смотрели... Ты что-то бледненький... А где родители?

— Турусова, тысячу слов в секунду! Остановись.

— Все, остановилась. Так что случилось-то?

— Мне позвонили и назначили «стрелку» за «Ботаникой». Завтра в семь. Кто это может быть, не знаешь?

— Знаю. Интернатовские. Надо предупредить Перепелкину, это же она выясняла отношения с той девчонкой, которую вы собирались трахнуть в посадках.

— Так ничего же не было...

— Вас было много, а она — одна. К тому же вы ее раздели. Я еще хотела вас предупредить, чтобы с интернатом вообще не связывались, они же там все беспредельщики и за своих могут голову откусить... Так что я не завидую Тамарке.

— А из-за чего они вообще устраивали все эти разборки?

— Та девчонка, кажется, ее зовут Марина, пришла к нам в школу на дискотеку и НЕ ТАК ПОСМОТРЕЛА на нашу Томочку.

— Но ведь это все Льдов... Это он назначил ей встречу, а девчонка-то думала, что он пригласил ее на свидание...

— А тебя кто заставлял идти в посадки?

— Никто. Но можно же позвать Ларчикову, и она скажет, что там ничего не произошло...

— Это для прокуратуры. А что за дело интернатовским до нашей «класснухи» и до ее свидетельских показаний, когда избили ИХ ДЕВЧОНКУ?!

— Я могу позвонить отцу Льдова, расскажу ему и попрошу, чтобы он прислал на пустырь кого-нибудь из людей Глухаря.

— Тебе, конечно, никто не запретит этого сделать, но прикинь: у человека только что убили сына... Я уверена, что «глухари» и сами ищут убийцу по своим каналам и скорее всего найдут, если это, конечно, произошло на их уровне и если в убийстве не замешан кто-то из школы... И вдруг звонишь ты и загружаешь Льдова-старшего своими проблемами. Ты думаешь, он тебя не пошлет?..

— Не знаю.

— У тебя ангина?

— Просто температура. А при чем здесь это?

— Вот лежишь себе? И лежи. И ни на какие «стрелки» не ходи. Авторитета захотелось?

Кравцов ненавидел ее сейчас, но понимал, что только с Валей Турусовой и можно говорить на такие темы открытым текстом.

— Слушай, Валь, а может, ты сходишь к Льдовым?

— Я? Да ты сбрендил, Кравцов. Запомни и уясни себе одно: ты — Кравцов, А НЕ ЛЬДОВ. Ты думаешь, я не поняла, что ты сделал с Горкиным? Там весь подъезд всполошился, милиция приехала... Как ты мог так лажануться? «Наехать» на этого придурка? Ты поэтому в школу не пошел?

Он промолчал.

— Тебе не надо было унижать Горкина. Я понимаю, конечно, что вы, мужики, ловите от этого кайф, но кайф длится минуту или две, а расхлебывать придется несколько месяцев, пока будет длиться дело. И скажи спасибо, что Горкин пока молчит.

— Молчит? А ты откуда знаешь?

— Да потому что, если бы он что-нибудь рассказал, ты бы сейчас не в теплой постельке лежал, а на нарах в сизо.

— Валя, вот ты такая умная, скажи: кто убил Льдова и за что?

— Ну уж, конечно, не из-за его отца, хотя эта версия приходит на ум почему-то в первую очередь. Ведь кто такой был Льдов? Обыкновенный девятиклассник. Он был у нас как на ладони, мы все практически про него знали. Единственно, чем он отличался от вас, пацанов, это прикидом, да тем, что ему на шею девчонки вешались... пачками. Ну, еще и деньги. Ему нравилось угощать вас, дураков... Я думаю, что его могли убить из мести, связанной именно с какой-нибудь девчонкой. Может быть, даже из-за интернатовской. Ведь он ходил туда? Ходил...

— А это правда, что Голубева залетела от него?

— Никто ничего не знает, тем более что она ему не особенно-то и нравилась. Голубева... да с кем она только не трахалась.

— А когда его убили?

— Говорят, что в пять часов вечера, когда в школе было полно людей. Я тут выписала себе примерный список алиби на каждого из нас, и знаешь, что получается? Любой мог. Даже ты. И я. Почти все утверждают, что были дома и что у них якобы имеются свидетели. Но я никому не верю. Взять хотя бы Перепелкину и того же Горкина — все же знают, что они были на квартире Иоффе. И именно в это самое время — с четырех до шести. Но разве могут они признаться в этом? Да и вообще пора бы прекращать эти игры... Представь, что как-нибудь вечером на нашу квартиру нагрянут... по жалобе соседей...

— Кто? Квартира эта — частная собственность, и мы имеем право не открывать дверь.

— Да ты сам-то понимаешь, что происходит? Вы все как с ума посходили, особенно Горкин. Такой тихий мальчик был, а теперь ни одной юбки не пропускает. По-моему, ему все равно, с кем трахаться. Честно говоря, я давно уже хотела всем сказать, что выхожу из игры.

— Да о какой игре ты все время говоришь? У нас есть квартира, где мы можем спокойно отдохнуть. Не вижу в этом ничего плохого.

— Ты повторяешь слова Льдова. Он тоже был, как ты, без тормозов и поплатился за это.

— Турусова, да ты никак испугалась?

— Конечно. Только идиоты ничего не боятся. Вы курите травку, нюхаете кокаин, устраиваете каждый вечер групповуху, да еще и нарисовались перед Ларчиковой в посадках... Мне страшно, Витя, и я говорю тебе это открыто. Если понадобится, я готова даже уехать из города, только чтобы остаться живой.

— Да что такое ты говоришь? Чего ты боишься?

— А того, что интернатовские парни затащат нас — меня, Перепелкину, Тараскину, Ольгу Драницыну — в те же посадки, и сам знаешь, что с нами сделают. Неужели ты еще не понял, что началась война? И все из-за чего? Из-за того, что какая-то там девчонка на дискотеке не так посмотрела на Тамарку. Бред собачий!

— Так ты не пойдешь к Льдовым?

— Нет. Вадик погиб, а я притащусь и буду просить его отца о помощи? Как ты себе это представляешь? Да на фоне его горя наши разборки покажутся ему настолько несерьезными и не стоящими внимания, что я буду выглядеть настоящей дурой...

— Как хочешь.

От прежней самоуверенности Кравцова не осталось и следа — мысль о предстоящей «стрелке» на пустыре отравила весь оставшийся вечер.

— Ты сегодня ТУДА не придешь?

— Я же сказала, что выхожу из игры. Мне все это стало смертельно скучно. Да и опасно с такими, как вы, которым все равно, с кем и где...

— Но раньше нравилось?

— Просто любопытно было, вот и все. Надо же было когда-нибудь это начинать. Попробовала, все поняла, а теперь не хочу. У меня есть парень, и он мне, представь, нравится. Пусть у него нет денег, но с ним мне спокойно и хорошо. А ты подумай насчет того, о чем я тебе сейчас сказала. Интернат — это другой континент, и в нем свои законы и порядки. Думаю, что они ненавидят таких, как мы, БЛАГОПОЛУЧНЫХ...

Валя встала и посмотрела в глаза сидящему на постели Кравцову:

— А знаешь, что мне кажется?.. Вот Голубева. Она у меня из головы не идет. Ты не думаешь, что ее отравили?

— Как это? Она же была дома.

— Понимаешь, в тот вечер, когда убили Вадьку, по-моему, они должны были встретиться...

— Не понял: кто с кем?

— Льдов с Наташей. Она попросила у меня сто рублей в долг на новые колготки. А еще она сказала, что Льдов позвонил ей вечером и назначил встречу, причем чуть ли не в школе...

— И ты до сих пор молчала?

— Понимаешь, Наташа могла все это придумать... Она ведь была влюблена в Льдова и ждала, когда же он обратит на нее внимание. Я вот сказала, что она с кем только ни была, да? Но все равно Вадьку она любила по-настоящему, она даже стихи о нем сочинила и читала мне. А то, что она спала с Олеференко и Женькой, так это, чтобы возвыситься в глазах Вадьки, она была уверена, что ему нравятся развратные девушки. И ведь это правда...

— Ты имеешь в виду Драницыну?

— Ну конечно... Ты знаешь, что у нее есть взрослый мужчина?

— Да мало ли их у нее...

— Да нет, этот СЛИШКОМ взрослый, ему лет под шестьдесят, но чисто внешне он очень даже ничего... Я видела их сегодня в машине. На Ольге были большие солнцезащитные очки, и она думала, что в них ее никто не узнает, а я вот узнала. Кстати, можно я от тебя звякну ей?

Глава 10

Вечером Корнилову позвонила Голубева.

— Виктор Львович, я бы хотела встретиться с вами, — услышал он взволнованный голос Людмилы. — И прямо сейчас. Если вы не против, я приеду к вам. Возьму такси и минут через десять-пятнадцать буду у вас...

Она приехала через полчаса, и Корнилов не узнал ее. Она была бледнее обычного, но белизна лица и потемневшие, невероятно грустные глаза сделали ее еще более красивой. Корнилов, увидев ее на пороге, такую строгую, с величественной осанкой, подтянутую и хорошо одетую, подивился: как же можно так хорошо выглядеть при том, что она наркоманка? Наркоманы в его представлении должны быть, во-первых, очень худыми, а Людмила Голубева в их последнюю встречу произнесла даже нечто вроде: «Мал стал, дышать трудно» — это о костюме, в котором она была. Ну да, она так и сказала и даже расстегнула две верхние пуговицы жакета! Как же так?

Увидев поднявшегося ей навстречу Корнилова, Голубева подошла к нему совсем близко и, не глядя, нашарила где-то внизу его руку и крепко сжала ее:

— Здравствуйте еще раз, Виктор Львович. Я понимаю, что утомила вас и наверняка уже надоела вам со своими проблемами, в которых сама и виновата, но я нашла, на мой взгляд, что-то очень важное.

С этими словами Людмила протянула ему листок бумаги — записку, в которой было написано следующее: «Приходи сегодня в половине пятого в кабинет географии, у меня есть ключ. В.Л.»

— Где вы это нашли? — теперь уже разволновался Корнилов. — Ведь это, как я понимаю, послание Вадима Льдова? Кабинет географии — и место его гибели. Люда, где вы это нашли? Что вы на меня так смотрите?

— А это что такое? — Голубева достала из сумочки еще один листок. Еще одна записка, и с абсолютно тем же текстом.

— Их что же, было две?

— Две. И обе я нашла на дне мусорного ведра... Хорошо, что муж не успел выбросить...

— Здесь не указано имя адресата, а им мог быть кто угодно. И числа нет.

— Правильно. Вы, Виктор Львович, подумали точно так же, как я, что эту записку написал Вадик Льдов. Но это еще надо доказать, ведь верно? К тому же записки две... Что это может означать?

— Скажите, Людмила Борисовна, честно и откровенно: где была ваша дочь в пять часов пятого апреля? Неужели вы не понимаете, как это важно. Вполне вероятно, что вашу дочь ТОЖЕ УБИЛИ...

— Да вы что!

— А то, что она могла прийти в кабинет географии в пять часов и увидеть там УБИЙЦУ, неужели вы не понимаете? Ваша Наташа могла оказаться свидетельницей убийства, и ее отравили...

— Но ведь мы с мужем были весь вечер дома, и к нам никто не заходил.

— Убийца мог прийти ночью, когда вы уже спали... А Наташа сама могла открыть ему дверь — такие случаи бывают... — Он пожалел, что не может рассказать ей о псевдоограблении Горкиных, ведь не кто иной, как сам Женя Горкин, открыл ночью дверь своей квартиры и вынес все, что только можно было... Так почему бы и Наташе не открыть дверь человеку, которого она любила или встречалась с ним, заранее договорившись об этом. Возможен еще один вариант: она думала, что открывает именно ему, а в квартиру вошел совершенно другой, тот самый, который убил Льдова...

— Может быть, вы и правы. Когда мой муж возвращался с работы поздно ночью, я никогда не слышала — наша спальня находится довольно далеко от входной двери.

— Надо сказать, что записки хорошо сохранились, хотя прошло уже несколько дней и они могли испортиться...

— Дело в том, что мусор мы складываем в полиэтиленовые пакеты, знаете, такие тонкие, прозрачные. Так вот, один пакет все эти дни пролежал под дверью. Муж, когда идет на работу, забирает мусор с собой и выбрасывает в бак во дворе. А этот пакет он не выбросил... Кстати, там же, в этом пакете, я нашла еще несколько акварелей, похожих на ту, что я вам отдала. Помните, там на мосту двое — мальчик в оранжевом свитере и девочка в розовой кофте... Так вот, девочка на ТЕХ акварельках, что я нашла сегодня утром, НЕ В РОЗОВОЙ КОФТЕ, а в полосатой, как тельняшка...

— Вам это о чем-нибудь говорит?

— Да, говорит. Такая полосатая блузка есть у Наташи, в то время как розовой — нет. Вот я подумала, а что, если она в последней акварели нарисовала НЕ СЕБЯ, а какую-нибудь другую девочку, у которой есть розовая кофточка? Понимаете, она сначала могла представлять себя рядом с Вадиком на мосту, а потом, узнав что-то, например, о том, что он встречается с другой девочкой, нарисовала их. Или — наоборот. А вы не могли бы отдать на экспертизу все эти акварельки, чтобы определить, какая из них была нарисовала раньше, а какая — позже?

— Вы принесли их с собой?

— Принесла, но только они грязные и помятые... Я положила их в пакет...

— Давайте их сюда, я попробую что-нибудь сделать. Вы еще что-то хотите мне сказать?

— Да. Не знаю, правильно ли я сделала, что позвонила Лене Тараскиной, но больше я никого не застала... Дело в том, что я спросила ее, не знает ли она, у кого из ее знакомых девочек есть розовая кофта, и Лена, нисколько не задумываясь, назвала мне Олечку Драницыну. Есть у них в классе такая девочка. Она заметно отличается от своих одноклассниц, во-первых, своей красивой, хотя и довольно простой внешностью, и, как ни странно, полным отсутствием косметики на лице, что встречается очень редко... Моя Натали накладывала на себя килограммы пудры, грима и румян, она из дома-то не могла выйти без всего этого... А вот Олечка Драницына обходится даже без туши для ресниц. Я понимаю, вам, как мужчине, это ни о чем не говорит, а мне говорит.

— И о чем же?

— О том, что кто-то внушил Оле, что без косметики ей лучше.

— Я не улавливаю вашей мысли...

— Наши дети не особенно-то слушаются родителей, да еще таких, как Олина мама...

— А какая у нее мама?

— Обыкновенная. Безработная и, по-моему, совершенно затюканная и не следящая за собой женщина... Думаю даже, что она пьет. Вот я и подумала, а что, если у Оли есть кто-то, ну, какой-нибудь мужчина, который...

— ... который не разрешает ей красить ресницы?

— Да, именно. Мне еще Натали говорила, что у Оли есть какой-то не то дядя, не то дедушка, которому она помогает по дому, а тот дает ей иногда деньги...

— Надо это выяснить. А это как-то связано с розовой кофточкой, с которой мы начали наш разговор?

— Думаю, что да, потому что эта кофточка, по словам Тараскиной, стоит довольно дорого.

— А как вы объяснили этой самой Тараскиной (кстати, я, кажется, вспомнил ее, она ходит в черной коже и бренчит цепями?!) свой интерес к розовой кофточке?

— Я ей вообще ничего не объясняла, просто спросила, и все. А про то, что кофточка дорого стоит, мне сказала сама Лена.

— Просто так?

— Почти. Сначала она попросила меня описать эту кофту, и когда я припомнила, что она простая, на пуговицах (больше на акварели не разглядишь), то Лена заявила, что, мол, хоть она и простая, зато английская, что ей сносу нет и стоит она дорого... Я еще подумала тогда, что Лена с кем-то уже обсуждала эту тему... Они же, девчонки, завидуют друг дружке.

Голубева, наверное, до сих пор держала себя в руках и разговаривала так, словно ее Натали жива, и только сейчас в ее глазах появились слезы — она «вспомнила», где находится и по какому поводу...

— Я закурю?

— Конечно, курите.

— Еще Тараскина рассказала мне о том, что у них в школе решили срочно устроить медосмотр для девятиклассников, но на него почти никто не пришел. Что и говорить, дети сейчас другие, и они знают свои права. Разве насильно уложишь девочку на кушетку?.. А ведь если бы уложили, то я и о своей дочери своевременно узнала бы все... Да что там говорить — я сама во всем виновата... Просмотрела, просмотрела, и еще раз — просмотрела. Я только и знала, что она влюблена в Вадика...

— Если хотите, я вас подвезу.

— Подвезите, если не трудно, тем более что у меня что-то кружится голова. Да не забудьте про акварельки... И как это мы их не выбросили? Виктор Львович, а что, если Наташа действительно видела все, что произошло в географическом кабинете в тот день? Неужели ее могли потом отравить? Какой кошмар...

* * *

Она вышла из гостиницы еще затемно, было около пяти утра. Добралась на такси до вокзала, потому что посчитала, что только там можно в такое время разжиться горячим кофе, а заодно и позавтракать.

Заспанная буфетчица за стойкой вокзального кафе сварила ей сосиски, приготовила салат из свежих помидоров и подогрела пирог с яблоками.

Юля села за столик, лицом в окну, за которым в синеватой мгле продолжал идти дождь, и спросила себя, что она здесь делает, кто толкнул ее в спину и заставил покинуть теплую постель и мчаться по холодному и мокрому, содрогающемуся от ветров городу на вокзал, чтобы пить жидкий, но страшно дорогой кофе и давиться сосисками с душком?...

Она отодвинула от себя тарелку, отпила еще немного кофе и, повернувшись, взглянула на буфетчицу, которая, уютно устроившись на высоком табурете и уложив свою круглую щекастую физиономию на поверхность стойки, любопытными глазами смотрела на свою подопытную посетительницу, которой только что продала тухлятину, и теперь, как садистка, наблюдала, что за этим последует.

— Где тут у вас линейный отдел милиции? — спросила Земцова довольно спокойно, хотя тошнота уже подкатывала к горлу и грозила выплеснуться во что-то более серьезное и неотвратимое: она все же успела проглотить кусочек сосиски.

— Милиция? А зачем вам милиция? — спросила буфетчица, вскочив с табурета, и, как потревоженная птица, смешно наклонив голову набок, вытаращила глаза на стоящую перед ней побледневшую Земцову. — Шляетесь где-то ночами, пьете всякую гадость, а я виновата?! Ты, — она осадила свою начинающую бунтовать посетительницу, которую приняла за шлюху, этим оскорбительным «ты», — без чемодана, без сумки, в руках портмоне, набитое долларами, думаешь, я не заметила? И теперь скажи, что ты командированная, скажи, а я послушаю... Ходят тут всякие, заразные...

Но она не успела договорить — салат вместе с еще теплыми сосисками, вымазанными в едкой желтой горчице, полетел прямо в ее щекастую физиономию, залепив глаза и рот ею же приготовленным ранним завтраком. Следом на крахмальный кокошник выплеснулись остатки желудевого напитка, который здесь принято было считать натуральным кофе.

— Шестьдесят рублей на стойку, и быстро, — Юля держала на расстоянии вытянутой руки свое удостоверение. — А не то разнесу всю витрину...

Но буфетчица оказалась не из пугливых и, очевидно, была привычна к подобным выходкам посетителей. Она бросилась в подсобку, откуда быстро вызвала по телефону милицию. Спустя пару минут со стороны лестницы показались двое молоденьких милиционеров, которые, увидев превращенное в палитру из красных, желтых и зеленых пятен лицо окончательно проснувшейся буфетчицы и приблизительно представляя себе, что здесь произошло, увели даже не пытавшуюся сопротивляться симпатичную и хорошо одетую девушку в то самое линейное отделение милиции, куда она и сама собиралась пять минут назад.

— Моя фамилия Земцова, я частный детектив, приехала из С., вот мое удостоверение. Вздумаете меня лапать своими грязными руками или попытаетесь отнять у меня деньги, расстанетесь со своими погонами уже к сегодняшнему вечеру. Мне нужно срочно связаться с Павлом Ивановичем Соболевым. Я могу позвонить отсюда?

Она стояла посреди маленького полутемного кабинета с выкрашенными в тоскливый зеленый цвет стенами, черным мрачным сейфом, желтым старым письменным столом и двумя металлическими стульями.

Двое парней, одетых в милицейскую форму, стояли — один около двери, другой возле стола — и молча смотрели на неожиданно залетевшую к ним «ночную бабочку». На ее слова о том, что она — частный детектив, и даже на ее удостоверение они не обратили внимания, словно такие визиты здесь — явление обычное. Другое дело — впечатление, которое произвела на молоденьких, изнывающих от скуки на этом ночном дежурстве милиционеров сама Юля в своем коротком сером платье-джерси, не скрывающем длинных стройных ног, обутых в узкие туфли-лодочки на тоненьком низком каблуке, и наброшенном на плечи черном замшевом жакете, почти совпадающем по длине с платьем, — дорогой и стильный наряд, которому бы позавидовала любая путана. Кроме того, бессонная ночь в объятиях внезапно появившегося в ее жизни (и постели) господина Харыбина добавила к ее внешности несколько явных оттенков усталости — сиреневые круги под глазами, покрасневшие веки, утомленный взгляд и вялая улыбка... Кроме того, ее длинные волосы, едва сколотые на затылке, заметно растрепались от дождя и ветра и мало чем походили на приличную прическу. И вот эта-то неприбранность и послужила, очевидно, поводом для того, чтобы один из парней, выхватив из рук Юли ее удостоверение и швырнув его на пол, бросился раздевать ее.

— Ах ты, подонок! — Юля наотмашь ударила парня по лицу, но в это время подоспевший на помощь напарнику другой милиционер принялся выкручивать ей руки. Она дико закричала, представив, что могут сейчас сделать с ней эти мерзавцы, и это после того, что ей пришлось пережить ночью в гостинице... Каким бы порядочным и любящим ни был мужчина, он никогда не простит женщине того, что она позволила себя изнасиловать. А что уж говорить про Харыбина, который оказался еще большим эгоистом, чем Крымов, и половину ночи объяснял Юле, что она теперь — его собственность, за которую он несет ответственность.

Услышав шаги за дверью, она закричала еще раз, после чего в дверь стали ломиться, послышалась соленая площадная брань, и парни, очевидно услышав знакомый голос, отпустили ее. Один из них открыл дверь, и в кабинет тотчас ворвался высокий худой мужчина в черном плаще и черном берете. Не выпуская сигарету изо рта, он сказал, зацепив сильной длинной рукой за ворот одного милиционера:

— Ты — налево, а ты, — он схватил за грудки второго, — направо. — И тут же, обращаясь к Юле, позеленевшей от страха и едва стоящей на ногах: — Моя фамилия Соболев. Это вы от Корнилова?

— Кажется, мне повезло... — Она все еще не верила в свое спасение и стояла, подперев стену и чувствуя, как голова ее с каждой секундой становится все легче и легче... Вот она оторвалась и полетела наверх, к потолку, который завертелся вокруг своей оси — одинокой лампочки, возле которой вдруг возникло знакомое лицо...

— Дайте же кто-нибудь нашатыря! — закричал Харыбин, который приехал сюда, на вокзал, вместе с Соболевым и до сих пор не находил себе места оттого, что позволил Юле уйти из гостиницы одной, что проспал ее, упустил, оставил без защиты... И это просто чудо, что она оказалась на вокзале и что они услышали ее крик.

Соболев, приехавший в гостиницу в шесть утра, чтобы забрать Земцову и отвезти ее в маленькую частную гостиницу на Онежском озере, ту самую, хозяином которой являлся Николай Соляных, известный в Петрозаводске бизнесмен и бывший любовник Ларисы Белотеловой, постучал в дверь ее номера и был удивлен, когда увидел на пороге завернутого в простыню мужчину. Они примерно пять минут выясняли отношения, после чего Харыбин, понимая, что произошло самое невероятное — Юля сбежала и единственное место, где ее сейчас можно было отыскать, это вокзал, предложил Соболеву поехать туда. Харыбин, примерно представляя себе состояние Юли, которая полжизни бы отдала в это холодное и дождливое утро за чашку горячего кофе, рванулся в буфет и принялся расспрашивать неестественно бодрую буфетчицу о высокой светловолосой девушке в сером платье и черном жакете. «Ее увели в милицию», — не глядя ему в глаза, ответила женщина и поправила на голове съехавший на левое ухо кружевной кокошник.

Харыбин лично нокаутировал милиционеров, расшвыряв их по кабинету. Он бы, пожалуй, и убил их, если бы не Соболев, который его вовремя остановил.

Юля быстро пришла в сознание, но, увидев себя сидящей на жестком стуле все в том же кабинете, застонала. Харыбин, стоящий рядом и придерживающий ее за плечи, не обращая внимания на присутствовавшего здесь Соболева, с интересом наблюдавшего эту сцену, нежно поцеловал Юлю:

— Ну что, встаем?

— Встаем. А как ты здесь оказался?

— Ребята, я, конечно, понимаю, что у вас сейчас лирическое настроение, но мне в девять уже надо быть у черта на рогах, а перед этим я собирался отвезти вас, Юлия Земцова, на Онежское озеро.

И Соболев в двух словах рассказал ей о ночном звонке Корнилова и его просьбе помочь ей в поисках знакомых Белотеловой.

— На Онежское озеро?

Это было настоящим подарком, и Юля, обрадованная таким ходом событий, лишь пожалела, что оделась так легко и что здоровье оставляло желать лучшего: тошнота еще не прошла, а к ней присоединилась головная боль.

— Вы тоже поедете с нами? — спросил Соболев Харыбина, когда они выходили из кабинета, где на полу все еще продолжали лежать без сознания дежурные милиционеры.

— А что делать с ЭТИМИ? — вопросом на вопрос

ответил Харыбин. — Здесь оставить? Может, вызвать им врача?

— Я им потом и врачей вызову, и всех, кого нужно. Совсем распоясались...

— Они приняли меня за проститутку. — Юля бросила на распростертые на полу тела презрительный взгляд. — Неужели я так плохо выгляжу?

— Вы, Юлечка, наоборот, очень даже хорошо выглядите... — смущенно пробормотал Соболев.

— ... именно поэтому они тебя за нее и приняли, — закончил за него Дмитрий, трогательно и даже как-то неловко обнимая ее за плечи. — А ты чего сбежала-то?

— Кофейку горячего захотелось. — Лицо ее осветилось слабой и какой-то рассеянной улыбкой.

— Ну вот, а я вам что говорил? Кофе в такой час можно найти разве что на вокзале...

— Юля, конечно, это не мое дело, но, по-моему, вы очень легко одеты. У вас в гостинице не осталось плаща или какой-нибудь куртки и более теплой обуви?

— Нет, ничего такого нет. Я не знала, что будет так холодно и дождь...

— Если у вас нет теплой одежды, то я могу пожертвовать своим плащом. Это ничего, что он мужской, он длинный, уютный, на теплой шерстяной подкладке. И берет... если не побрезгуете, конечно...

Юля улыбнулась и согласилась взять на время эти чудесные и так необходимые ей сейчас вещи.

— Вот спасибо. — С помощью Соболева она надела плащ, в котором сразу же утонула, и, запахнув, перехватила его в талии широким поясом. Харыбин нахлобучил ей на голову берет.

— Надо же, как тебе идет эта демократическая одежда, кто бы подумал?!

На стоянке у вокзальной площади их уже ждала черная «Волга» Соболева.

— У меня в салоне есть печка, работает как зверь... Вы куда сядете?

Но Харыбин уже усаживал Юлю на заднее сиденье, куда втиснулся и сам, и, подождав, пока Юля расправит длинные полы плаща, снова обнял ее и прижал к себе.

— Ты что, боишься, что я снова сбегу? — шепотом спросила его Юля, чувствуя себя тем не менее наверху блаженства от этой непривычной для нее обстановки. Так много интимности и тепла было в этом долгом объятии, что она даже простила в душе всех, кто оскорбил и пытался унизить ее в это серое, промозглое утро. — Знаешь, а ведь меня сегодня хотели отравить, причем за мои же деньги...

По дороге Соболев позвонил домой жене и попросил ее приготовить термос с горячим кофе и бутерброды. На выезде из города они свернули в сторону новостройки и через несколько минут въехали во двор дома, где на крыльце его уже поджидала маленькая полненькая женщина в спортивной куртке и брюках. В руках у нее был довольно вместительный пакет.

— Счастливого пути, — улыбнулась она сидящим в машине Юле и ее спутнику, отдавая пакет мужу. — А тебя снова ждать после двенадцати?

— Я позвоню...

— А почему ты без плаща? — но тут же осеклась, встретив его жесткий взгляд, все поняла и, помахав им рукой, скрылась в подъезде.

* * *

— Я уж думала, что ты не приедешь... Хоть бы позвонил...

Надя Щукина суетливо собиралась, укладывая в папки документы, пряча в холодильник оставшиеся после Шубина и Крымова, которых она только что покормила, бутерброды и салат.

— Может, еще кофейку, Игорек? — заботливо спросила она, готовая в столь радостную для неё минуту напоить кофе всех, даже своих врагов.

— Ты не бегай, а сядь и расскажи-ка нам поподробнее все, что ты смогла узнать. Чья это была кровь? — Крымов, удовлетворив свой аппетит, решил

Анна Данилова

219

перед отъездом выяснить хотя бы в самых общих чертах, что показали результаты экспертиз, чтобы по возвращении уже более подробно проанализировать их и составить, как водится, план дальнейших действий.

— Значит, так. — Надя и вправду села, как по команде, за стол и нервным движением вновь придвинула к себе только что сложенные в стопу папки с результатами экспертиз. — Кровь Белотеловой действительно первой группы, а вот на зеркалах — совершенно другая кровь, причем на том тампоне, на котором кровь с зеркала из ванной комнаты (та самая, которую увидел ты, Игорь), содержит в эритроцитах как антиген А, так и антиген 0...

— Ты хочешь сказать, это было что-то вроде коктейля, в котором намешана разная кровь?

— Кровь с зеркала прихожей почти разложилась, она относится к третьей группе и содержит в себе антиген В... — невозмутимо продолжала Щукина. — Короче говоря, крови Белотеловой на зеркалах НЕ БЫЛО. Это чужая кровь, но, исходя из того, что в ней имеются ярко выраженные две Х-хромосомы, она женская.

— То есть это кровь женщины или ЖЕНЩИН?

— Правильно. Но и это еще не все. В крови, взятой с зеркал, есть один специфический фермент — окситоциназа, который является признаком беременности. Эксперт также предполагает, исходя из наличия в крови слизи, что это маточное кровотечение... Замечу сразу, что кровь Белотеловой не содержит окситоциназы, другими словами — Лариса не беременна... Но это я так, на всякий случай...

— Вот это да! — удивился Крымов. — Кровь взята от беременной женщины, да еще и с разными антигенами... Ты что-нибудь понимаешь, Надечка?

— Ничего. А что касается одежды, которую вы нашли в квартире Белотеловой, то на ней тоже имеются следы крови и, пардон, спермы, но следы старые, ОЧЕНЬ старые... Думаю, что никакого отношения к крови на зеркалах эта одежда не имеет, поскольку кровь относительно свежая, в то время как одежда пролежала где-то в чистом и сухом месте больше трех лет. Кроме того, на платье и берете (кстати, платье итальянского производства, какой-то очень известной фирмы, здесь написано какой, а берет английский, тоже фирменный, то есть все вещи дорогие, качественные и, вполне вероятно, штучные, включая и сорочку с чулками) сохранились следы духов, несколько пятен. Химическая формула этих духов столь оригинальна, что эксперт высказал предположение о коллекционном японском варианте.

— Надечка, а нельзя ли попроще? — Крымов состроил уморительную гримасу. — Конкретно: что за духи?

— Дело в том, что в нашей лаборатории нет столь совершенной аппаратуры, чтобы с точностью до названия определить букет духов, но если это будет крайне необходимо, то в НИЛСЭ пригласят знающего парфюмера, который уже своими методами поможет нам определить название этих чрезвычайно стойких духов.

— Какие интересные вещи ты нам рассказываешь, просто заслушаешься. Знаешь, мне все больше и больше начинает нравиться женщина, носившая дорогие штучные вещи, от которых даже спустя три года пахнет японскими коллекционными духами. Согласись, Игорек, в этом что-то есть... А пятна другого, мужского происхождения, о которых ты упомянула?.. Нельзя ли поконкретнее? Кто был ее любовником: брюнет, блондин, шатен? Возраст? Темперамент? Интересно, по сперме можно определить, хорош ли был собой мужчина, пользующийся благосклонностью этой роскошной дамы? А размер? Надечка, какой размер у хозяйки этого зеленого платья и английского берета?

— Сорок два — сорок четыре. Она была, судя по всему, высокая и худенькая. А еще у нее были длинные рыжие, почти оранжевые волосы, которые она красила... или красит до сих пор хной.

— Надя, а это, случаем, не твои вещи? — спросил

без улыбки Шубин, которого раздражала манера Крымова беспрестанно острить на женские темы.

— Следы мужских ботинок ведут к дороге и обрываются; за домом Белотеловой проходит оживленная трасса, поэтому определить, в машину какой марки сел преступник, убивший Маслову и ранивший Ларису, не представляется возможным. Про ботинки можно сказать следующее: размер сороковой, то есть довольно маленький для мужчины, подошва стерта настолько, что рисунка почти не видно. Такого рода дешевую китайскую обувь можно встретить на рынке, а также на каждом втором жителе нашего города... Теперь об оружии. Маслову застрелили из «ПСМ», самого оружия нигде не нашли... В квартире Белотеловой отпечатки только ее пальцев — ни одного постороннего... И если бы не следы мужской обуви, которые явно ведут сначала к окну, а уже оттуда на башенку, затем на крышу самого гаража и прямо к дороге, то можно было смело утверждать, что до момента совершения преступления в квартире Белотеловой не было никого постороннего.

— Не понял, — сказал Игорь, — ты хочешь сказать, что эти самые следы мужских ботинок могли быть оставлены раньше, чем было совершено преступление?

— Нет, ничего такого я не говорила. Просто в квартире Белотеловой находят не принадлежащие ей вещи и кровь, поэтому экспертам было поручено тщательнейшим образом осмотреть каждый сантиметр пола и стен, мебели и даже посуды, чтобы убедиться в том, что Белотелова ЖИВЕТ ОДНА и что у нее не прячется тот, кто оставил эти странные следы...

— Послушай, Надя, ты хотя бы понимаешь, что ты только что сказала?

— Ничего особенного, кроме того, что люди Корнилова хорошо сделали свою работу.

— И все?

— А что еще?

— А то, что, когда убили Маслову, ни Корнилов, ни Сазонов, понимаешь, — НИКТО из них еще не знал о

222

том, какие вещи творятся на квартире Белотеловой. Об этом знала только Земцова, которая, собственно, только для того и пришла к Белотеловой, чтобы увидеть все ЭТО своими глазами. Опергруппа же прибыла в Ларисину квартиру из-за совершенного рядом с нею убийства, а не случись его, никому и в голову не пришло бы так тщательно обследовать квартиру, хозяйка которой оказалась на лестничной площадке СЛУЧАЙНО, открыв дверь, чтобы встретить поднимающуюся по лестнице Земцову. А кто тебе, Надечка, сказал о том, что экспертам поручили обследовать эту квартиру сантиметр, как ты выразилась, за сантиметром?

— Девчонки из НИЛСЭ и сказали.

— Я снова чувствую, как нам наступают на пятки. — Крымов явно нервничал. — Ну да ладно... результаты все равно потрясающе интересные. Надо бы их только обобщить. Итак...

— Женечка, может, ты обобщишь их позже, когда мы с тобой вернемся от Миллерши? — взмолилась Щукина и жалобно взглянула на своего жениха. Она уже тысячу раз пожалела о том, что они начали разговор о результатах экспертизы — это теперь надолго...

— Надя, я понимаю и уважаю твои чувства, но к Миллерше ты поедешь одна, а мы с Шубиным немедленно отправимся к Белотеловой и организуем там засаду. Вы вообще соображаете, что происходит? Откуда столько крови беременных женщин, причем разных, на зеркалах в этой чертовой квартире?! Так же и рехнуться можно, честное слово... И еще, попомните мое слово: у нас на хвосте либо Корнилов, который что-то скрывает и ждет от нас следующего хода, либо Белотеловой интересуются в другой организации... Да, черт, чуть не забыл! Возьми-ка, Надечка, эту цепочку с крестиком и тоже отдай на экспертизу, пусть скажут, кому она могла принадлежать... Знаете, я даже не удивлюсь, если окажется, что эта цепочка столько-то лет висела на шее какой-нибудь обезьяны или крокодила.

— Куда тебя занесло... — Надя достала пакет, и

Крымов опустил туда цепочку. — Там на крестике бриллиант?

— Вот пусть твои эксперты и скажут: бриллиант это или хрусталик. Ведь эта цепочка из коллекции привидения или полтергейста... Надя, ты меня извини, но у нас с Игорьком действительно куча дел, нам еще надо навестить господина Пермитина, бывшего хозяина белотеловской квартиры... Того самого, к которому ходила...

Тут он почувствовал, что сказал лишнее, закашлялся и кинулся к графину с водой.

— Пермитин... Мне кажется, что я уже где-то слышала эту фамилию, — проронила Надя упавшим голосом. — Значит, к Миллерше я поеду одна?

— Послушай, Крымов, поезжай с Надей, а оттуда позвонишь мне, я постараюсь сам заехать к Пермитину и поговорить с ним. В крайнем случае встретимся либо у него, либо у Ларисы. Ты только предупреди ее о нашем приходе...

— Ну уж нет... Заявимся БЕЗ ПРЕДУПРЕЖДЕНИЯ. Так будет интереснее. — И, обращаясь к Наде, Крымов спросил: — Юля не звонила?

— Нет, но звонил Корнилов и сказал, что Юля там не одна... — Надя выдержала паузу, чтобы увидеть реакцию на ее слова обоих мужчин (Крымов поднял одну бровь и хмыкнул, а Шубин кашлянул в кулак), после чего продолжила: — У Виктора Львовича в Петрозаводске есть друг...

— Харыбин? — презрительно фыркнул Крымов. — Тоже мне, друг нашелся...

— Нет, не Харыбин, а какой-то Соболев, из УГРО. Они поехали к Онежскому озеру, там живет бывший любовник Белотеловой... Так что, когда будете у нее сегодня, постарайтесь как можно больше узнать о нем, а когда приедет Земцова, мы все сравним.

— Его фамилия Соляных, зовут Николаем, это я и без Корнилова знал, у меня даже его телефоны есть. Но все равно — любопытно...

Зазвонил один из телефонов на щукинском столе.

Надя взяла трубку, послушала с полминуты, после чего, повернувшись к Крымову с Шубиным, взволнованно произнесла:

— Ларчикову убили...

— Как убили? — Крымов не поверил своим ушам. — Ты что? Кто это? — Он бросился к трубке и услышал всхлипывающий и испуганный голос Галины Васильевны, директрисы школы. — Что случилось?

— Татьяну Николаевну нашу... — Крымова покоробило от этого «нашу», — ... убили, на даче. Соседи услышали крик, вошли туда, а там на втором этаже пол в крови... Испугались, на машине доехали до деревни и вызвали милицию... Ее нашли в погребе...

Она зарыдала в голос и несколько минут не могла успокоиться.

— Галина Васильевна, где вы, я сейчас к вам приеду...

— Я в школе... Ларчикову убили... Господи, что же это делается... Приезжайте скорее...

* * *

Тамара Перепелкина закрыла глаза, чтобы не видеть собственное отражение в зеркале ванной. Горячая вода была единственным спасением, помогая избавиться от ненавистных запахов — дешевой туалетной воды, которой пользовался Слава, и рыбного духа Олеференко (от него почему-то все время пахло не то рыбой, не то сыростью). С ним она провела весь остаток вечера на квартире Иоффе. Горкина не было. Кравцова — тоже. Не пришли ни Турусова, ни Драницына, ни даже Тараскина. Катя Синельникова, не дождавшись Кравцова, вскоре ушла домой, и только Жанна Сенина осталась: она сидела за столом, и в ожидании, когда освободится Олеференко, который уединился в другой комнате с Тамарой, пила пиво и курила. Тамара, когда у нее появлялась возможность понаблюдать за подглядывающей за нею самой Жанной, все больше и больше убеждалась в том, что у последней не все в порядке с головой. Беспринципность Жанны и отсутствие у нее каких-либо нравственных границ (пусть даже и на фоне общего разврата и бардака, в котором, как ни странно, по мнению Тамары, все же был какой-то свой смысл и логика — все делалось хотя бы ради удовольствия) в сочетании с врожденной жестокостью и злостью, с которыми она избивала своих сверстниц, с трудом воспринималась в сочетании с покорностью и готовностью на все ради Тамары. Возможно, что таким образом она как бы заранее защищала себя от нападок других, не менее сильных и наглых девочек-подростков, которые так же, как и она, находили особое удовольствие в демонстрации своей физической силы. Выяснение отношений при помощи мордобития в школьных стенах было излюбленным занятием Жанны Сениной. Ей ничего не стоило ударить соперницу прямо в лицо и, делая это, она всегда чувствовала себя безнаказанной, потому что знала: о драке никто и никому не расскажет из страха перед новой стычкой. Ее боялись, но не уважали. Считали ее малость больной, недоразвитой.

Сексуальные отношения с парнями строились у Жанны очень просто: она соглашалась исполнять все их прихоти, лишь бы ее не прогоняли, лишь бы она тоже была вхожа в эту квартиру, а значит, и в ИХ КРУГ, что в масштабах школы считалось весьма престижным.

Жанну воспитывала бабушка, но это воспитание сводилось к единственной заботе — накормить, более-менее одеть и «довести» Жанну до десятого класса. Средства на содержание дочери высылала работающая на Сахалине Жаннина мама, которая все эти годы практически не видела дочь и ограничивалась лишь краткими письмами-отчетами, которые ей присылала бабушка Жанны.

...Тамара открыла глаза. «Странно, — вздохнула она, — я почти целую минуту думала о Сениной...»

Из глубины зеркала на нее смотрела розовая и чистенькая девочка с большими голубыми глазами, глядя на которую невозможно было даже представить, чем она занималась недавно в одной из комнат коммунальной квартиры...

Она приблизила лицо к зеркалу и принялась рассматривать свои губы. Потрогала их руками, приоткрыла пальцем и высунула язык. Делая это и думая одновременно о Сперанском, которого она сегодня потеряла, а если быть более точной, то от которого она сама сегодня отказалась, Тамара почувствовала, как щеки ее покалывает от прилившей к ним крови. Это был стыд? Вряд ли. Она окончательно растеряла его сегодня на кровати мужчины по имени Слава...

Она слышала, как за дверью шлепал в своих растоптанных домашних тапочках отец — он готовил на кухне ужин, включив на полную громкость «Европуплюс», и даже слышно было, как он подпевал, отчаянно фальшивя, мотив за мотивом. В ванную комнату пробрался запах жареного мяса и чеснока, и Тамара вдруг вспомнила, что почти весь день ничего не ела...

Для нее это был обычный вечер ДОМА, с непременной процедурой очищения от грязи — физической и другого рода; ванна, наполненная до краев горячей водой, была для нее укромным убежищем, куда она забиралась, чтобы побыть одной, все спокойно обдумать и принять решение, как же ей жить дальше. Только сидя в ванне, в полной тишине, она могла задавать себе самые откровенные вопросы и сразу же отвечать на них. И самый главный вопрос, который тревожил ее все чаще и чаще, был: зачем я живу? Она не хотела жить так, как получится, «как карты лягут»; ей не нравился образ жизни отца, вынужденного постоянно во всем себе отказывать и ограничиваться лишь работой и мечтами о создании новой семьи, вместо того чтобы жить полнокровной жизнью. Она откровенно презирала и осуждала свою мать-пьяницу, которая сделала несчастными их с отцом и разрушила нормальную, в сущности, семью; не знала она и кем хочет стать, но главное — КАКОЙ стать. У нее не было кумиров, она не собиралась подражать ни кинозвездам,

Анна Данилова

227

ни кому-либо из тех, кто составлял ее окружение. Ей хотелось любви, но что это такое и как можно вообще кого-то любить, она не понимала. Страсть, а точнее, физическое влечение, желание, облеченное в страсть или даже любовь, представлялись ей в грубом свете, и ничего, кроме отвращения к себе, она потом не испытывала. Быть может, поэтому иногда ей хотелось умереть, как это сделала Натали Голубева... Тамара нисколько не удивилась, когда узнала о смерти подруги. Она была потрясена скорее своей реакцией на эту трагедию — эти бесконечные ночные слезы, когда она представляла в гробу вместо Голубевой себя, бледную, с заострившимся носом и ввалившимися щеками... А ведь никому и в голову, наверно, не пришло, что Натали ушла из жизни потому, что сильно запуталась. Она хотела, чтобы ее любил Льдов, но он на то и был ЛЬДОВ, а не ПОЖАРОВ (это была их дежурная компанейская шутка), чтобы никого не любить. У Льдова, кстати, в отличие от всех, имелись вполне конкретные планы на будущее. Через два года он собирался поступать в МГУ на факультет журналистики, и поступил бы. Для этого у него на тот момент было бы все: хороший аттестат, отцовские связи, деньги и, конечно, внешние данные. Он бы далеко пошел, этот Льдов. Да и вообще, Тамара считала, что у мужчин больше шансов преуспеть в жизни, чем у женщин, для которых главная и самая естественная карьера — это брак. Сама же Тамара пока для себя не выяснила, чего ей хочется больше — независимости и самодостаточности, о которых сейчас все только и говорят, или же выйти замуж за мужчину, который заслонил бы своей широкой и надежной спиной весь мир...

...Она держала в руках кусок мыла из набора, который ей подарил Сперанский, и усмехнулась, когда до нее дошло, насколько символичным оказался его подарок. Мыло, чтобы очиститься от грязи, а туалетная вода (прозрачный большой флакон в форме розового тюльпана с золотым колпачком), чтобы перебить этим свежим цитрусовым ароматом въевшийся в кожу запах похотливого Славы...

Когда она спустя полчаса вышла из ванной, ей показалось, что этот вечер уже был, что вот сейчас она войдет в комнату и увидит сидящего в кресле Сперанского с букетом роз... Только на этот раз на ней розовая, почти детская пижамка с серыми слониками.

— Тамара! — услышала она уже в кухне, куда зашла по дороге в свою комнату, чтобы выпить воды. Все вокруг пропахло жареным мясом, вот только отца нигде не было видно.

— Тамара!

Она вернулась в прихожую, но и там никого не было. Кто-то, находившийся в большой комнате, звал ее голосом Сперанского. Она влетела туда, чуть не сбив с ног отца, идущего ей на встречу.

— Это ты меня звал? — спросила она, заглядывая ему через плечо.

— Да нет, это по телевизору... А ты кого-нибудь ждешь? Игоря? Он что, понравился тебе? — Отец старался говорить с ней НЕзаинтересованным тоном, чтобы она не поняла, насколько он переживает за нее и за ту авантюру (иначе не назовешь!), которую они затеяли со Сперанским.

— Понравился, но я не могу с ним...

— Почему? Потому что он старше? Ну, пойдем-пойдем, я тебя покормлю... Как дела в школе?

— Папа! Ну что ты носишься со мной, как с маленькой?! — вдруг вскричала Тамара, чувствуя, что ей уже не хватает дыхания, что она вот-вот взорвется изнутри от переполнявшей ее горечи, боли и чего-то душного, непонятного, что бывает, наверно, только перед смертью. — Ты же все, ВСЕ знаешь! Ты же не слепой! Ведь Игорь Сергеевич — хороший человек, он видит во мне совсем не ту Тамару, которую ты ему обещал... Если бы ты только видел, какие у него были глаза, когда он говорил мне, что ему нравится просто смотреть на меня... Я же для него — чистая девочка, девятиклассница, развитая физически не по годам, но по сути ребенок... Он не нашел в себе смелости даже прикоснуться ко мне, а ведь мог бы, и ты это прекрасно знаешь, потому что сам, САМ оставил нас вдвоем в пустой квартире. Ты хотя бы знаешь, сколько...

Она замолкла, словно кто-то внутри ее перекрыл ей дыхательные пути. И этот КТО-ТО не хотел, чтобы Петр Перепелкин, уважаемый в городе человек, знал, сколько мужчин было у его дочери.

— Знаю, ему сорок лет, ну и что? Ты боишься, что он узнает, что ты не девственница? Ты этого боишься?

Она покраснела. «Отец думает, что у меня был кто-то один...»

— Да, боюсь. Я же не знаю, чего такие мужчины, как Игорь Сергеевич, хотят от девушек вроде меня.

— По-моему, он влюблен. И лично я не нахожу в этом ничего дурного. Он подождет пару лет, а потом женится на тебе. Такое случается. Не часто, конечно, но все равно случается. А то, что ты иногда покуриваешь — это тоже возрастное, это пройдет...

— А почему ты не смотришь мне в глаза?

— Да потому, смешной ты человечек, что мне неловко говорить тебе об этом, я словно выступаю в роли свахи. Но мне действительно было бы куда спокойнее, если бы ты вышла замуж за Сперанского. Согласен, что в прошлый раз я поступил как идиот, что вас нельзя было оставлять вдвоем, но на меня словно что-то нашло... Я был уверен, что он не обидит тебя, зато у вас было время поговорить, пообщаться друг с другом. И я ведь чувствую, что он тебе понравился, разве нет?

— Понравился, — вздохнула она и слизнула кативщуюся по щеке слезу. — Но сегодня я ясно дала ему понять, что ему не на что рассчитывать... Я пришла к нему на работу, поговорила с секретаршей...

Тамара, всхлипывая, рассказала отцу все, что произошло с ней сегодня, вплоть до того момента, когда она соврала водителю Сперанского, что она не Тамара.

— И это все? Но это же нормально. Вот если бы ты приехала к нему на фабрику или куда-нибудь еще, это было бы неожиданным поступком, ты бы смутила его, поставила в неловкое положение, ведь он был на работе... А я знаю, что такое работа и как тяжело бывает порой переключиться с каких-то важных проблем на личное... Так что ты все сделала правильно.

Зазвонил телефон, и Тамара бросилась к трубке:

— Да, слушаю... — Лицо ее на глазах отца изменилось, застыло белой маской страха. — Где вы все?.. Хорошо, я сейчас приеду...

— Что случилось, Тома? Что-нибудь со Сперанским? — Перепелкин спросил первое, что пришло ему в голову и что, на его взгляд, могло вызвать такую реакцию у дочери.

— Папа, убили нашу классную руководительницу, Татьяну Николаевну... Ларчикову...

Глава 11

Ночь Крымов, Шубин и Корнилов со своими людьми провели в дачном поселке, где был обнаружен труп Ларчиковой. Двухэтажный дом, в котором было совершено это дикое преступление, и прилегающий к нему довольно большой сад принадлежали самой Ларчиковой, о чем свидетельствовали соседи по даче и найденные позже в доме документы, подтверждающие право Ларчиковой на эту собственность. Соседи Михайловы, супружеская пара, первыми услышавшие крики, доносящиеся из раскрытого окна дачи, — маленькая быстроглазая женщина с заплаканным лицом и степенный пожилой, но хорошо сохранившийся в свои шестьдесят с небольшим мужчина, — были допрошены по горячим следам прямо в своем саду. Задавая им простые на первый взгляд вопросы, Корнилов выяснил, что Ларчикова купила эту дачу года два тому назад, но, в отличие от остальных соседей, ничего здесь не выращивала, кроме канадской газонной травы и цветов. Весной и осенью она появлялась здесь только в выходные дни, а все лето жила на даче, встречала гостей — словом, отдыхала.

— Что за гости приезжали к Татьяне Николаевне, не помните?

Женщина, ее звали Надежда Васильевна, оказалась словоохотливее, а потому почти на все вопросы отвечала она. Муж, Борис Александрович, лишь изредка вздыхал и качал головой — видно было, что ему эта процедура неприятна и что он ждет не дождется, когда их отпустят. Судя по тому, что двери дачного домика были уже заперты, а возле машины — стареньких голубых «Жигулей» — стояла корзина с зеленью, какие-то сумки и пакеты, супруги, пережив такой стресс, собрались в город.

— Такие же, как и она, молодые женщины, иногда с мужчинами.

— А какой-нибудь постоянный мужчина здесь бывал?

— Затрудняюсь сказать, мы же в основном на даче РАБОТАЕМ: приедем, посадим, прополем, соберем — и обратно в город. У нас машина, а потому иногда, как правило среди недели, мы подвозили Татьяну в город, куда она ездила за продуктами или просто по магазинам.

— Откуда вы знаете, что она ездила по магазинам?

— Она всегда высаживалась возле центрального универмага... Да это с ее же слов... Я еще удивлялась, откуда у учительницы деньги на эти дорогие женские безделушки, покраснев, пробормотала женщина и бросила быстрый взгляд на смирно сидящего рядом мужа.

— А какие конкретно безделушки вы имеете в виду? — не понял Корнилов. — Вы же сами только что сказали, что вы с Ларчиковой почти не общались и могли наблюдать ее лишь на расстоянии...

— Понимаете, она иногда покупала у нас фрукты и овощи, сама-то она ничего не выращивала... Нам первое время было неудобно брать с нее деньги за тарелку клубники или несколько помидоров или картофелин, но потом, когда мы поняли, что ей больше попросту негде все это брать и что она все равно будет покупать если не у нас, то у других соседей, мы приняли ее условия, и цены у нас были ниже рыночных... Словом, нам всем было удобно, потому что на вырученные деньги мы покупали в деревне сметану и молоко...

— Надя, это никому не интересно, — недовольным и одновременно извиняющимся тоном проронил ее муж.

— Да она была просто лентяйкой... Нехорошо так, конечно, говорить про покойницу, но что ей мешало повозиться на грядках, тем более что много ли ей одной надо? Она, значит, будет загорать у нас на глазах, принимать гостей, веселиться и даже танцевать, а другие пусть работают... — Тон женщины становился все более возмущенным.

— Но это был ЕЕ образ жизни, — заметил Корнилов. — Она ведь не воровала у вас помидоры, а покупала. Вы же сами только что сказали, что ей немного было надо. Каждый придерживается своих жизненных принципов.

— Мою жену возмущает одно, — на выдохе, так, как если бы он говорил это скрепя сердце и только ради того, чтобы быть уж до конца искренним и, конечно же, для пользы дела, произнес Борис Александрович, — у Ларчиковой постоянно водились крупные купюры, и мы с Надей просто измучились в поисках сдачи для нее. Создавалось впечатление, что она печатает их где-то на веранде или выращивает, как в сказке, в саду под яблонями... Я бы понял, если бы она была замужем, тогда было бы понятно, откуда у молодой учительницы столько денег, но она жила одна.

— Вы думаете, что эти деньги ей давали те самые гости, которые приезжали к ней?

— Думаю, что мужчины...

— Ты все сказал? — спросила его, заметно оживляясь, жена. — А теперь я расскажу кое-что. Однажды, еще в прошлом году, осенью, к ней приехал парень, молодой, красивый... Знаете, эта красота просто бросалась в глаза, и я еще тогда подумала, что это ее брат, уж больно молодой. Но они целовались на веранде, я сама видела...

— Надя!..

— Он приезжал к ней всю осень, а по весне стал приезжать уже не один, а с другом. Когда на машине...

— На какой машине?

— Я в марках-то не разбираюсь... — Она развела руками.

— А вы? — Корнилов спросил Михайлова.

— ЭТУ марку я тоже, представьте, не знаю. Такая зеленая вытянутая машина, скорее всего «Форд»... А парень действительно довольно часто приезжал, и не увидеть его на участке было невозможно — он носил такую яркую одежду...

— А сегодня? Что было сегодня?

— А сегодня приблизительно в половине одиннадцатого утра к дачному участку Ларчиковой, — сухо отвечал мужчина, — подъехала машина, которую я прежде никогда не видел, такая серая, длинная, тоже иностранная. Из нее вышли мужчины, двое, оба в костюмах. Я подивился, потому что на дачу в таком виде не приезжают. Ну, думаю, наверно, Ларчикова решила продать дачу, а это покупатели, иначе зачем им было приезжать в ее отсутствие...

— Вы хотите сказать, что сегодня, когда сюда приехали эти мужчины на серой машине, ее на даче не было?

— Не было!

— Может, мне показалось, но я видела на участке мужчину, приблизительно такого же возраста, что мой муж. Но я могла спутать, потому что до этого по участкам ходил сторож и искал какой-то ключ. А у Татьяны в ограде дыра, так он довольно часто пробирался через нее на участок, чтобы проверить трубы...

— У нее там ОБЩИЙ кран, — пояснил Борис Александрович, — и я просто уверен, что моя жена видела там именно сторожа.

— А чья же тогда была белая машина? — спросила

женщина. — У других наших соседей нет белых «Жигулей», это я точно знаю.

— Вы, Надежда Васильевна, видели эту машину ДО крика Ларчиковой или после? — спросил Корнилов.

— До, конечно. Вот и получается, что тот, кто ее, бедняжку, убил, и уехал на этой машине.

Сазонов и Крымов, послушав показания соседей, вернулись в дом, где уже вовсю работали эксперты, чтобы хотя бы в общих чертах попытаться представить себе картину разыгравшейся здесь трагедии и сопоставить ее с показаниями Михайловых.

На втором этаже, в спальне, где и было, судя по большому количеству крови на полу, совершено преступление, сквозь шелестящие звуки щелкающего фотоаппарата, тихий разговор эксперта и присущую подобной ситуации суетную возню живых, занимающихся изучением следов, оставленных теперь уже мертвыми и теми, кто их сделал таковыми, пробивался птичий гомон, словно все птицы в саду узнали о случившемся и теперь летали, встревоженные и любопытные, перед раскрытыми окнами в надежде увидеть нечто невообразимое, пахнущее смертью...

— Этот мясник повсюду оставил следы кроссовок, смотрите, какие четкие красные трафареты... Как будто он ничего не боялся... — говорил, оглядывая комнату, Петр Васильевич. — А возможно, он был в шоке или под воздействием наркотиков, во всяком случае, убийство это было непреднамеренным.

Крымов смотрел на распростертое перед ним тело Ларчиковой и думал о том, что ему, видимо, судьбой предначертано связываться с женщинами, жизнь которых хоть и коротка, но до краев наполнена пороком. И все они, как правило, очень красивы. Взять хотя бы Полину, рыжеволосую красавицу Полину Пескову, которая имела в любовниках полгорода и для которой единственно реальной целью в жизни были деньги. Вот и про Ларчикову, скромную учительницу литературы и русского языка, только что сказали, что она была богата. Откуда деньги? И за что ей, женщине, которая все лето проводит на даче, платят деньги, и, главное, КТО? Какой еще новый способ зарабатывания денег она придумала? Соседка была права, когда говорила, что такие люди раздражают окружающих. Крымов ходил по дому, заглядывал в кухонные шкафчики, ящики комода, открывал все двери этого маленького дачного хозяйства, какие только имелись, в поисках тех самых дорогих мелочей, о которых говорила соседка. Что же конкретно она имела в виду? Ведь на поставленный вопрос, о каких именно безделушках шла речь, она так и не ответила и перевела разговор на крупные купюры. Да и вообще эта супружеская чета вела себя крайне неестественно.

— Петр Васильевич! — Крымов позвал Сазонова, о чем-то разговаривающего с экспертом. — Случай уникальный — смерть следует за смертью, и все в одном и том же классе... Чертовщина какая-то, честное слово. Вот скажи мне, пожалуйста, каким образом эти милые люди, я имею в виду соседей, оказались здесь, на даче? Они сказали, что услышали крик, ЕЕ крик. — Крымов показал наверх, где лежал труп Ларчиковой с перерезанным горлом. — Что бы ты сделал, услышав крик, окажись ты на их месте?

— Прибежал бы, — не задумываясь, ответил Сазонов.

— Правильно. А сколько времени тебе бы понадобилось для того, чтобы обежать весь сад (ведь не через забор же они лезли!) и в лучшем случае пролезть в дыру, через которую лазает сторож, чтобы перекрывать основной кран, или, что более естественно в их возрасте, — вбежать в сад через калитку?

— Минуты три-четыре, не больше. А к чему все эти расспросы? Ты их в чем-то подозреваешь?

— Да, подозреваю. Слишком уж много нестыковок. Первая. Крик раздался в тот момент, когда Ларчикова увидела приближающегося к ней убийцу с ножом в руке, или же она кричала от боли, когда убийца уже полоснул ее ножом по горлу. Ну не после смерти же она закричала! Значит, после того как он ее убил, ему надо было срочно ретироваться, спуститься на первый этаж, выбежать в сад, затем сесть в машину, завести ее и уехать. Но звука отъезжающей машины соседи не слышали. И вообще они что-то туманят... Я даже думаю, что никакого крика не было вообще.

— Почему?

— Да потому что они вошли в дом вообще не из-за крика... Смотри. — Крымов подошел к кухонному окну и показал разбросанные в траве красные кругляши довольно крупного редиса. — Тебе это ни о чем не говорит?

— Кто-то выбросил редиску за окно, может быть даже сама Ларчикова.

— Но с какой стати? Тем более что соседи утверждают, ее вообще с утра здесь не было. Скорее всего, увидев белую незнакомую машину, соседи попытались выяснить, кто же это приехал и к кому — вполне естественное любопытство. По каким-то признакам они поняли, что на даче Ларчиковой кто-то есть... Однако, пока машина стояла за воротами, они не посмели приблизиться к ограде и открыто подсматривать, а дождались, когда машина уехала, чтобы потом посмотреть, на даче их соседка или нет... После того как утром здесь появлялась серая иностранная машина, из чего они сделали вывод, что дача продается, им наверняка пришло в голову поживиться чем-нибудь на дармовщинку...

— Крымов, почему ты так плохо думаешь о людях?

— А ты дослушай меня до конца. Ведь редиска не с неба свалилась. Я думаю, что соседи, перед тем как войти к Татьяне в сад, сначала несколько раз позвали ее, как они это делали не раз, предлагая ей овощи или зелень, и, только убедившись, что никого нет, а окно РАСКРЫТО, вошли сюда.

— А при чем здесь редиска?

— А при том, что если бы оказалось, что Ларчикова дома и спит, к примеру, то у них было бы готово объяснение на случай этого визита.

Анна Данилова

— Ты хочешь сказать, что редиска — всего лишь предлог?

Крымов, которому надоело все разжевывать, тяжело вздохнул.

— Слушай, Петр Васильевич. Вот представь себе. Заходят они в дом — двери и окно открыты, бери что хочешь, — что они должны сделать в первую очередь?

— Наверно, убедиться в том, что дом пустой.

— Вот именно! Обойдя весь первый этаж (а я уверен, что эта самая Надя рассмотрела здесь все, что только возможно, из любопытства, просто как женщина, у которой в жизни никогда не будет дорогих и красивых вещей), они поднялись наверх и вот тут-то поняли, что влипли... Обнаружить труп своей соседки — что может быть страшнее и хлопотнее?

— Ты хочешь сказать, что первым делом они должны были уйти или вообще уехать и сделать вид, что здесь не были, — отсюда и выброшенная редиска! — так?

— Но они почему-то не ушли, а ВЫНУЖДЕНЫ были сообщить о том, что обнаружили труп соседки. И причина здесь может быть только одна — свидетель. Уверен, что это и есть тот самый сторож, который пролез в дыру, чтобы перекрыть или, наоборот, открыть общий кран. Он заметил соседей на даче у Ларчиковой, вполне возможно, что они перекинулись парой слов, после чего эта самая Надя изобразила испуг и даже закричала, чтобы привлечь внимание сторожа к трупу Ларчиковой, затем они сели в машину, поехали в деревню и вызвали милицию...

Крымов с Сазоновым застали Михайловых все там же, в саду, за подписыванием показаний.

— Можно один вопрос? — обратился Крымов к Наде, плотной маленькой женщине с испуганным потным лицом. — Сторож... Он видел вас в то время, когда вы были на даче Ларчиковой?

Возникла пауза. Корнилов внимательно смотрел на Крымова, понимая, что вопрос задан не случайно.

— Да, он как раз приходил, — прокашлявшись, произнесла женщина. — Он что-то делал с краном...

— А где в это время были вы?

Он посмотрел на мужчину, который отвернулся, чтобы, как понял Крымов, не увидели выражения его лица.

— Стояла на крыльце, наверное... Да, точно, он еще сказал что-то насчет дождя, что, мол, все оставили открытыми краны и уехали домой, а вечером наверняка будет дождь...

— Сторож видел Татьяну?

Снова в воздухе возникло напряжение, словно этот простой с виду вопрос мог как-то серьезно повлиять на ход событий.

— Надежда Васильевна, — подал голос Корнилов, который тоже почувствовал какой-то подвох, — отвечайте на вопрос: сторож знает об убийстве, он видел труп Ларчиковой?

Борис Александрович, повернувшись, тяжело дыша, произнес:

— Понимаете, мы с женой пришли сюда ДО крика, вот в чем дело. Но Надя боится вам признаться в том, что мы пришли сюда, потому что увидели открытые окна. Вот и подумали, что Татьяна приехала... У нас кончились деньги, пенсию не выдают, мы надергали редиски и пришли, чтобы предложить ей... Взошли на крыльцо... Хотя нет, сначала мы несколько раз позвали ее, но так как она не отвечала, я подумал, что она, возможно, прилегла отдохнуть, ну мы и пошли. И не успели войти в дом, как увидели сторожа, поздоровались, поговорили про дождь, потом сторож, наверно, ушел, а мы вошли в дом, позвали Татьяну... Знаете, я как-то сразу подумал о том, что дело нечисто — одни машины — то серая, то белая — чего стоят... Обычно, когда к ней приезжали гости, было весело, играла музыка, а здесь чувствовалось, что что-то не так...

— Правильно, сторож ушел, а мы вошли в дом, позвали, но нам никто не ответил, и тогда мы поднялись наверх и увидели там ее... — Надежда Васильевна всхлипнула. — Я испугалась и сказала мужу, что, мол, бежим отсюда, а то как бы нас здесь не увидели... Мы спустились, я даже редиску выбросила... А тут снова сторож...

— И вы ему ничего не сказали?

— Ничего, — сказал Борис Александрович. — Но так как он нас видел, мы поняли, что должны вызвать милицию. Поэтому мы поехали в деревню, нашли почту и позвонили в город...

— А про крики, значит, сами придумали? — спросил Корнилов.

— Придумали... Надо же было как-то объяснить, почему мы оказались на ее даче...

Корнилов взглянул на Крымова: мол, видишь, никакого криминала, обычные вещи.

Михайловых отпустили, и те сразу же принялись собираться домой.

А буквально спустя четверть часа на дачу Ларчиковой приехал мужчина. На вид ему было лет пятьдесят с небольшим; высокий, довольно красивый, но с совершенно отрешенным бледным лицом, по которому струился пот, он, не обращая внимания на присутствие в саду и на ступеньках крыльца такого количества незнакомых ему людей, почти ворвался в дом, где не ожидавшие такого резкого вторжения работники милиции едва успели схватить его, прежде чем он поднялся в спальню, где все еще лежало тело хозяйки дачи.

— Пустите меня к ней, пустите... — Он с силой рвался наверх. — Пустите...

Ноздри его раздувались, а на щеках уже заблестели слезы.

— Кто вы? — подошедший к нему Корнилов с любопытством рассматривал мужчину. — Вы знали ее?

— Моя фамилия Пермитин, Таня была моей невестой, мы в августе должны были пожениться... Я только что узнал...

* * *

То, что гостиница эта была частной и не для всех, становилось ясно уже при виде высокой белой стены, отделяющей от внешнего мира огромный уютный двор, засаженный деревьями и цветами. У массивных литых ворот гостей встречала охрана. Двухэтажная, уютная, напоминающая старинные дворянские усадьбы с колоннами и пышным парадным крыльцом гостиница казалась случайно занесенной на живописный, утопающий в зелени берег Онежского озера.

Дождь, постепенно превращаясь в легкую морось, приятно остужал щеки, с берега тянуло терпким запахом водорослей и сырой земли.

Соболев, поддерживая Юлю под локоть, помог ей выйти из машины, опередив Харыбина, и быстрым шагом направился к воротам. Что-то сказал охранникам, после чего все вместе миновали пост и оказались в овальном дворе, центральная дорожка которого, посыпанная гравием, вела прямо к крыльцу.

— Как вы думаете, Павел Иванович, он будет со мной искренен? — спросила Юля, чувствуя некоторую робость перед встречей с хозяином этой шикарной усадьбы. — Этот... Соляных, с ним можно договориться или...

— Юлечка, вы уж извините меня за фамильярность, но кто в наше время может рассчитывать на чью-либо искренность? Соляных — умный мужик, но как построит он вашу беседу, предугадать довольно сложно. Тем более я не знаю, в каких отношениях он был с Белотеловой и что их связывало. Ведь иногда за романом скрывается совершенно другое. Лариса Белотелова, я наводил о ней справки, приехала сюда приблизительно пять лет тому назад то ли из Москвы, то ли из Питера, никто не знает... У нее какая-то путаница с документами. Здесь она сначала снимала комнатку в коммуналке и работала маникюршей в парикмахерской, затем у нее был роман с одним парнем, и она бросила работу, но его посадили за кражу, и Лариса снова вернулась в ту же самую парикмахерскую на улице Ленина. Затем она встретила Соляных, и он купил ей квартиру в самом центре города. Потом еще одну... Они были в прекрасных отношениях... — В словах Соболева прозвучал отголосок иронии чисто мужского свойства — он, по-видимому, недоумевал, как можно тратить столько денег на женщину.

— Вы видели Ларису хоть раз? — спросил Харыбин. Они стояли на крыльце и говорили вполголоса.

— По правде сказать, нет.

— То-то и оно, — хмыкнул Харыбин. — Белотелова очень красива... Такие женщины обладают козырем, с помощью которого добиваются расположения мужчин, и уже как следствие — обогащаются за их счет.

— И козырь этот, — подала голос Юля, — можно смыть лишь серной кислотой, не так ли?

— Женщины, которые, помимо внешней красоты, обладают еще и УМОМ, как ты, например, — вполне искренне заметил Харыбин, — уже неинтересны нам, мужикам, и мы скорее будем жить на ИХ содержании и прибедняться, вместо того чтобы брать их под свое покровительство. Женский ум — явление непростительное. Это аксиома.

— А если эта красивая и умная женщина, разбогатев, не пожелает содержать понравившегося ей мужчину, как быть тогда?

— Она ЗАХОЧЕТ, в том-то и дело. Женщина, у которой есть все и которая не зависит от мужчины, будет находить удовольствие именно в его унижении. Женщина, которая содержит мужчину или дает ему кредит, а иными словами — возможность начать, скажем, свое дело и тем самым проявить себя как личность, безусловно, достойна похвалы, но никто не подозревает, как много от этого царского жеста получает она сама...

Послышались шаги, дверь открылась, и появившийся на пороге высокий молодой парень, закутанный в черное вязаное полупальто и похожий на художника из-за темно-красного шелкового кашне на шее, улыбнулся, приветствуя жданных гостей:

— Я думал, что вы запутались в дверях. — Он продолжал улыбаться, демонстрируя изумительные белые зубы и рассматривая своими темными огромными глазами стоящую перед ним Юлю. Худощавый, он выглядел очень моложаво, особенно свежей казалась кожа на его лице, розоватые скулы, свидетельствующие о здоровом образе жизни, что так редко встречается среди бизнесменов. Легкий ветерок трепал мягкие каштановые волосы. Блестящая россыпь этого натурального шелка была, конечно же, произведением искусства, вышедшим из-под рук настоящего мастера.

Земцова, которая ожидала встретить крупного бритоголового борова или гоблина с колючим взглядом бесстрастных глаз и маленьким лбом, была потрясена. Представив красавицу Белотелову рядом с принцеподобным, утонченным Соляных, она вдруг сразу поняла, что удерживало этих молодых людей вместе. Безусловно, страсть. И Соляных наверняка первым изменил ей. Вот и вся история. Грустная, но встречающаяся довольно часто. Хотя, возможно, что первой изменила Лариса... Теперь это узнать невозможно, а жаль... Измены обычно являются следствием чрезмерной уверенности в себе, а этим могли быть больны они оба.

— Мы тут разговаривали о любви, — зачем-то проинформировал хозяина гостиницы Соболев во время церемонии мужских рукопожатий. Соляных поцеловал ручку Юле и пригласил всех войти в дом.

Внутри не было вычурного офисного антуража, здесь господствовали мягкие плавные линии овальных персидских ковров, зеркал, картин в изысканных итальянских багетах, стилизованных под старину скульптурных групп и напольных ваз с большими букетами нетрадиционных, полуполевых-полуэкзотических цветов. Роскошь подавляла, восхищала, приводила в трепет.

— Ребята, я должен откланяться. — Соболев, сделав пару шагов, остановился, словно сдерживая себя. —

Мне пора, меня ждут. Я Юлечку доставил, представил вас друг другу, а теперь вынужден вернуться в город. Телефон мой у вас есть, звоните, если что, вас со мной всегда свяжут. Коля, ты же сам отвезешь их обратно?

— Не знаю еще, возможно, мои гости пожелают здесь остаться... — Соляных откровенно любовался Юлей, чем вызывал раздражение у находящегося рядом Харыбина, изнывающего от ревности.

Соболев уехал, а Соляных пригласил их осмотреть гостиницу. На знакомство с нею ушло почти полчаса, и все это время Юлю не покидало ощущение нереальности происходящего. Широкие мраморные лестницы, колонны, просторные номера со спальнями-альковами, суетливые горничные в синей форме.

— Николай, все это, конечно, прекрасно, но я приехала к вам по делу, — сказала Юля, понимая, что тем самым ставит Харыбина в неловкое положение: а ему-то куда деваться?

— Да, ты иди, а я пойду покурю, — вдруг предложил он сам, избавляя ее от неприятной процедуры объяснения того, что она хочет побеседовать с хозяином этого дворца наедине.

И Харыбин ушел.

Соляных предложил Юле выпить кофе в специальной кофейной комнате — квадратном зальчике, расположенном на первом этаже и выполненном в коричнево-золотых тонах, словно дорогой футляр для драгоценностей, устланный изнутри золотым шелком и шоколадного цвета бархатом.

— Вы совершили весь этот долгий путь, чтобы расспросить меня о Ларисе? — спросил Соляных, усаживаясь за столик напротив Юли и замолчав всего лишь на несколько секунд в ожидании, пока вошедшая в комнату-шкатулку девушка с подносом в руках не расставит чашки, кофейник и блюдо с пирожными.

Девушка ушла, разлив кофе по чашкам.

— Да, представьте себе. Вы удивлены?

— А вы бы не удивились, если бы подобное произошло с вами? Ну, предположите на секундочку, вы какое-то время встречались с мужчиной, потом расстались с ним, и вдруг спустя пару месяцев к вам приезжают с Северного полюса и начинают задавать какие-то вопросы о нем... Что особенного представляет собой Лариса Белотелова, чтобы ради нее было поднято на ноги так много людей и задействованы чуть ли не секретные службы...

— Никаких секретных служб... Все на личных контактах и оказиях, так что не городите чепухи... Вы думаете, ваш дворец произвел на меня такое впечатление, что теперь, разговаривая с вами, я буду заикаться от робости?

Она и сама не поняла, как получилось, что они уже с первых минут общения приняли этот снисходительный, взаимообидный тон.

— Лариса Белотелова, возможно, сама по себе ничего особенного не представляет, но она купила в С. очень дорогую квартиру, продолжая между тем работать маникюршей. Вокруг этой квартиры творится бог знает что; там пахнет смертью... Я бы хотела задать вам всего несколько безобидных вопросов.

— Например?

— Откуда у Ларисы такие большие деньги?

— Она продала здесь свою недвижимость.

— А откуда у нее была эта самая недвижимость? Это вы ей дарили квартиры, бриллианты или что там еще?..

— Я.

— Могу я спросить, почему вы с ней расстались?

— Можете. У меня случились большие неприятности, я обанкротился и, как мне тогда казалось, потерял ВСЕ. И она тотчас меня бросила. Я думаю, она испугалась, что я попрошу ее продать всю недвижимость, чтобы спасти меня... После нашего последнего телефонного разговора, когда я рассказал ей о своих трудностях (я звонил ей из Москвы), она начала действовать и продавать все подряд... Когда я вернулся из столицы, чтобы обрадовать ее хорошими известиями о том, что все, слава богу, утряслось, ее в Петрозаводске уже не было!

— А что же вы не позвонили из Москвы еще раз, чтобы успокоить ее?

— А зачем? Мне было любопытно, как Лариса поведет себя... Ведь у нас была такая страсть, такая любовь... Она вообще казалась мне неземной женщиной, я так любил ее, так боготворил, так идеализировал... И вдруг такой удар. Она бросила меня, испугалась, что я стану нищим и отберу у нее все, что подарил раньше. Такое иногда случается с нами, мужчинами.

Юля заметила, что он сказал «мужчинами», а не «мужиками», и ей подумалось, что Соляных и с мужчинами, наверное, говорит на хорошем литературном языке, не матерится, не ругается и не скандалит.

— Вы подумали сейчас о том, что я, быть может, гей?

Она не ответила на этот вопрос, потому что это было уже слишком: он словно прочитал ее мысли!

— Нет, Лариса была довольна мной, она выглядела всегда такой счастливой...

— И сколько вы с ней прожили?

— Около четырех лет. Довольно долго как для меня, такого непостоянного и легкомысленного, так и для нее... Мы неплохо ладили, и я, представьте себе, ни разу ей не изменил. Лора была так хороша, так ласкова со мной, что, когда она меня бросила и уехала, я долго не мог прийти в себя. Я разыскивал ее по всей стране, а когда нашел, послал к ней своих людей, чтобы попытаться ее вернуть, но она испугалась и заявила, что натравит на меня милицию... Она подумала, что я решил ей мстить. После этого мне пришлось позвонить ей и объяснить, что я на нее не злюсь, что я очень сожалею о случившемся и что она, в конечном счете, свободный человек и вольна поступать так, как ей заблагорассудится...

— И вы действительно не пытались ей мстить?

— Нет.

Юля не верила ни единому его слову. Человек, способный ворочать миллионами долларов, занимаясь прямыми оптовыми поставками продуктов питания для всей Карелии и частично для Питера (по сведениям, полученным ею от Соболева), обладающий недюжинным умом, фантазией и безукоризненным вкусом, оказавшись в подобной ситуации, не может оставить это без последствий. С какой стати ему сдерживать вполне естественное желание ОТОМСТИТЬ? Месть тоже может быть разной и такой же изощренной, как любовные игры.

Юля вдруг представила себе, как Николай Соляных, крадучись, пробирается ночью в спальню к Ларисе с чашкой, наполненной кровью, и выплескивает ее на зеркало...

Она подняла голову и посмотрела ему в глаза, затем снова опустила их и увидела в его чашке густую красную кровь. «А почему бы и нет?»

— Вы были когда-нибудь в С.? — спросила она.

Соляных отпил немного «крови» и поставил чашку на место.

— Нет, никогда, — ответил он и вытер белой салфеткой окровавленные, будто у вампира, тонкие губы. Юле даже показалось, что между ними проглянули клыки. — Вам еще кофе?

* * *

Крымов вернулся домой за полночь, когда Надя уже спала. В доме оставался освещенным только холл. Крымов подумал о том, что надо бы Наде купить машину, чтобы она не мучилась, добираясь в коттедж на такси или останавливая частников — это слишком опасно.

Запирая все двери и окна, он не переставая думал о Ларчиковой, которой теперь нет в живых. Ему казалось, что ее убили из-за него, из-за того, что он сделал ее своей любовницей, и что теперь любая женщина, с которой он переспит (кроме Нади, конечно), будет убита.

Это был один из самых тяжелых дней в его жизни.

Он был совершенно измотан и обессилен. Рухнув в кресло в холле перед пустым и холодным камином, Крымов долгое время не мог даже пошевелиться от усталости.

Закрыв глаза, он видел перед собой бледное Танино лицо и располосованное горло с запекшейся по краям раны кровью. Страшное зрелище.

Как много произошло за этот день! Как много вопросов накопилось за последнюю неделю, и он ни на один из них еще так и не ответил. Выходит, он попросту проедает деньги, заплаченные агентству Белотеловой и Льдовой? А тут еще новое убийство... И где же его интуиция, которая так часто выручала их всех? Где его хваленые мозги и способность мыслить логически? Или все его таланты теперь сконцентрировались внизу живота? Как он мог переспать с Ларчиковой? А что, если теперь, после ее убийства, кто-нибудь из соседей скажет, что видели его выходящим из ее квартиры? У него броская, яркая внешность, и опознать его будет проще простого... От этих мыслей Крымову стало совсем худо. Хотя, принялся он успокаивать самого себя, он приходил к ней по делу, чтобы расспросить про Вадика Льдова, про фотографии... Стоп! Вот оно, то самое, что не давало ему покоя весь вечер и о чем он так и не успел поговорить с Шубиным. Фотографии. Несколько фотографий, отличные от остальных, сделанные Кравцовым и Льдовым, чтобы скомпрометировать Ларчикову... На них можно было разглядеть фрагмент натюрморта с ромашками. Ромашки... Где он мог видеть этот натюрморт? Где? Что стало с его памятью? Неужели он так испугался, что Надя узнает о его измене с Ларчиковой, что все мысли его теперь работали лишь в одном направлении — как этого не допустить?

Еще он спрашивал себя, откуда вдруг этот страх перед Щукиной? Какие чувства движут им, заставляют его краснеть и бледнеть, когда он думает о ней и о возможных последствиях мимолетной связи с Ларчиковой? Чем она так крепко держит его и почему образ тоненькой рыжеволосой Щукиной не дает ему покоя? Секс? У него было предостаточно и более темпераментных и сумасшедших В ЭТОМ ВОПРОСЕ женщин, но ни одна из них не была ему так близка. Почему?

Он все же нашел в себе силы подняться и сделать несколько шагов. Вспыхнул свет, и просторная, в белых тонах кухня поразила Крымова своей чистотой и порядком. На столе его ждал ужин, прикрытый большой салфеткой: блюдо с крупным запеченным карпом, из рыжего зажаренного брюшка которого выглядывал кружок помидора и оранжевые кольца лука, кусок пирога с черной смородиной; рядом лежала записка: «Все это и куриную лапшу подогреешь в микроволновке, пиво в холодильнике, Чайкин в комнате для гостей. Целую, Надя».

Он несколько раз прочитал записку, из которой понял одно: ему предлагают на ужин бывшего мужа Нади, господина Чайкина.

Искушение отведать горячей куриной лапши было велико, но желание попробовать Чайкина, откусить кусочек худосочного тела, предварительно сдобрив его сметаной или майонезом, оказалось сильнее.

Крымов поднялся сначала в их с Надей спальню и был крайне удивлен, обнаружив нетронутую постель.

В другой спальне, расположенной в дальнем крыле дома, он нашел крепко спящего Чайкина, и от удивления не знал, как ему быть и что делать, чтобы положить конец этим ночным галлюцинациям.

— Леша, друг, просыпайся, — прошептал Крымов, склонившись над гостем и одной рукой шаря по стене в поисках выключателя. Щелчок — и спальня озарилась розоватым мягким светом.

Чайкин открыл глаза и, увидев перед собой сидящего с брезгливым выражением лица Крымова, сразу же вскочил:

— Привет, Крымов, ты извини... Я тут у тебя скрываюсь...

— А где Щукина? — Крымов даже не протянул ему руки. — Ты чего здесь делаешь?

— Она меня здесь спрятала.

— От кого?

— Сейчас расскажу, не кричи на меня и не делай страшных глаз, я тебя все равно не боюсь. Если бы ты только знал, как много всего произошло с тех пор, как вы с Шубиным были у меня...

— Меня это сейчас мало волнует. Где Надя?

— Она поехала к Миллерше и просила передать тебе, чтобы ты не волновался, что она у нее переночует и что ей надо, в конце-то концов, когда-нибудь примерить свадебное платье.

Крымов достал из кармана записную книжку, отыскал там Миллершу и уже через минуту звонил ей домой. В тишине, словно невидимые нити, протянулись длинные гудки — все спали.

— Надя, это ты? Что за сюрприз? С какой стати ты решила заночевать у портнихи? У тебя что, нет дома? Или ты решила испортить отношения накануне свадьбы? Учти, я не потерплю, чтобы моя жена ночевала у кого придется и приводила в дом бывших мужей... Что делает у меня Чайкин?

Чайкин, окончательно проснувшись, вдруг резко встал, нажал пальцем на кнопку телефона и прервал излияния Крымова.

— Значит, так. Я сейчас уезжаю, потому что не хочу, чтобы у вас испортились отношения. Просто я сегодня чудом остался жив. На меня было дважды совершено покушение. Возможно, Надя и переборщила, пригласив меня сюда и тем самым как бы подставив тебя, а заодно и себя, но у нас было слишком мало времени на раздумья... Поэтому, чтобы ты не возникал по поводу того, что мы с ней ночуем вместе под одной крышей, причем крышей ТВОЕГО дома, она и решила отправиться к Миллерше. А теперь можешь снова звонить ей — я ухожу.

Крымов молча смотрел, как Чайкин одевается — натягивает на голову тонкий свитер.

— Ладно, извини... Я же ничего этого не знал...

Подожди, сейчас я перезвоню ей, а потом мы с тобой потолкуем.

Позже, на кухне, выпив по рюмке коньяку и разлив по глиняным глубоким чашкам густой куриный суп, они тихо и мирно ужинали — бывший и будущий мужья Нади Щукиной. Еда, приготовленная ее руками, как будто сблизила их, чуть ли не породнила. Крымов откровенно сожалел о своих словах, сказанных сгоряча в спальне.

— Тришкин приехал, чтобы сменить меня, и я отправился домой. Но по дороге вспомнил, что оставил в столе новые наушники, совсем новые, в упаковке... А зная темную натуру Тришкина, я побоялся, что никогда больше не увижу их, и, естественно, вернулся. Представь себе мое удивление, когда я, вернувшись в морг, увидел, как оттуда выносят труп... кого бы ты думал? Того самого Саши Павлова, о котором вы меня спрашивали! Я понял, что это подстроил Тришкин, потому что у Павлова никого не было... Он столько времени пролежал здесь...

— У него была жена, мы были у него дома, и там нам сказали, что Павлов умер, а его жена продала эту квартиру. У меня и адрес есть.

— Тогда я тем более ничего не понимаю. Если у него была жена, то почему же она его не похоронила?

— А кто его опознавал, не помнишь?

— Никто. При нем, кажется, были документы, и по фотографии установили его личность.

— Что было после того, как ты увидел, что труп увозят и, главное, кто увозил?

— Обычная машина «Скорой помощи». Я увидел Тришкина и спросил его, куда, мол, увозят труп? Он ответил, что было специальное указание и чтобы я не вмешивался не в свои дела. Я и раньше подозревал его в том, что он приторговывает трупами...

— Не понял, — удивился Крымов. — Ты о чем? Кому могут понадобиться трупы?

— Да мало ли... У меня лично однажды прямо из-под носа труп украли. Но это был бомж, совершенно спившийся старый мужчина, который вроде Павлова лежал в холодильнике долгое время...

— И что же ты предпринял?

— Ничего. Просто, когда приехали за неопознанными трупами, чтобы отвезти и похоронить на кладбище, я, кроме трех, вписал и четвертого, а парню, который принимал у меня этих жмуриков, дал литр водки. Вот и все дела.

— Понятно. Короче, Тришкин продал труп, и что же было дальше? Твои действия? И как вообще положено поступать в таких случаях?

— Вообще-то дают в морду... Но я не успел, потому что к моргу подъехала еще одна машина, привезли труп молодой женщины, какой-то учительницы, которую зарезали на собственной даче...

Крымов чуть не подавился и молча уставился на Чайкина. Тот продолжал:

— Тришкин занялся ею, а я стоял, как идиот, около машины, в которую уже вкатили носилки с Павловым. Понимаешь, я растерялся, чего там говорить. Но не станешь же вытаскивать его обратно, тем более когда за рулем сидит амбал килограммов в двести, а его помощник, с которым они вдвоем грузили труп, смахивает на матерого уголовника. Мне, знаешь ли, пожить еще хочется. А дальше все произошло очень быстро. Оба мордоворота нырнули в машину, которая тронулась с места, затем вдруг дала задний ход, да с такой скоростью, что, не успей я отскочить в сторону, меня бы придавили к стене морга и смяли в лепешку... Не знаю, откуда у меня взялась такая прыть, но я кинулся к основному терапевтическому корпусу, прижимаясь к стене и чувствуя, что машина где-то рядом. Я даже слышал шум мотора... Забежав в корпус, я кинулся на второй этаж и забился, как мышь, в конце коридора, на лестничной клетке, за дверью... Немного успокоившись, я выглянул в окно и понял, что машины нет. Вышел из корпуса, перебежал аллею и через боковые ворота направился прямо к автобусной остановке.

— И это ты называешь покушением?

— Уже возле моего дома в меня стреляли. И во дворе, как назло, никого не было, ни души. Стрелявшего я не видел, но пуля пролетела в нескольких сантиметрах от моей головы и врезалась в стену дома. Если честно, то я даже не помню, как оказался в агентстве. Рассказал Наде, что случилось, и она сама предложила мне дождаться тебя здесь, у вас... Мы взяли машину и приехали сюда. Договорившись с водителем, что он заберет ее отсюда через два часа, она принялась стряпать, а я все это время спал. Я трус, Крымов, но трус с железными нервами. Если тебя действительно интересует труп Павлова и ты хочешь узнать, кто стоит за всей этой неразберихой, то тебе лучше всего тряхануть как следует Тришкина. А еще лучше — подкупить его. Он за доллары мать родную продаст.

— Скажи, Чайкин, а кто был у тебя в морге, когда мы с Шубиным звонили тебе в последний раз?

— Приезжал один тип со специальным разрешением и приказал мне дать ему на изучение журнал регистрации.

— А что его интересовало и кто это такой? Фамилию ты хотя бы запомнил?

— Запомнил. Максимов. Да и как я мог не запомнить, если Тришкин раз двадцать предупредил меня о его приходе, сказал, что во время моего дежурства должен прийти некий Максимов, полковник ФСБ, и чтобы я никуда не отлучался... Но что этот полковник искал в журнале, я так и не узнал, ведь он не задал мне ни одного вопроса. Мне пришлось оставить его одного в каморке под лестницей — он сам попросил меня об этом. Единственно, что я понял по его довольному выражению лица, — он нашел то, что искал, или, НАОБОРОТ, НЕ НАШЕЛ.

— Понятно... что ничего не понятно. — Крымов поскреб подбородок, отодвинул от себя пустые тарелки и широко зевнул. — Ладно, Чайкин, не переживай, не дадим мы тебя, Лешку-Потрошителя, в обиду, живи здесь, тем более что у нас теперь — сам видел?! — решетки на окнах, сигнализация... Никто тебя здесь не найдет, а если и найдет, то ты всегда сможешь спрятаться. Тебе Надя еще не показывала наш бункер?

— Нет... Она тут, как сумасшедшая, все жарила-парила и при этом ворчала... Она, оказывается, нас, мужиков, терпеть не может. Особенно меня, и, хоть приютила здесь у тебя, всю плешь проела своими упреками о том, какая я скотина неблагодарная, не оценил ее стремления создать нормальную семью и сам, оказывается, спровоцировал ее на измену...

— Ладно, Чайкин! Я женюсь на Наде, и давай поставим точку на этом. Жизнь штука серьезная, в ней всякое случается, а потому приходится иногда идти на компромисс и терпеть друг друга, вот как ты, к примеру, терпишь меня. А теперь — всем спать.

— А бункер? Ты обещал мне показать свой бункер!

Глава 12

Шубин проснулся довольно рано, постоял несколько минут под холодным душем, накинул на плечи тяжелый махровый халат, от которого, как ему казалось, все еще пахло духами Земцовой, и принялся готовить себе завтрак. За окном клубились тучи, ветер шевелил занавески, все вокруг казалось серым, безжизненным и холодным.

Единственно, что могло бы как-то поднять сейчас его дух, это звонок Юли из Петрозаводска. Но она не звонила. Она забыла о нем, причем с завидной легкостью. Интересно, что делает в Петрозаводске господин Харыбин? Будит Юлечку нежными поцелуями и приглашает завтракать в гостиничный ресторан? А Крымов? Где сейчас Крымов? Ест приготовленные заботливыми руками Надечки Щукиной блинчики или горячую овсяную кашку и запивает какао?

Игорь в это утро был противен сам себе. Ему казалось, что все его обманули, даже воздух за окном и солнце, которое словно специально спряталось за тучу и теперь подсматривало за ним, ожидая нового прилива раздражения, чтобы посмеяться...

Он поджарил толстый кусок ветчины вместе с яйцами и кусочками булки, сварил крепкий кофе и не спеша все съел. Пора было брать себя в руки и планировать день, тем более что он обещал быть тяжелым, заполненным до предела важными встречами и поездками.

Игорь достал блокнот и ручку, сел поудобнее в кресло и, закурив, принялся вспоминать и анализировать все, что произошло за последние несколько дней в связи сразу со всеми делами, которые прямо или косвенно могли быть связаны с работой агентства. Конкретных клиенток было две — Вероника Льдова и Лариса Белотелова.

Вчера, обмениваясь информацией на даче Ларчиковой, Шубин узнал от Корнилова, что топор, которым убили Льдова, был обнаружен на территории школы. Он лежал прямо на газоне, в траве, практически полностью покрытый водой, натекшей из водопроводной трубы. Газон находится как раз под окном кабинета географии, поэтому возникает вполне естественное предположение, что убийца, нанеся смертельный удар по голове мальчика, хладнокровно выбросил топор прямо через форточку. Подтверждали это обнаруженные уже чуть позже экспертами несколько едва заметных капель крови на верхней части форточки. Отпечатков пальцев на топоре не было — за ночь вода смыла почти все следы. На нем сохранилось лишь немного крови той же группы, что и у Льдова, из чего можно было заключить, что именно это и есть орудие преступления. Топор опознал преподаватель труда, он сказал, что таких топоров у них больше двадцати и что взять его из школьной столярки мог КТО УГОДНО — она не запиралась, поскольку в ней до самого вечера постоянно кто-то что-то мастерил. На вопрос следователя, нельзя ли составить хотя бы приблизительный список людей, побывавших в тот день в столярке, «трудовик» ответил, что запросто, и через пару минут список был уже готов. В основном это были восьмиклассники, которые вытачивали на станках деревянные мечи, кинжалы и прочую подростковую амуницию, навеянную американскими боевиками или японскими фильмами, пропагандирующими восточное боевое искусство. Конкретно ЭТОТ ТОПОР ничем из прочих не выделялся — не было на нем никаких особых примет. Из всего выходило, что убийца украл топор из столярки, спрятал его в сумке или под одеждой, зашел в кабинет географии, убил Вадима Льдова, после чего топор выбросил в траву под окном и никем не замеченный покинул школу.

Опрос учащихся 9 «Б» показал, что класс был разбит на вполне конкретные группы или просто пары по интересам и даже по уровню жизни. Элите, в которую входили Вадик Льдов, Наташа Голубева, Виктор Кравцов, Оля Драницына, Тамара Перепелкина, Катя Синельникова, Валя Турусова, Лена Тараскина, прислуживали, а значит, и были вхожи в нее (хотя и знали там свое место), Женя Горкин, Макс Олеференко и Жанна Сенина. Остальные пятнадцать учеников «из простых» — ничем особо не выделялись, разве что восемь парней занимались легкой атлетикой, а девочки посещали кто музыкальную, а кто художественную школы.

Почти все учителя-предметники были едины в своем мнении об этом довольно сложном во всех отношениях классе — дети разные, психологический климат в классе тяжелый, и давление элиты, называющей себя «белой костью», ощущалось во всем, начиная с отношения к учебе и к самим учителям и заканчивая открытым стремлением «сильных класса сего» поработить, подмять под себя более слабых. Это относится как к мальчикам, так и девочкам. За последний год в классе случались конфликты, нередко заканчивающиеся драками. И только один мальчик из всего класса ни разу не был ни в чем уличен — ни в драке, ни в откровенных издевательствах над более слабыми — это Вадим Льдов. Он был всегда спокоен, уверен в себе и являлся как в классе, так и во всей, пожалуй, школе, непререкаемым авторитетом. Его уважали даже старшеклассники из десятых и одиннадцатых классов. Но Льдов предпочитал обществу старших свою компанию, которую удерживал благодаря личным качествам и деньгам. Одна из учительниц утверждала, что Вадим снимал квартиру бывшего школьного сторожа Иоффе, где и собирались его одноклассники. Но позже выяснилось, что эту квартиру снимает уборщица тетя Валя, которая (со слов Корнилова), испуганно хлопая глазами, утверждала, что никого в нее не пускала.

От Корнилова Шубин узнал и об ограблении квартиры Горкиных, а точнее, о том, что Женя Горкин сам обобрал родителей, вынеся из квартиры все самое ценное.

Алиби на момент убийства Льдова имелось у всех одноклассников, за исключением Голубевой, Перепелкиной и Горкина.

Всплыли две совершенно одинаковые записки, найденные в мусорном пакете Голубевых; экспертиза этих записок показала, что написаны они были одновременно и одним и тем же человеком — ВОЗМОЖНО, Льдовым (для образца почерка были взяты его школьные тетради, но записки были написаны печатными буквами, поэтому утверждать, что это рука именно Льдова, никто не взялся), а кому они были адресованы — теперь оставалось только догадываться.

Наташа Голубева вечером пятого апреля была в контакте с двумя мужчинами — так показала экспертиза. Кроме того, при вскрытии выяснилось, что у нее была трехмесячная беременность. Быть может, это ее приглашал Вадик Льдов в кабинет географии, но вот была она там или нет и, главное, когда — до его убийства или после? И не с Вадимом ли она вступила в интимную близость в тот самый роковой и последний для него вечер? А если с ним, то с кем еще потом и

Анна Данилова

когда конкретно? Если Наташа была в кабинете географии до убийства, то она могла либо уйти раньше и ничего не узнать о гибели Льдова, либо оказаться случайной свидетельницей убийства, за что убили и ее, проникнув ночью к ней в дом...

Шубин, думая об этом, недоумевал и был потрясен общей атмосферой, царившей в школе и в классе. Элита — это еще понятно, она была всегда и везде. Естественное желание одних выделиться на фоне других. Более слабые вынуждены подчиниться.

И все же — это всего лишь ШКОЛА! Что мог совершить девятиклассник, чтобы заслужить такую страшную смерть? И ведь он не боялся убийцу, он наверняка был с ним знаком, поскольку даже не попытался бороться с ним. Шубин еще и еще раз просчитывал все варианты.

Вадима Льдова могли убить: 1) Из-за денег. 2) Из мести. 3) Желая покарать его за какой-то невероятный поступок. 4) Из-за отца-бизнесмена, который не выполнил обязательства перед кем-то. 5) Из страха перед разоблачением, поскольку Вадим мог быть свидетелем другого преступления...

Перед смертью Вадим пытался скомпрометировать свою классную руководительницу. За что? А что, если это он приезжал в прошлом году на дачу к Ларчиковой? Что их могло связывать? Любовные отношения? Наркотики? Что они не поделили и зачем понадобилось Льдову вместе с Кравцовым так унизить Ларчикову перед всей школой? Был конфликт. На почве чего? Сплошной туман. А теперь еще и убили Ларчикову. Связаны ли эти смерти: Льдова, Голубевой и Ларчиковой?

У Ларчиковой был жених ПЕРМИТИН. Какое отношение ко всему происходящему может иметь он?

Дело Белотеловой. Убиты два агента по недвижимости: Маслова и Павлов. Кровь на зеркалах принадлежит каким-то беременным женщинам, причем — разным. Найденная в квартире одежда сорок второго — сорок четвертого размера до сих пор пахнет коллекционными японскими духами... Прошлое Белотеловой — Петрозаводск. Нужно надеяться, что Юля раскопает там что-нибудь интересное. Зато прошлое ее новой квартиры известно — это бывший хозяин, ПЕРМИТИН.

Получается, что господин Пермитин — единственное звено, связующее эти два дела — Льдова и Белотеловой.

Шубин записал в своем блокноте:

1. Разыскать квартиру бывшего сторожа Иоффе. 2. Навестить: Горкиных, Драницыных, Льдовых, Перепелкиных. 3. Навести справки о Пермитине, узнать, почему он продал за четверть цены свою квартиру и где теперь живет, кто у него умер из родственников в Москве, что он знает о Масловой и Павлове.

Вот пока и все. Успеть бы за сегодня.

Шубин помыл посуду, вытер ее и убрал в шкаф. В квартире было тихо, и он снова попытался представить себе, где же сейчас может быть Земцова. Неужели Крымов говорил о Харыбине правду? «Ха-ры-бин», — он произнес это вслух и подумал о том, что, даже несмотря на неблагозвучность этой фамилии, она все равно звучит более основательно и внушительно, чем фамилия Крымов и даже, чего уж там говорить, Шубин. Но почему? Откуда это самоуничижительное чувство и когда оно в нем зародилось?

Ха-ры-бин. Внешне он производит впечатление самого обычного человека с невыразительным лицом, какие встречаются на каждом шагу. Или нет?

Шубин в прихожей посмотрел на себя в зеркало. Оттянул веки, покрутил головой, открыл рот и показал себе язык. Раньше он никогда не опустился бы до того, чтобы выискивать в себе что-то, что могло бы понравиться женщине. Он некрасив? Ну и что ж с того? Харыбин тоже некрасив, он даже староват для Юли. Но все всегда отзываются о нем даже не столько уважительно, сколько с восхищением. Почему? Что в нем такого особенного?

Шубин имел самое туманное представление, чем

конкретно занимается Харыбин, и слышал о нем преимущественно в маленьких мужских компаниях. И хотя наверняка никто ничего конкретного о нем не знал и лишь догадывался о том, какими громкими делами Харыбин занимался и какие из них раскрыл, знакомством с ним дорожили многие, особенно те, кто хотя бы единожды работал вместе с ним даже на самых последних ролях. И Шубин, думая об этом, снова испытал неприятное и саднящее чувство неудовлетворенности собой и глубокого сожаления от того, что он сейчас, быть может, именно в эту минуту, теряет и без того отдалявшуюся от него с каждым днем Земцову. Эти мысли доставляли ему жгучую боль.

Телефонный звонок привел его в чувство. Звонил Крымов.

— Я беру Пермитина на себя, а ты немедленно поезжай на городскую квартиру этой дачной парочки — Михайловых. Записывай адрес...

* * *

До обеда Юля с Харыбиным гуляла по берегу озера, наслаждаясь волшебым зрелищем розоватых сосен, просвечивающих сквозь вату тумана, и вдыхая хвойный аромат, смешанный с запахом дождя и онежской воды. Она так резко сменила слякотный и полный кровавых трупов мрачный город, в котором жила бесконечными тревогами и недомолвками со своими бывшими любовниками, что теперь, оказавшись в этом тихом и чудесном месте, среди воды и зелени, да еще и в объятиях совершенно нового мужчины, который покорил ее своей пылкостью и решительностью, поняла, что в ее жизни произошло что-то очень важное. Никогда еще рядом с мужчиной она не ощущала себя такой спокойной и умиротворенной. Ей в голову пришла даже мысль о том, а не забеременела ли она — настолько хорошо и в тоже время странно она чувствовала себя физически. Тело ее стало легче, цвет лица изменился, на щеках заиграл здоровый румянец, а глаза смотрели в глаза обнимающего ее мужчины и жадно искали там отражение собственного наслаждения.

Даже разговоры о Соляных или Белотеловой не отравили эту долгую прогулку. Они удивительным образом понимали друг друга, и Юлю не покидало ощущение, что она хорошо знает этого человека, что он всегда был рядом с ней, и дыхание его сливалось с ее дыханием, но только она раньше не замечала этого...

— Я думаю, что Соляных связывало с Ларисой общее дело, крупный бизнес или наркотики, потому что сама видишь, какие здесь деньги... Когда его схватили за одно место в Москве, он позвонил ей и попросил прикрыть его, а она быстренько все продала и дала деру.

— Ты хочешь сказать, что у нее была СВОЯ ДОЛЯ в их общем деле?

— А почему бы и нет? Другой вопрос, откуда она взяла деньги, чтобы вложить в его дело? Думаю, они достались ей по наследству от прежнего любовника, того самого, которого посадили. Сегодня же вечером я это выясню, а ночью вылетим домой. Ты не против?

Он так хорошо произнес это «домой», как если бы у них и на самом деле был свой дом, общий дом, который ждал их.

— А как тебе вообще Соляных? Ты не заметила в нем ничего особенного?

— Заметила.

— Вот и умница. Они... всегда маскируются под нормальных мужчин, но на самом деле презирают женщин, и даже больше — испытывают к ним отвращение или страх... Да-да, не удивляйся. Они помогают друг другу, у них свои семьи, кланы, они для себе подобных сделают все. И особенно много их среди артистов балета, музыкантов, театралов...

— Ты осуждаешь их за то, что они такие?

— Нет, я не могу их осуждать, потому что не имею представления, что ими движет. Но уверен, что это какой-то сдвиг в природе, что однополая любовь — извращение, болезнь. А еще мне думается, что источник этих отношений следует искать в детстве... Чаще всего такими становятся мальчики, которых изнасиловали в раннем возрасте. Это сейчас ИМ раздолье, а в прежние времена, я знаю, многие страдали из-за невозможности найти себе пару. Некоторые из них кончали с собой или сходили с ума. Тебе не холодно?

— Да нет, у Соболева отличный теплый плащ. Не знаю даже, как отблагодарить его за все, что он сделал для меня.

— Я его уже отблагодарил.

— Как?

— Позвонил его начальнику и сказал пару веских слов.

— Когда ты успел?

— Пока вы беседовали с господином Соляных... Ну что, — Дмитрий посмотрел на часы, — кажется, нас уже ждут к обеду.

Они вернулись в гостиницу, где их встретил хозяин. На нем уже не было той странной одежды, которой он пытался шокировать гостей. Джинсы, свитер и сигарета в зубах — теперь он старался быть похожим на ничем не примечательного мужчину, не отягощенного раздвоением личности.

— Николай, вы так резко изменили свой внешний облик, что нам, очевидно, следует ожидать примерно таких же изменений и во всем остальном, — предположила Юля.

— В смысле? — настороженно спросил Соляных.

— Юля хочет сказать, — ответил за нее Харыбин, — что теперь, вместо ожидаемых ею куропаток, форели и трюфелей, вы предложите нам на обед варенные вкрутую яйца и, в лучшем случае, редиску.

— А вы шутники, господа сыщики-фээсбэшники. — Соляных решил напоследок продемонстрировать свою осведомленность. — Прошу к столу.

За обедом Юля еще несколько раз упомянула фамилию Белотеловой, в первый раз спросив, как бы между прочим, какой размер одежды она носила, живя в Петрозаводске, и было ли у нее зеленое итальянское платье (на что Соляных ответил довольно четко: сорок шестой, а что касается платьев, то их было столько, что не запомнил бы ни один компьютер), а в другой — не была ли Лариса беременна.

— Беременна? Нет, она не способна на подобный подвиг, скорее она сделает беременным мужчину и вынудит его родить, чем согласится сама стать матерью. Кроме того, я просто уверен, что она бесплодна, потому что не раз слышал, как Лариса в подробностях рассказывала о радикальных способах предохранения... Думаю, что себе она сделала одну из этих операций... Но почему вы меня об этом спрашиваете? И вообще, скажите честно, она не мертва? Мне это пришло в голову буквально час тому назад, и я теперь себе места не нахожу.

— Нет, она жива и здорова, хотя на нее было совершено покушение. Понимаете, Николай, после всего, что вы мне рассказали о ваших отношениях с Ларисой, вы — единственный подозреваемый...

— Я? Но почему?

— Да потому что у вас была причина отомстить Ларисе за ее предательство, и это после того, как вы столько сделали для нее... — Юля старательно расправлялась с огромным куском запеченной бараньей ноги и старалась не смотреть в глаза сидящему напротив нее Соляных. — У вас, Коля, есть еще примерно полчаса, чтобы рассказать нам с Дмитрием, который занимается уже официальным расследованием этого дела, откуда Лариса взяла деньги...

— Какие деньги? — жестко спросил Николай. — О каких деньгах идет речь?

— О тех, которые она отдала вам, чтобы войти в долю! — ответил за Юлю Харыбин.

— А это вы у нее спросите... Я не просил Ларису отдавать мне деньги, более того, я понимал, чем все это может кончиться... Когда у мужчины и женщины, живущих в страсти, возникает денежная проблема, причем не важно, от отсутствия ли денег или от их большого количества, отношения, как правило, ухудшаются и в конечном счете сводятся на нет.

— Бросьте, Соляных, Белотелова никогда не интересовала вас как женщина. У нее были другие мужчины, но деньги свои, причем немалые, она отдала почему-то именно вам, — невозмутимо продолжил Дмитрий.

— Должно быть, она доверяла вам, — добавила Юля. — И вы довольно долгое время не подводили ее, наращивая капитал и расширяя свой бизнес, пока не случилось то, что случилось... Вы отправились в Москву, чтобы уладить свои дела и отношения с вышестоящей организацией, скажем так... И когда вы оказались на грани возможного банкротства, вы в первую очередь позвонили Ларисе и попросили ее продать свои акции и недвижимость, чтобы спасти вас, ведь так? Но она, почувствовав всю опасность своего щекотливого положения в качестве вашего делового партнера, продала все и уехала, попросту говоря, «кинула» вас... Вы сами выкрутились, каким-то образом уладили свои дела в столице и вернулись домой. Представляю, какой шок вы испытали, когда поняли, что она предала вас. Вот и скажите нам, пожалуйста, это ли не повод для того, чтобы отомстить Белотеловой?

— У вас нет никаких доказательств, это во-первых. А во-вторых, если она и вкладывала какие-то деньги в мое дело, то ее доля в нем настолько ничтожна, что об этом даже не стоит и говорить. И уж тем более, какой мне смысл теперь убивать ее, когда у меня появилась возможность пожить спокойной жизнью БЕЗ НЕЕ... Вы ничего не знаете об этой женщине. Она не такая простая и безобидная, какой старается казаться.

— Кто был ее настоящим любовником?

— Да у нее их было более чем достаточно... Но называть их фамилии я не собираюсь. Мне это ни к чему. Могу лишь сказать, что все эти мужчины были нищими и жили за ее счет, а если уж говорить точнее, то ЗА МОЙ СЧЕТ, ведь это я работал и отдавал ей причитающиеся проценты.

— Я понимаю, — сказала Юля, — что вас с Белотеловой связывало нечто большее, чем общее дело, и отношения между таким человеком, как вы, и такой женщиной, как она, — существами полярными и не имеющими ничего общего в области секса, уж будем до конца откровенными, — могли основываться еще и на страхе... Но шантаж — дело интимное, а потому не буду вас больше пытать. Спасибо за гостеприимство, у вас действительно замечательная гостиница, обслуживание, и, конечно, вам повезло с поваром... А нам пора.

— Я распоряжусь насчет машины, — глухо произнес Соляных, даже не делая попытки задержать дорогих гостей. — Надеюсь, что вам у меня понравилось...

Он тоже старался на смотреть им в глаза. Быть может, поэтому так поспешно поднялся из-за стола и почти выбежал из столовой...

— По-моему, мы его сильно припугнули, — сказал Харыбин уже в городской гостинице, поздно вечером, куда они приехали уставшие, хотя и вполне довольные поездкой. Весь путь в машине с водителем Соляных они не могли проронить ни слова — поэтому все мысли, впечатления и предположения копили до возвращения в номер. — Ты, Юлечка, так и быть, полезай в ванну первая, а я позвоню насчет предыдущего любовника Белотеловой. Уверен, что мне помогут. Когда ты вернешься сюда, чистенькая и разомлевшая от горячей воды, тебя уже будет ждать куча новостей и небольшой ужин. Ты как, согласна?

Лежа в ванне, Юля прождала Харыбина почти сорок минут, уверенная в том, что этот мужчина-зверь своего не упустит и непременно воспользуется ее доступностью в заполненной паром уютной ванной, но просчиталась. Закутанная в большое гостиничное махровое полотенце, она вышла из ванной и, осмотрев все вокруг, поняла, что она в номере одна. Возле окна на ковре стояла корзина с розами, а на журнальном столике лежала записка, на которой крупным размашистым почерком было выведено:

«Юлечка, ешь торт, он в холодильнике, и жди меня в 22.00 — мы вылетаем домой в 23.00. Твой Харыбин».

* * *

На квартире Иоффе собрались Тамара Перепелкина, Катя Синельникова, Лена Тараскина, Жанна Сенина и Максим Олеференко. Чуть позже к ним присоединилась Валя Турусова.

— Я пришла, чтобы сказать, что больше я сюда ни ногой, — чуть ли не с порога заявила Валя, усаживаясь за стол, где на этот раз вместо пива, чипсов и прочей привычной закуски и выпивки стояла большая круглая пепельница, в которую все сидящие за столом поочередно стряхивали пепел с сигарет. — И где же ваш мозговой центр? Где господин Кравцов собственной персоной? Пошел в церковь заказывать обедню? Чего вы все молчите? Я просто уверена теперь, что все ЭТО — дело рук интернатовских... Они мстят за свою девчонку. Вы же ничего еще не знаете...

— О чем? — Тамара выглядела уставшей и заплаканной. — О Ларчиковой? О Татьяне Николаевне? Девчонки, что же это такое происходит?

— Шизуха косит наши ряды, — хихикнула Сенина, и Тараскина тут же обозвала ее дурой.

— Сама такая, — хмыкнула Жанна и затянулась. — Ну не шизуха, так смерть. Может, это у меня нервное... Смех же бывает нервным?

— Бывает, — со вздохом защитила ее Перепелкина. — Ларчикову убили на собственной даче. Но кто? Ей почти отрезали голову, а Вадиму — прорубили. Это каким садистом надо быть, чтобы так поступить!

— Ты хочешь сказать, что это дело рук одного человека? — спросила тихая в этот вечер Катя Синельникова. Она пришла сюда лишь из-за Кравцова, а теперь, когда его не было, с опаской посматривала на Олеференко, который не сводил с нее похотливого взгляда.

— А почему бы и нет?

— Гадать можно до бесконечности, — заговорила Валя, — но я пришла сюда знаете для чего?

— Ты сама только что сказала, что ноги твоей больше здесь не будет, — фыркнула Сенина.

— Да заткнешься ты или нет?! Кравцову на завтра назначена «стрелка», в семь, за «Ботаникой».

— Интернат? — спросила Тамара, которая уже сто раз успела пожалеть о том, что, выпив лишнего, решила после дискотеки устроить «разборку» с ни в чем не повинной Маринкой. Они потом встретили ее в посадках, куда она пришла по записке Льдова. Конечно, разве интернатовские парни оставят это просто так? А это означает, что теперь им, Тамаре и ее друзьям, придется нести ответ за все унижения, которым они подвергли Марину. И хотя до изнасилования дело не дошло, парни ее раздели, лапали, а Льдов так и вообще заставил ее...

— Конечно, интернат. Я, если честно, была сегодня у Кравцова. Он заболел, у него ангина, но он все равно пойдет. Я предложила ему обратиться за помощью к отцу Льдова, чтобы тот прислал на «стрелку» своих «глухарей», но Витя отказался.

Валя знала, что делает, — когда-нибудь Кравцов оценит ее желание представить его поведение в лучшем свете, оценит ее преданность, хотя никакой преданностью это не было, скорее она просто набирала лишние очки для своего дальнейшего, более спокойного и комфортного существования как в классе вообще, так и в группировке Кравцова в частности. Хотя лидером она все же считала себя.

— Ну и зря отказался, — оживилась Катя Синельникова. — Они же его изобьют... девочки, что же делать? Может, нам самим сходить к Льдовым и поговорить с отцом Вадика?

Валя молчала, хотя ее так и распирало сказать всем собравшимся о том, что они все — круглые идиоты, что она ненавидит и презирает их за их ни на чем не основанную самоуверенность и неистребимое желание при случае подставить ближнего. Кроме того, ее раздражали эти глупые, но опасные оргии, устраиваемые скорее для таких скотов, как Горкин, Олеференко и Сенина, чем для других, той же самой Перепелкиной, которая выглядит как настоящая женщина и вполне может устроить свою личную жизнь уже сейчас, учась в школе... Что же касается Оли Драницыной, то здесь Валя была крайне необъективна — она восхищалась ею, что бы та ни делала. Найти объяснение этой своей позиции всепрощения Валя так и не смогла. Быть может, причину стоило искать во внешности Оли, в ее полудетской улыбке и в то же время той естественности и покладистости, с которыми она отдавалась парням на глазах у всех. Она если и краснела, лежа в объятиях Горкина, то не от стыда, а просто от позы, во время которой кровь приливала к голове. Трудно было сказать, равнодушна ли она к сексу или нет, но особой страсти к этим частым занятиям она не проявляла. Отвращения — тоже. Казалось, ею двигал инстинкт, не более. Хотя — и это было известно немногим — Оля встречалась и со взрослыми мужчинами и брала с них деньги за близость.

— Если Витя сказал, что не хочет обращаться к Льдову, значит, и не будем. В крайнем случае тебе, Тамара, следует разыскать эту девчонку в интернате и извиниться. Причем успеть это сделать до завтрашнего вечера.

— Что?! — Тамара дернула рукой, и серый столбик пепла от сигареты рассыпался. — Что ты такое говоришь, Валя! Ты можешь себе представить, чтобы я пришла в интернат, разыскала эту малохольную и встала перед ней на колени? Ты за кого меня принимаешь?

— Зачем же на колени? Просто подойдешь и извинишься, объяснишь наконец, что ты выпила лишнего, что очень сожалеешь, сошлись еще на сплошные похороны, можешь даже расплакаться...

— Да ты издеваешься надо мной?

Жанна Сенина, считая своим долгом защитить Тамару, произнесла в адрес Турусовой длинное, смачное и хлесткое ругательство. Назревала ссора, и Жанна была уже готова вцепиться Вале в волосы. Она всегда сначала хватала соперницу за волосы, притягивала к себе цепкими руками, а потом, освободив правую, била костяшками внешней стороны кисти прямо по лицу, стараясь не забыть про нос и губы.

— Девочки, прекратите, — вмешалась, испугавшись скандала и возможной драки, Катя. — Валя дело говорит. Вы что, не понимаете, что теперь, когда Льдова нет, а Кравцов... отлеживается у себя дома в теплой постельке, притворяясь, что у него ангина...

Казалось, что этот голос принадлежит не ей, что кто-то внутри ее, измученный любовью к несуществующему идолу, идеалу в мужском обличье, решив враз избавиться от этого всепожирающего, словно огонь, чувства, наконец заговорил:

— ... нас всех могут затащить в посадки и сделать с нами то же самое, что наши парни сделали с Мариной. И откуда вы знаете, изнасиловали они ее или нет? Они же были обкуренные... Максим, говори, было что-нибудь у вас там, в посадках, или нет?

— Да я помню, что ли?.. — пробасил, пожав плечами, Олеференко.

— Никто из них ничего не помнит... — продолжала невозмутимым голосом Валя. — Скажи, Максим, мы давно хотели тебя спросить, это ты насвистел Ларчиковой о том, что в тот вечер будет происходить в посадках? И почему ты тогда сбежал? Куда ты делся, отвечай?

— Да не стану я никому ничего объяснять. — Олеференко встал и махнул рукой: — Что, мне больше делать нечего, как трепаться с вами? Пойду-ка я лучше домой, тем более что Горкина нет, Кравцова тоже, а вас сегодня слишком много...

Он произнес несколько грубых слов в адрес девчонок, послал их куда подальше и вышел из квартиры, громко хлопнув дверью.

— Я не стану ни перед кем извиняться. Уж лучше я сама приду на «стрелку»... Жанна, ты придешь?

— Приду, конечно, — с готовностью ответила та,

гордо вскинув маленькую, с аккуратной стрижкой, голову. — А вы?

— На меня не рассчитывай, — заявила вконец разбушевавшаяся Турусова. Она раскраснелась, по вискам ее струился пот, от которого вьющиеся пряди волос потемнели и облепили лоб. — Ты, значит, будешь по пьянке устраивать разбирательства, а я в «Ботанике» стану защищать тебя грудью от интернатовских собак? У тебя для этого есть твой личный телохранитель, боец Сенина. Флаг вам, девочки, в руки!

Жанна Сенина, раздувая ноздри, уже готова была наброситься на обидчицу, как вдруг Катя Синельникова побледнела и, вскочив со своего места, пронзительно закричала — тонко, сильно и страшно... Зажав уши, она визжала, зажмурив глаза и топая ногами, мотая при этом головой, и звук ее голоса был настолько громким, высоким и нестерпимым, что Валя, быстро оценив ситуацию и понимая, ЧТО вслед за этим криком может последовать, дала Кате пощечину. Сухую, короткую, которая сразу же привела ее в чувство.

— Прекрати истерику!

Еще одна пощечина:

— Возьми себя в руки! Что с тобой? Сейчас соседи вызовут милицию, и нас всех заберут. Начнут выяснять... На кухне целая батарея пустых бутылок, в мусорном ведре «бычки» и использованные «косяки»... Чего кричишь, тебя что, режут?

Катя стояла и раскачивалась, как тонкое надломленное деревце на ветру. Она плохо соображала и, судя по всему, продолжала находиться в шоковом состоянии. Истерика, как результат потрясений от последних событий, была приостановлена. Но надолго ли?

— Девочки, — раздался чуть слышный голос Лены Тараскиной, которая курила больше всех и все это время молчала: — А вы не видели Драницыну? Я звонила ей домой, мне сказали, что она как ушла утром в школу, так больше и не приходила.

— Она уехала с каким-то типом на машине. Нацепила на нос огромные очки от солнца и думала, что я ее не узнаю, а я вот узнала... — сказала Валя. — Что это за мужик? — Она повернулась к Лене: — Ты его знаешь?

— Нет, я никого из ее знакомых не знаю. Да и с какой стати она будет меня с ними знакомить? А какая машина, ты запомнила?

— Вроде белая «шестерка»... Я видела их здесь, неподалеку, около «Лазури»...

— А это правда, что ваша обожаемая Олечка... со всеми подряд за деньги? — Жанна произнесла ключевое слово матом. — Интересно, сколько она берет за час?

* * *

Крымов до сих пор находился в недоумении: Пермитин, оказывается, был женихом Ларчиковой? А ведь он успел приревновать Таню к нему, даже не видя его, а лишь услышав от соседей его имя.

Примчавшись на электричке на дачу, чтобы взглянуть на труп своей молодой невесты, Пермитин вел себя довольно естественно: тихо плакал и в основном молчал, вытирая слезы и озираясь по сторонам так, как если бы он был здесь в первый раз или пытался ПРОСНУТЬСЯ... Такое иногда бывает с людьми, когда на них обрушивается горе — им кажется, что все это кошмарный сон, который оборвется, стоит только проснуться.

Корнилов со свойственным ему бесстрастным выражением лица задавал Пермитину какие-то вопросы, казалось бы, не имеющие отношения к убийству. «На чем вы сюда добрались?» — «На электричке». — «Откуда вы узнали о смерти вашей невесты?» — «Мне сказала соседка, ее дочь учится в классе, где Таня была классной руководительницей». — «А откуда ей стало известно об убийстве?» — «От подруги дочери». — «Сколько длилось ваше знакомство с Татьяной Николаевной?» — «Почти два года». — «Ей никто в последнее время не угрожал? Вы никого не подозреваете?» —

«Нет. Разве что ее учеников, которые устроили этот дурацкий розыгрыш...» — «А как вы отнеслись к тому, что вашу невесту сфотографировали в обществе голого парнишки? Вы не пытались выяснить с ними отношения, подать в суд или что-нибудь в этом духе?» — «Я внушил Тане, что это просто детская шалость и надо отнестись к ней соответственно, то есть не устраивать ажиотажа, не поднимать шума...» — «У Татьяны Николаевны не было другого мужчины?» — «Уверен, что нет...»

Когда он ответил так, Крымов почувствовал, что ему становится трудно дышать. «Конечно, у Ларчиковой никого не было, кроме тебя, старого хрыча, — подумал он со злостью, потому что этот молодящийся и холеный Пермитин, похожий на артиста, раздражал его уже тем, что вообще имел какое-то отношение к этой прелестной молоденькой женщине — Тане Ларчиковой. — И что она нашла в этом старом, но хорошо отреставрированном диване?»

Крымов жалел, что не успел расспросить ее о Пермитине, даже не подумал о том, как вообще можно было выйти на разговор о нем, а ведь именно Пермитин был бывшим хозяином квартиры на улице Некрасова, и это именно он продал ее за четверть цены. Мало того, Крымов мог бы, будь он поумнее, спросить Ларчикову, не знакома ли она с Ларисой Белотеловой... Больше всего Крымова интересовала причина, заставившая Пермитина так дешево продать квартиру. И куда он дел деньги, вырученные от этой продажи, тем более что даже эта сумма была довольно велика. Не эти ли деньги заставили Ларчикову собраться замуж за Пермитина? И не она ли заставила его продать квартиру как можно скорее? Нет, это, пожалуй, смешно. Такие, как Ларчикова, своего не упустят. Она, НАОБОРОТ, подождала бы с полгода, пока Пермитин продаст эту квартиру ПОДОРОЖЕ. Это было бы куда естественнее.

Крымов не был уверен, что Пермитин дома. Но не в морге же ему находиться, где сейчас, быть может, уже вскрывают труп Ларчиковой?! И кто вскрывает? Тришкин! Какая досада — с ним можно договариваться только за деньги, а это лишняя головная боль. И что это за странная история с Чайкиным, с покушением, с трупом агента Павлова, которого увезли на машине «Скорой помощи»... Как много вопросов, и как тесно примыкают они друг к другу, если рассматривать их с точки зрения всех последних совершенных в городе убийств или смертей: Вадим Льдов, Наташа Голубева, Дина Маслова, Саша Павлов, Татьяна Ларчикова...

Он подъехал к дому, в котором жил Пермитин, и вдруг увидел его самого, довольно быстро идущего по тротуару. Лицо Пермитина было почти белым, а глаза — немигающими и широко раскрытыми, словно у незрячего. Крымов не удивился бы, если бы Пермитин пролетел мимо своего дома, а потом и вовсе поднялся и растворился в сером прозрачном воздухе — настолько быстры были его шаги и стремительна походка.

— Михаил Яковлевич!

Пермитин остановился, по инерции чуть подавшись вперед, и, тяжело дыша, стал медленно поворачивать голову, чтобы понять, действительно ли его кто-то окликнул, или же ему померещилось. Но, увидев Крымова, как будто даже обрадовался.

Крымов уже вышел из машины и направлялся к нему.

— Вы были там... Я знал, что на этом не закончится... — бормотал, нервно и горько улыбаясь, Пермитин. По лицу его катился пот, а от всего Пермитина пахло сыростью и кислым хлебом — странный, неприятный, какой-то физиологический запах. Быть может, так пахнет СТРАХ или БОЛЬ?

— К сожалению, Михаил Яковлевич, все еще только начинается. Вы из морга? — Крымов сам видел, как Пермитин садился в машину «Скорой помощи», которая увозила с дачи труп Ларчиковой.

— Я?.. Да... Но я не мог присутствовать на вскрытии, это выше моих сил... Да и зачем, к чему проводить вскрытие, если и так видно, что ей, девочке моей, перерезали горло. Ну не от ангины же она умерла... — И он глухо, чуть слышно зарыдал, лицо его стало вдруг некрасивым, он словно гримасничал, нарочно широко растягивая мокрый от слез рот и закрывая глаза...

— Понимаю вас, но вы, наверное, удивитесь, если узнаете, что я приехал к вам совсем по другому делу.

— По другому? Пожалуйста, прошу ко мне...

Они поднимались по лестнице, и Крымов вспоминал свой первый визит сюда, его отчаянное желание во что бы то ни стало узнать имя любовника Ларчиковой. Он, кажется, даже отдал какой-то женщине, соседке Пермитина, пятьдесят рублей, заявив, что он с биржи.

— Где вы работаете? — спросил Крымов, когда Пермитин пригласил его в гостиную и предложил сесть в кресло.

Он не мог не задать этого вопроса, потому что в квартире было много красивых дорогих вещей, новая мебель стоила немалых денег. Причем бросалось в глаза и то, что старое и даже старинное соседствовало с современным, стильным, словно в квартире было два хозяина, с разными взглядами на жизнь и с разными вкусами.

— Теперь уже нигде. Я пенсионер. Вас удивляет, что пенсионер может так комфортно жить? Вы пришли ко мне по этому поводу? Разве это комфорт? Это так, что называется — ОСТАТКИ ПРЕЖНЕЙ РОСКОШИ. Раньше у меня была шикарная квартира на Некрасова, забитая дорогой мебелью, счет в банке... А теперь я практически нищий. Это хорошо, что я успел продать ту квартиру и перебраться сюда до кризиса... Вы же понимаете, что такую женщину, как Танечка, надо было холить и лелеять, а для этого мне нужны были деньги. А где их было взять? Вот я и принял тогда решение продать квартиру, вырученные деньги обратить в доллары и жить себе спокойно и счастливо с молодой женой...

— Ну и как, получилось у вас... с квартирой и долларами?

— Да что вы говорите! Я страшно влип, по самые, что называется, уши! Я продал свою квартиру за бесценок. И знаете, кто меня к этому подтолкнул?

— Ларчикова?

— Да бог с вами! Агент! Агент по недвижимости, прохиндей по имени Саша. Это он уговорил меня продать квартиру за четверть ее настоящей цены, потому что появился покупатель... В чем-то он, безусловно, был прав, потому что даже те деньги, которые я получил от продажи и превратил в доллары, сейчас перекрывают ДВЕ СТОИМОСТИ КВАРТИРЫ... Но я понимаю это лишь сейчас, а тогда я чуть не убил его...

— А может, и убили?

Пермитин усмехнулся:

— Как же... убил.. Он скачет, как молодой козленок, и продолжает делать деньги.

— Вы видели его недавно?

— Да вчера и видел... Он еще спросил меня: ну как, мол, Михаил Яковлевич, доллар растет в цене? И смеется, змееныш...

— Я так ничего и не понял. Как вы, пожилой человек, могли продать квартиру за такую маленькую сумму, если кризис был в августе, а сделка совершилась спустя полгода? Доллар уже взлетел довольно высоко...

— Ну и что? Доллар взлетел, но цены-то на квартиры УПАЛИ. Это мы банку кофе берем в магазине втридорога — ровно в три раза подскочили цены на продукты. А на квартиры — упали. Они продаются за доллары, по курсу, но значительно дешевле, чем раньше.

Крымов не мог сказать ему: брось, мол, темнить, Пермитин, кому ты пытаешься внушить всю эту чушь про выгоду, когда налицо полная абсурдность сделки. И хотя многое из того, что Крымов сейчас услышал, было чистой правдой, все равно не настолько повлиял на цены августовский кризис девяносто восьмого года, чтобы такой человек, как Пермитин, добровольно позволил себя обмануть какому-то там Саше-агенту.

Анна Данилова

Не мог Крымов говорить с ним резко по многим причинам. Во-первых, тем самым он бы положил конец разговору, который с каждой минутой становился все интереснее, а во-вторых, его сейчас заинтересовала пермитинская фраза о том, что тот видел Сашу-агента ВЧЕРА! Интересно, как же он мог видеть его вчера, если труп Павлова уже больше месяца пролежал в холодильной камере морга?

Они поговорили еще немного о курсе доллара, о ценах на квартиры в центре города, сравнив их с жильем на окраине, после чего Пермитин достал из бара бутылку коньяку, рюмки, сходил на кухню и принес оттуда лимон, яблоки и сыр.

— Давайте помянем Танечку. — Голос старого ловеласа дрогнул. — Не верится, что она больше никогда не войдет в эту комнату, что я никогда не услышу ее голоса... Господи, да что же это за школа такая? Вы наверняка слышали, что там убийство следует за убийством... Ученика Таниного убили, говорят, раскроили топором череп, да еще прямо в классе... Жуть! И девочка какая-то отравилась в тот же день. Я думаю, что все это как-то связано со смертью Тани. Какой-нибудь маньяк орудует. Знаете, как бывает, западет человеку в голову мысль, что весь класс надо истребить, может, у кого-нибудь из родителей засела в сердце обида на классную руководительницу или еще на кого... Крыша поехала, вот он, этот ненормальный, и начал с парня.

— А что, интересная мысль, — заметил Крымов и положил в рот ломтик лимона в сахаре. — Мне это даже в голову не приходило. Скажите, а Татьяна Николаевна вам ничего не рассказывала о Вадике Льдове? Он не приезжал к ней на дачу?

— На дачу? Не знаю, у нее на даче всегда бывало много гостей, она и учеников своих приглашала, возможно, что среди них был и Льдов... Это тот самый, которого... — Пермитин разрубил воздух ладонью.

— Да, он. И он же вместе с Кравцовым фотографировал ее. Согласитесь, идиотская выходка.

— Да обычная шалость подростков. Будь Танечка постарше, вряд ли они захотели бы сыграть с ней такую шутку. В том-то и дело, что она была слишком молода, красива и без комплексов, понимаете, она допустила в своих отношениях с классом слишком много панибратства, и они, эти резвые ребятки, просто-напросто сели к ней на шею и свесили ножки... Я предупреждал ее, чтобы она уделяла им поменьше внимания, потому что добром это не кончится, но она меня не слушала. Затеяла поездку в Москву с классом, выбила довольно дешевые путевки не то через профсоюз, не то по социальной линии... И они поехали — назло директрисе, которая не верила в эту затею и всячески препятствовала им в этом.

— А почему препятствовала?

— Да потому что она терпеть не могла Таню, ее раздражала Танина детская непосредственность, открытость, смелость, наконец. Таня была необыкновенным человеком, ей все было интересно и до всего было дело. Она считала, что жизнь дается человеку для радости, вот она и радовалась как могла...

— Извините, Михаил Яковлевич, что я перебиваю вас, но мне все же интересно, а почему она до сих пор не вышла замуж, ведь она, как вы сами заметили, была очень молода и красива, так почему же она выбрала...

—... меня? Ха-ха-ха! Да потому что, милый человек, плюс ко всем своим достоинствам, Танечка была умной девочкой и понимала, что счастье невозможно без денег. Вы, наверное, удивитесь, если узнаете, что она говорила мне это открытым текстом. Она знала, что, кроме плотской любви и прочей чепухи, сопровождающей брак двух МОЛОДЫХ людей, есть еще риск остаться нищей или... брошенной. Молодые мужчины, как правило, изменяют своим женам. А я бы ей не изменял. Я бы дорожил ее обществом и наслаждался ее присутствием, как если бы пил дорогое старое вино по капельке в день... Что мы с ней и делали... Я, может, и показался вам старым, но в постели дам фору даже вам, молодому и сильному! И она это знала, поэтому, как мне кажется, наш брак был бы удачлив во всех отношениях.

— А что бы вы сделали, если бы узнали, что у Тани был другой мужчина?

— Абсолютно ничего. Разве что передумал жениться. Возможно, мы остались бы просто друзьями, а может, и любовниками... Но я бы не захотел жениться на женщине, которая будет мне наставлять рога.

Крымов извинился и спросил, где туалет. Пермитин проводил его до двери.

Он ушел, а Крымов, которому пришла в голову мысль осмотреть мусорное ведро, оставшись один в туалете, понял, что ведра там нет. Он дождался, пока шаги хозяина стихнут, едва тот дойдет до гостиной, потихоньку вышел из туалета, пересек прихожую и зашел в кухню. Увидел ведро, в котором на самом дне лежало немного апельсиновой кожуры, колбасные обрезки и какие-то бумаги, быстро достал из кармана целлофановый пакет и, превозмогая отвращение, переложил туда весь мусор. Сунул пакет в карман, затем вернулся в туалет, нажал на кнопку смыва. В ванной комнате долго мыл руки с мылом и только после этого возвратился в гостиную к Пермитину.

— Значит, говорите, что видели Сашу-агента вчера? Ну и как он выглядел?

Глава 13

Михайловы жили неподалеку от аэропорта, в старой кирпичной пятиэтажке, на четвертом этаже.

Шубин вышел из машины и прислушался. Он стоял во дворе, заросшем старыми гигантскими тополями и густыми кустами акации. «Удивительно тихое место», — подумал Шубин, который представлял себе район аэропорта как самое шумное место во всем городе. Но самолеты, как бы им ни было положено, почему-то не гудели. И дело, наверное, было не в нелетной погоде, не в том, что над головой собирались тучи, грозя разразиться дождем, а в том, что отменили почти все рейсы — цены на авиабилеты стали недоступны простому смертному, и аэропорт теперь находился в состоянии глубокого анабиоза.

Игорь поднялся и позвонил. Тишина. А ведь они должны быть дома, они так спешили покинуть дачу, у них уже были собраны все вещи, когда на участок Ларчиковой нагрянула милиция. В таком случае где же они?

Шубин звонил еще минут пять, пока не понял, что квартира пуста.

Он позвонил Крымову, который как раз выходил от Пермитина. Они договорились встретиться у аэропорта, и Крымов подъехал к назначенному месту.

— Как тихо, — это было первое, что он сказал, выйдя из машины. — Ну что, может, подберем ключики?

Он имел в виду, что было бы неплохо вскрыть квартиру Михайловых, чтобы убедиться в том, что с ними ничего не случилось.

— Знаешь, мне кажется, что они что-то видели. В их показаниях столько несуразности и раздражения... У этой дамочки глазки такие хитрющие и все бегают, бегают... А муженьку явно было стыдно за нее. Но это мое субъективное мнение, — продолжил Крымов.

Они вышли из машин и теперь стояли на смотровой площадке перед центральным входом в здание аэровокзала и с наслаждением курили, любуясь раскинувшимся под ногами тонущим в сизой клубящейся мгле городом.

— Мусорная яма, — вдруг сказал Шубин. — Это только внешне кажется, что городской пейзаж... зеленые аллеи, белоснежные дома... А на самом деле город кишит тварями, от которых кровь стынет в жилах... У меня перед глазами до сих пор эта несчастная учительница. Жила она себе и жила, покупала у соседей редиску и никого не трогала. Нет, надо было ее убить, такую жизнелюбивую, молодую и красивую... Кому она встала поперек дороги? Может, знала что? Как же мало чистоты вокруг, везде одна грязь... Мусорная яма, а не город...

— Слушай, Шубин, откуда в тебе столько сентиментальности? Ты прямо как Земцова... А насчет мусора, это хорошо, что ты мне напомнил. Только не смейся надо мной, пожалуйста. Просто Корнилов рассказал мне одну историю про Голубеву, которая не успела выбросить мусор, а там находились две записки, написанные Льдовым... Вот я и подумал: а что, если и у Пермитина в мусорном ведре лежит что-нибудь важное?..

Крымов вздохнул, достал из кармана джинсовой куртки пакет с мусором и, присев на корточки, вытряхнул содержимое прямо на бетонные плитки смотровой площадки.

— Убирать тебе, предупреждаю, я уже и так нахожусь в предтошнотном состоянии...

Шубин, сорвав веточку с дерева, росшего в двух метрах от площадки, принялся ворошить ею добычу Крымова. Апельсиновые корки, шкурка от колбасы, грязный ватный тампон, три разноцветных использованных презерватива, крышка от баночки с майонезом, несколько куриных косточек, свитые в золотистое кольцо длинные женские волосы и клочки исписанной бумаги.

— Записка или письмо. — Крымов, забыв о брезгливости, начал складывать, как мозаику, обрывки записки. — Шубин, я, конечно, еще ни в чем не уверен, но должно же нам повезти хотя бы на этот раз, а? Мы уже столько времени торчим на одном месте, следствие по обоим делам не продвинулось ни на шаг... Игорь, чего ты молчишь, читай вслух, а я послушаю...

Он не скрывал своей радости. Это было коротенькое письмо, адресованное Пермитину.

«Миша! Я так верила тебе, а ты, оказывается, такая же скотина, как все остальные мужики, а возможно, и хуже. Мало того что ты водишь к себе домой малолеток, ты привозишь их ко мне на дачу, и это после того, как я согласилась выйти за тебя замуж. Когда ты будешь читать эти строчки, меня в городе уже не будет. Я не хочу, чтобы мое имя трепали в газетах или чтобы меня таскали по судам в качестве свидетельницы. Ты за все ответишь, и ты знаешь, ЧТО и КОГО я имею в виду. Доллары, которые ты прятал в фотоальбоме, я забрала, тебе они все равно уже не понадобятся. А что касается остальных денег, то ты сам знаешь, кому их задолжал. Жаль, что я не увижу...»

— Я уверен, что это Ларчикова... Какая жалость, что нет окончания письма. — Крымов чуть ли не с умилением смотрел на подмокшие и дурно пахнувшие клочки бумаги, словно это было адресованное ему любовное послание. — Шубин, что ты все молчишь? Скажи, что я гений.

— Безусловно, ты — гений. И похоже, что это письмо действительно написала Ларчикова. В любом случае надо будет отправить его на экспертизу — пусть прояснят с почерком.

— Слушай, Игорек, у меня в багажнике бутылка с водой, полей мне на руки...

Пока Крымов мыл руки, Шубин рассуждал, где бы могли сейчас быть Михайловы.

— Да где угодно, странный ты человек. Они — пенсионеры, а стало быть, свободный народ.

— А если они свободный народ, то почему же тогда так рвались с дачи? Собрались, можно сказать, на ночь глядя в город. И это при том, что они живут на даче почти постоянно.

— У них дела могут быть в городе, это во-первых, а во-вторых, тебе разве не приходило в голову, что они просто испугались? Элементарно ИСПУГАЛИСЬ?! Кому понравится находиться по соседству с трупом?

— Но его же увезли...

— Ну и что... Игорь, мы попусту тратим время. Михайловых сейчас нет, значит, они появятся дома к вечеру. Я понимаю, на что ты намекаешь: свидетели... Посмотрим, что они скажут нам сегодня, а вдруг признаются, что видели убийцу? Слушай, Игорек, у меня к тебе вопрос на наблюдательность. Помнишь, я тебе показывал фотографии Ларчиковой, сделанные Льдовым и Кравцовым?

— Помню.

— Ты ничего особенного не заметил?

— Нет.

— А ты посмотри еще раз... — Крымов сел в машину и достал из бардачка папку с докуметами, среди которых лежала и пачка фотографий, отданных ему Ларчиковой. — Ну что?

— Ты имеешь в виду задний план?.. Что какие-то снимки, вот эти, к примеру, сделаны в кабинете литературы — я вижу толстовскую бороду, — а эти как будто бы в другом месте? Но это, может быть, все тот же кабинет литературы... Или нет, стой... — Шубин закрыл глаза. Он долго сидел, мучительно вспоминая, где же он мог видеть этот натюрморт с ромашками, пока не хлопнул себя по лбу. — Крымов! Я вспомнил! Сейчас и ты вспомнишь... Сосредоточься! Итак. Дача Ларчиковой. Забор — сетка «рабица», она отгораживает дачу Ларчиковой от дачи Михайловых. В саду Михайловых, у самых ворот, стоит машина...

— ...старенькие голубые «Жигули»... Вот черт! Ну конечно, этот натюрморт я видел за окном машины на заднем сиденье...

— Машина вообще была набита битком, и вокруг нее стояли какие-то пакеты, сумки... Спрашивается, куда это они собрались и что увозят, если лето только начинается? Ну, укроп-петрушка, это еще ясно, а что было в остальных сумках?

— Я чувствовал, что здесь что-то не так, поехали...

Они, следуя друг за другом, въехали во двор дома, где жили Михайловы.

На лестничной клетке Крымов встал таким образом, чтобы никто из соседей ничего не увидел через глазки в своих дверях, в то время как Шубин возился с замком.

— Жаль, нет Земцовой, она обожает такие приключения. Ее хлебом не корми — дай вскрыть ночью какую-нибудь нехорошую квартиру и поискать там убийцу...

— Ничего, она еще успеет вскрыть...

Щелкнул замок, дверь поддалась, и Крымов с Шубиным ввалились в чужую квартиру. Запах старости соседствовал здесь с запахом пыли и камфары — довольно характерный букет для такого тесного и скромного жилья пожилых людей.

— Они здесь не были... — сказал Крымов, обойдя все комнаты, заглянув на кухню и особенно тщательно осмотрев холодильник. — Их здесь не было уже давно.

— А где же они?

— Да мало ли... Может, к детям заехали, к родным... Пошли отсюда. Ты сможешь аккуратно запереть дверь?

Оказавшись на улице, Крымов тотчас достал телефон и набрал номер Корнилова.

— Виктор Львович, это Крымов. Надо срочно найти Михайловых. Дома их нет.

— Это все? — спросил Корнилов недовольным тоном.

— Все, а что за тон? Мы в чем-то провинились?

— Да не в этом дело... Просто пропала еще одна ученица из девятого «Б» — Ольга Драницына. Ушла вчера из дома, и больше ее никто не видел. Мать пьет уже второй день и не может говорить — ревет. В школе паника, директриса мне звонила уже несколько раз... Что за напасть? Ты встретился с Земцовой?

— Нет, а что, она уже приехала?

— Приехала, я сам их видел...

— Кого это ИХ?

— Ее и Харыбина.

— Ты нарочно говоришь мне об этом?... Я прямо-таки вижу твою довольную физиономию: добился, чего хотел? Познакомил, сосватал? — Крымов разозлился не на шутку. За какие-нибудь пару минут он просто позеленел от злости.

— Да вы оба — что ты, что Шубин — совсем измучили девчонку, а ей нужен нормальный, понятно,

НОРМАЛЬНЫЙ мужик! Вы же только использовали ее... не хочу даже говорить. Короче, сдается мне, что у них все хорошо...

— Ну и скотина же ты, Корнилов... — Крымов в сердцах швырнул трубку на землю.

— Ты чего, Жень?.. — Шубин поднял трубку. Из обрывков разговора он догадался, что речь идет о Юле и Харыбине.

Телефон, как ни странно, не разбился. Шубин, заметно волнуясь, набрал номер Земцовой и вздрогнул, когда услышал ее нежный голосок:

— Я слушаю, кто это?

— А ты не догадываешься?

— Игорек! Привет, как же я рада тебя слышать. Как вы здесь? Все нормально?

— Я сейчас приеду в агентство. Если сможешь — подъезжай.

— Договорились.

— А ты-то как съездила?

— Нормально... — тихо ответила она. — Ну что, до встречи?..

— До встречи.

Игорь повернулся к Крымову, курящему в двух шагах от него. Во дворе было по-прежнему тихо, шелестела листва, где-то за домом проносились машины, и только не слышно было гула самолетов.

— Знаешь что, Шубин, я смертельно соскучился по ней... — вдруг проронил Крымов. — Я словно играл сразу в несколько игр, заигрался, закружился, устал, и теперь мне снова хочется вернуть то время, когда мы с ней были вместе. Нам было так хорошо вдвоем...

— Крымов, прекрати... У тебя же есть Щукина! — возмутился Шубин. — Как только у женщины, с которой ты был и которой не дорожил, появляется другой мужчина, так ты сразу начинаешь горевать о ней... Сколько можно? Она же тебя любит!

— Кто? Земцова?

— Надя. Ты же еще вчера был счастлив, разве я не прав? А стоило Юле познакомиться — заметь, всего лишь познакомиться с Харыбиным, который, по словам Корнилова, неравнодушен к ней, — как ты сразу же воспылал к ней страстью! Не дури и не мешай ей!

— Игорек, успокойся. Ты думаешь, я не понимаю, какую цель преследуешь ты? Да ты сам весь побледнел, когда услышал наш разговор с Корниловым... Ты бережешь ее для себя?

— Я был бы счастлив, если бы у меня оставалась хоть какая-нибудь надежда, но Юля никогда не любила меня и мучилась оттого, что не может заставить себя полюбить.

— А кого же она тогда любила? Меня? Нет, Игорек, ничего подобного. Женщина, которая влюблена, никогда бы не стала себя вести так, как Юля. Женщина, она и есть женщина, и должна во всем подчиняться мужчине. Она должна быть ослеплена любовью, а разве можно было это сказать о Земцовой? Она играла. Точно так же, как я. Мы с ней похожи в этом. В нелюбви, в пристрастии к подобным проявлениям чувств, причем ненатуральных чувств. Скажу даже проще — я нравился ей лишь как мужчина...

От внезапного и сильного удара Шубина Крымов отлетел к машине и упал спиной на капот. Из носа его хлынула кровь...

* * *

— Ну как, нравится? — Миллерша отошла в сторону и, склонив маленькую кудрявую головку набок, внимательно осмотрела с головы до ног утопающую в бело-розовых кружевах Надю. — Как ты и хотела, моя дорогая: грудь вся видна, даже соски. Уверена, что твой жених оценит и мое платье, и твою грудь.

— Да уж, платье прозрачное, слов нет... То-то удивятся все его друзья и в особенности прокуратура, когда увидят меня в этом наряде... А может, еще и трусики снять? — и Надя, подчиняясь вселившемуся в нее дьяволенку, который терзал ее вот уже несколько дней, не давая покоя и внося в душу все новые и новые сомнения относительно верности ее возлюбленного Крымова, легко приподняв подол воздушного свадебного наряда, сняла с себя оставшееся белье. — А если так? Хорошо?

— А так — это уже диагноз. Тебя не поймут, даже Крымов. Это после свадьбы можешь все снять, а на церемонии будь паинькой, они это любят...

— Алла Францевна, а почему вы сами не замужем?

— Должно быть, потому, что все красивые мужчины, вроде твоего Крымова, уже заняты, а жить с кем попало не хочется. Я нашла хорошую замену мужчине...

— ?..

— Да нет, это не то, что ты думаешь. Мне в физиологическом плане всегда было как-то спокойно, я, очевидно, из тех женщин, которые считаются НЕРАЗБУЖЕННЫМИ. Просто я нашла свое дело, и это просто чудесно, что оно совпало с источником дохода. Когда у человека есть деньги, он вполне может считать себя счастливым. И никогда не верь обратному. Когда человек говорит, что деньги — это не самое важное в жизни, это блеф. Деньги — это свобода. Причем во всем. Ты думаешь, почему я так хорошо сохранилась в свои почти шестьдесят лет?

— Сколько? — Надя выскользнула из платья и, оставшись нагишом, осторожно разложила его на софе, на которой проспала всю ночь. — Вы что?..

— А ничего! Мне пятьдесят восемь лет, дорогая Надечка. А теперь подойди ко мне поближе и попробуй отыщи на моем лице морщинки? Где они? То-то и оно, что их практически нет. Потому что я исправно плачу своей косметичке, которая через день разглаживает мою кожу с оливковым маслом, делает какие-то совершенно невообразимые маски из белой глины, парит мое лицо с травами и молодит меня, как только умеет... Кроме того, Надечка, я хорошо питаюсь. У меня нет особых диет, но я ем много сливочного масла — специально для кожи, в моем холодильнике не переводятся гранаты и орехи...

— Может, вы еще и зарядкой занимаетесь?

— Нет, я не люблю заниматься зарядкой, но по утрам я, как девчонка, кручу педали — еду на велосипеде до парка, там наворачиваю кругов пять и обратно...

— Вы шутите?

— Нет. А вот зимой я ничего не делаю, тут уж увольте... Терпеть не могу зиму, холод, снег. Зато зимой я очень много сплю и целыми днями ем яблоки и лимоны.

— И кто же вам придумал такую диету?

— Говорю же — никакой диеты. Просто я чувствую, что мне нужно, вот и все. Ты сегодня ночуешь у меня?

— Да нет, что вы... Я и так явно перестаралась и злоупотребила вашим гостеприимством.

— Ничего подобного. Мне доставило огромное удовольствие принимать тебя. С тобой легко, ты понимаешь меня с полуслова. Я только удивилась, что ты за весь вчерашний вечер ни разу не упомянула имя Юли Земцовой. Вы что, в ссоре?

— Нет, но она раздражает меня тем, что Крымов до сих пор к ней неравнодушен. Я вижу, как он старается изо всех сил, чтобы я не заметила обращенные на нее пылкие взгляды, но у меня же есть глаза...

— Не вздыхай. Любовь — не вечна. Это не сказочное чувство и не кактус, который долгое время может обходиться без воды. Любовь должна питаться. Причем регулярно.

— Яблоками и лимонами? — Улыбка Нади получилась грустной.

— Прикосновениями. — Миллерша, сощурив глаза, задумчиво посмотрела на Надю. — А сейчас, насколько я поняла, Крымова питают твои прикосновения, твои чувства, твое безумие...

— Я не безумна, и он знает об этом. Я реалистична и трезва, как никогда...

— Это тебе только кажется. Хочешь совет?

— Хочу.

— Ты не должна оставлять его на ночь одного. Он должен спать только с тобой, понимаешь? Это железное правило для супругов. Что бы ни случилось, как бы вы ни поссорились, какие бы обстоятельства ни пытались разлучить вас даже на одну ночь, знай — вы все равно должны спать в одной постели и под одним одеялом или простыней. У вас идет обмен биополей, вы должны питать друг друга...

— Вас так приятно слушать...

Надя уже оделась, но уходить почему-то не хотелось. Здесь, в большой и уютной квартире Миллерши, можно было хотя бы на время забыть о своих сомнениях и окунуться в теплое море надежд. Редкая женщина, а тем более одинокая, наделена способностью прибавить счастья и без того уже счастливой женщине, тем более невесте одного из самых красивых мужчин города. Другая портниха, помогая примерять своей клиентке свадебное платье, постаралась бы из ложной солидарности сделать все наоборот, например, опорочить в ее глазах жениха, назвав все имеющиеся у него отрицательные и бросающиеся в глаза качества СВОИМИ ИМЕНАМИ. Тем более что уж кому-кому, а Миллерше хорошо известно, кто такой Крымов, и о всех его похождениях она знает из ПЕРВЫХ УСТ. Но ведь молчит, не настраивает Надю против него, не изводит рассказами о его многочисленных любовницах, которым Алла Францевна своими пухлыми, исколотыми булавками пальчиками шила в свое время наряды, предназначенные для того, чтобы их впоследствии снимал он, все тот же неисправимый Крымов...

Надя поцеловала Миллершу за платье, за понимание, за тепло и, оказавшись на улице, вдруг всем своим существом ощутила холод реальности — съежилась от ветра и мелкого секущего дождя, как будто даже уменьшилась в размерах. Куда подевался внутренний огонь, который грел ее все эти последние недели необъяснимого счастья и блаженства рядом с Крымовым? Кто успел или кто посмел так нахально и грубо погасить это пламя, забравшись ей в душу и выстудив сердце?

Она посмотрела на часы — полдень. Лева Тришкин должен быть уже на месте и работать теперь уже за ДВОИХ: за себя и за Лешу Чайкина, которого он предал за тридцать сребреников.

И Надя поехала в морг.

Лева встретил ее растерянным выражением лица:

— А Чайкина нет. Как ушел вчера, так больше и не появлялся...

Тришкин, светловолосый и кудрявый, напоминал внешностью ангела-переростка. Было в нем много от мальчика и от женщины одновременно. Округлости его тела вызывали недоумение, а большие светлые глаза и полные губы довершали портрет гермафродита. Никто не знал, кого любит этот пухлячок Тришкин — мужчин или женщин. Все знали лишь о его пристрастии к коньяку и деньгам. Он никогда не был женат, детей на стороне тоже не имелось, а потому Наде Щукиной, которая приехала к Леве с вполне определенной целью, было довольно трудно сориентироваться в общении с ним, чтобы нащупать его самые чувствительные места.

— А я, Левушка, пришла по твою душу.

Она стояла и смотрела, как Тришкин машинально стягивает со своих рук окровавленные резиновые перчатки, швыряет их на пол, как нервно чешет пальцами правой руки ладонь левой.

— Тебя интересует какой-то определенный труп? Ты по работе?

— Да нет, Лева, мне нужно тебе кое в чем признаться, но без спиртного я не могу... Духу не хватает...

— Надя, что случилось? Почему ты такая бледная? — Тришкин пятился к столу, наступая на перчатки, которые мокро чавкнули под его подошвами. — Что-нибудь с Чайкиным?

Какое странное было у него лицо, когда он произносил эти слова, в них одновременно чувствовалась и забота о госте, и страх перед чем-то неизвестным. Такое лицо бывает у человека, который хочет что-то украсть, сделав при этом вид, что берет свое.

— С Чайкиным? Да брось ты, Лева, что с ним может случиться? Он живуч, и все ему нипочем. Мой уход не произвел на него ровно никакого впечатления. Так у тебя есть что выпить или ты очень занят?

— Как интересно ты ставишь вопросы, — начал приходить в себя Тришкин, — так ты хочешь выпить и признаться мне в чем-то? Скажи, а это связано как-то со мной лично? Или с... Чайкиным?

— Говорю же — Чайкин здесь ни при чем. Понимаешь, у меня сегодня не лучший день, и мне кажется, что мы могли бы понять друг друга... Ты на машине?

Она нарочно это спросила — «Фольксваген» Тришкина стоял возле крыльца морга.

— Ну да, а в чем, собственно, дело?

— Если у тебя сейчас много работы, то я, конечно, не стану тебе мешать и уйду. Но если ты все же выкроишь для меня...

И Тришкин, до которого наконец-то стало доходить, что Щукина пришла действительно к нему, и ни к кому иному, пришла просто как к мужчине и, быть может, даже собиралась ему признаться в своих чувствах, растрогался, расслабился и опустился на круглый металлический белый стул, какие можно встретить только в старых моргах или женских консультациях.

— Надя, — он перебил ее, чувствуя прилив желания уже от одного вида стоящей перед ним Щукиной (она находилась совсем близко от него и источала совершенно дивный аромат, ее пышные волосы почти касались его лица, а сладкое дыхание опаляло его губы), — я все понял. Работы у меня — никакой, то есть может подождать. Все мои клиенты молчаливы до отвращения. Сама знаешь — с ними не поговоришь. Я готов предоставить тебе и свою машину, и себя в придачу. Ты хочешь немного отдохнуть? Хочешь, чтобы я составил тебе компанию? У тебя неприятности?

Он хотел бы поверить, что Надя пришла к нему по причине глубоко интимного свойства, но вчерашний конфликт с Чайкиным не давал ему возможности до конца отдаться этой иллюзии, и в глубине души он ожидал какого-то подвоха. Надя, которая прекрасно понимала это, решила расставить все точки над «і», придав своему визиту — для большей правдивости — совсем уж неожиданный оттенок.

— У меня сложности с Крымовым.

— Неужели он изменил и тебе, этот котище проклятый?

Надя опустила голову. Она и сама не поняла, откуда взялись эти слезы, которые покатились по ее щекам и закапали на грудь. Должно быть, они накопились еще ночью или ранним утром, когда она вспоминала Крымова и его взгляды, обращенные в сторону Земцовой. Зато как пригодились они сейчас! (Ей не хотелось думать о том, что слова, которые она только что произнесла вслух, и на самом деле могут оказаться правдой.)

Тришкин яростно мыл руки над раковиной, розовая мыльная пена клочками разлеталась в разные стороны.

— Вот сукин сын!.. — Он подставил ковшиком ладони, наполнил их водой и с хрюканьем и кряхтеньем принялся умываться, перемежая водяные звуки отборными матерными словами в адрес Крымова. Затем вытерся серым грязноватым полотенцем, висевшим на ржавом крюке слева от мутного зеркала, укрепленного над умывальником, и, как солдат, по стойке «смирно», предстал перед выжидавшей удобного случая, чтобы высказаться, Наде.

— Ты хочешь сказать, что выбрала МЕНЯ, чтобы отомстить Крымову? — догадался он. — Ты думаешь, я не знаю женщин? Ты правильно сделала, что пришла ко мне. Со мной вообще всегда надо говорить ОТКРЫТЫМ ТЕКСТОМ: мол, Левочка, так и так, мне изменил жених, мне необходимо отплатить ему тем же, не мог бы ты мне в этом помочь... Какие проблемы? Тем более что ты такая хорошенькая и тебе так идет эта красненькая кофточка и эта юбка... Ты в чулках?

И Тришкин, с которым Надя была едва знакома, почувствовав, что сейчас ему перепадет нечто, о чем он даже и не мечтал, и возбуждаясь от собственных фантазий, полез ей под юбку...

— Не здесь... Я не могу в морге...

— Все. Понял. Поехали. Представь, я как чувствовал — с самого утра полный бак залил... Поехали скорее, а то я больше не могу...

Надя позволила себя поцеловать, и они, внешне похожие на одержимых желанием любовников, молча и очень быстро покинули морг, заперли его, оставив в большом зале на столе вскрытое тело неизвестного Наде покойника (Тришкин цинично помахал ему рукой, а в дверях даже послал ему воздушный поцелуй!), сели в машину и на огромной скорости помчались в сторону Лысой горы, где проходила основная магистраль, соединяющая город с дачными поселками.

Дождь все усиливался, но Тришкин не обращал на это никакого внимания. Вытянув вперед голову и близоруко щурясь, отчего лицо его казалось застывшей гротескной маской, он молча крутил руль и что-то напевал себе под нос.

— Надечка, кто бы мог подумать? А тебе Чайкин ничего не говорил вчера?

— О чем? — Надя сидела по правую сторону от Левы и с тоской смотрела на стекающую по стеклу дождевую воду: «дворники» едва справлялись с ней. — Я его вообще вчера не видела... Ты хочешь меня спросить, почему я предпочла ему тебя?

— Хотя бы и так... — уклончиво ответил он. — А он тебе раньше ничего не говорил о том, что ты мне ужасно нравишься?

— Нет, если честно, он тебя недолюбливает, разве ты не знаешь? — Надя старалась держаться естественно, чтобы, не дай бог, не спугнуть уже успевшего разгорячиться Леву. Он попросил ее положить ему руку на бедра, и Надя, превозмогая отвращение, исполнила его просьбу.

С серой, залитой дождем трассы они свернули в небольшой хвойный лесок.

— Ты не застрянешь? — спросила Надя, с трудом борясь с тошнотой при мысли о том, чего ждет от нее Тришкин, и представляя себе его без одежды... Эти жирные складки на пояснице, полуженские бедра, рыхлую грудь...

— Нет, у меня шипы еще с зимы остались...

— А разве у тебя зимой была машина?

— На машине были шипы, — усмехнулся он. — Вон сейчас встанем туда, там тихо, кругом сосны, и НИКОГО... Фантастика! А как это эротично — заниматься этим в лесу, при дожде и в такой благостной тишине... Раздевайся, Надечка, а то я уже не могу...

— Сначала ты, а я кое-что достану... — И Надя сделала вид, что полезла в сумочку за презервативом.

Нащупав там газовый пистолет, она некоторое время наблюдала за тем, как Тришкин раздевается, сопровождая этот недолгий и неэстетичный процесс непристойными, но вполне соответствующими моменту словами, пока ее потенциальный любовник не остался совершенно голым.

— Ну как, я тебе нравлюсь? — спросил он, демонстрируя ей свой возбужденный орган. — Чего ты ждешь? Теперь твоя очередь... Ты меня уже измуч...

Пыхнув ему прямо в лицо едким газом, Надя тут же выскочила из машины сама. Вдыхая грудью влажный лесной воздух, она смотрела сквозь стекло на находящегося в беспамятстве отвратительного в своей наготе Тришкина и думала о том, что лучше все-таки быть портнихой, чем заниматься таким грязным делом, как расследование убийств, и иметь отношение к подобной порнографии...

Выждав определенное время, она снова открыла машину, взяла свою сумочку и достала из нее моток веревки. Затем выволокла тяжеленного Тришкина из машины и уложила его прямо на землю, на сосновые мокрые иголки, после чего крепко связала ему руки и ноги. Глядя, что стало с его органом (вполне, кстати, мужским), она усмехнулась, но затем, решив, что ее улучшающееся с каждой минутой настроение может быть связано с дремлющим в ее душе садизмом, прикрыла Тришкина его же одеждой и принялась приводить в чувство. На это ушло довольно много времени. Когда он пришел в сознание и увидел себя лежащим под дождем на голой земле, да к тому же и связанным, он мгновенно все понял и оценил. Возможно, что, если бы не сильнейшая головная боль и тошнота, он мог бы еще попытаться освободиться или хотя бы оскорбить сидящую в машине Щукину, спокойно курящую его же дорогие сигареты, но Тришкин понял, что проиграл и находится в ее власти. Ему не оставалось ничего другого, как любыми способами сохранить себе жизнь и, по возможности, машину. Ведь он, как никто другой, знал, что жизнь Чайкина вчера висела на волоске, и косвенно в этом виноват он, Тришкин.... И какой же он все-таки дурак и сластолюбец, если, вместо того чтобы выставить Щукину вон из морга, позволил ей соблазнить себя и привезти в такое глухое место, где теперь этой стерве ничего не будет стоить выпытать у него все, что угодно. А вопросов у Крымова и его золотых работничков накопилось ох как много...

— Надечка, не надо меня бить или пытать. Я слишком люблю себя и свое тело, чтобы позволить глумиться над собой... Скажи, что тебе нужно, и я все для тебя сделаю. Со мной можно договориться, ты знаешь. И вообще, зачем ты устроила весь этот спектакль? Вам с Чайкиным не дают покоя мои деньги? Зачем вы лезете в чужую жизнь? Каждый живет как может. Я же НИКОГО НЕ УБИВАЛ...

— Ты продаешь трупы... — Она сказала первое, что пришло в голову, потому что еще не представляла себе, каким образом подойти к теме Саши-агента. Ведь основная цель ее визита к Тришкину заключалась в том, чтобы выяснить, кто стоит за смертью этого парня и какое отношение он имеет к квартире Белотеловой. Быть может, его убили за то, что он так дешево продал ей эту злосчастную квартиру. Но перед тем как выяснить это, необходимо было нащупать самое слабое место Тришкина, чтобы, надавив на него, задать главные вопросы.

— О чем ты говоришь? Да я в своей жизни продал всего один труп, он все равно никому не был нужен...

Надя насторожилась. Ей показалось, что Тришкин сейчас скажет то, о чем она ничего не знала. Она решила блефовать.

— Это тебе только так кажется...

— Ничего мне не кажется. Эта девка — вокзальная шлюха, грязная, отвратительная... Ее использовали все, кто только мог. Я ее даже вскрывать не стал, потому что и так было ясно, отчего наступила смерть... У нее же башка была превращена в лепешку. Она пару часов пролежала на вокзальной площади, пока ее не заметили.

Надя слушала его и ничего не понимала. Она надеялась получить информацию об агенте Саше, а вместо этого Тришкин «кололся» на тему какой-то вокзальной шлюхи, которой разбили голову. И все же это было интересно. Могло пригодиться в дальнейшем.

— Я даже зарегистрировать ее не успел, как приехали эти ребята. У меня, кроме этой девки, в холодильнике было еще шесть женских трупов, но этот им понравился больше всего. Пойми, нравственность здесь ни при чем, тем более когда речь идет о таких проститутках, как она... Ты бы видела, в каком состоянии были ее... Уф... Как же у меня болит голова. Ну продал я ее, что дальше? Уверен, будь в ту смену твой Чайкин, он поступил бы так же. Кому не охота получить такую кругленькую сумму, да еще ничего при этом не делая?

— А разве ты не знал, зачем им эта девица? — Надя осторожно подбирала вопросы.

— Нет, клянусь богом, нет!

— А ты подумай хорошенько... Мне ведь ничего не стоит сейчас завести мотор и уехать, бросить тебя в лесу... И тебя не скоро найдут.

— Надя, ты же хорошая девочка. Поверь мне, больше я ничего не знаю...

— А этот рыжий агент?..

— Его возят по разным моргам, и он нигде не зарегистрирован... Не уверен, что эти две истории как-то связаны. Бурмистров не такой человек, чтобы так рисковать. Подумай сама, на карту поставлено будущее его сына!

Надя даже отвернулась, чтобы лежащий на земле Тришкин не смог увидеть растерянность на ее лице: она ничего, ничегошеньки НЕ ПОНИМАЛА. Похоже, со своим блефом она, сама того не желая, зашла слишком далеко. А Тришкин, в свою очередь, явно переоценил крымовское агентство в смысле информированности. Какой еще Бурмистров? Она знала только одного Бурмистрова — начальника областного УВД. Да, у него был сын, красивый парень, вылитый отец... Собственно, почему БЫЛ? Он и сейчас есть. Неужели все эти трупы имеют к нему какое-то отношение?

— На кого работал агент Саша? — Это ее интересовало сейчас больше всего, поскольку от него цепочка преступлений тянулась к Пермитину — бывшему хозяину квартиры Белотеловой, а уже от Пермитина к убитой Ларчиковой и ее погибшим ученикам.

— На Бурмистрова, конечно, а заодно и на того, на чьей квартире нашли труп девушки.

Да уж, много бы она отдала, чтобы узнать, труп какой еще девушки (и сколько вообще может быть трупов!) нашли на чьей-то квартире?

— Интересно, и сколько же сейчас стоит труп?

— Надя, ну зачем тебе все это? Отпусти меня, слышишь? Развяжи! Мне же холодно, черт тебя побери... Я тебе и так много сказал.

— В том-то и дело, что ты мне еще ничего не сказал...

— Ну тогда я тебе скажу. Не суйся лучше в это дело. Эта пьеса разыграна такими тузами, что с ними лучше не шутить... ЭТИ люди не любят, когда их спокойствие зависит от таких правдолюбцев, как ты и тебе подобные в вашем агентстве. ВЫ работаете за деньги. Я работаю за деньги. Каждый работает как может.

— Тришкин, ты же явно пытаешься что-то утаить. Я знаю, что в Чайкина стреляли. Его хотели убить. За что?

— Да все за то же: он сунул нос, куда его не просили. Приехали за трупом этого парня, значит, так надо было. Тем более что покойничку уже все равно. А Леша проявил нездоровый интерес к этому трупу, да и Крымов с Шубиным интересовались, личность установили, домой к нему потащились... А этого НЕ НАДО БЫЛО ДЕЛАТЬ.

— Но почему, если это может привести к убийце?

— Как я понял, там произошло какое-то недоразумение, но Бурмистров-младший был ни при чем. Не было никакого убийства — подставили его. Именно как сына Бурмистрова и подставили. Поэтому здесь все чисто. Купили у меня труп вокзальной шлюхи, подкинули в квартирку, куда заманили Бурмистрова-младшего, а потом вызвали милицию. Вот и вся история. И что дурного в том, что я заработал на ней машину? Развяжи меня, я старый и больной человек, к тому же лично тебе я не сделал ничего плохого...

— Послушай, если все действительно так серьезно, как ты нарисовал, то тебе самому разве не страшно жить дальше, если ОНИ знают, У КОГО ПОКУПАЛИ ТРУП? Ты не боишься, что и с тобой сделают то же самое, что сделали с агентом? И вообще, какую роль он играл?

— А вот этого я уже не знаю, и не уверен, что эти истории как-то связаны, потому что девку я продал пять лет тому назад — все уже быльем поросло... А этого парня, которого вы все называете агентом, убили совсем недавно, с месяц.

— А как же ты определил, что Саша работал на Бурмистрова? Откуда ты, обыкновенный судмедэксперт, можешь знать такие подробности?

— Да потому что за ним приезжали одни и те же

люди, напомнили мне про деньги, которые я получил пять лет тому назад, сказали, что если я отдам им труп Саши, то мне заплатят столько же...

— То есть ты хочешь сказать, что ты купил эту машину ПЯТЬ ЛЕТ ТОМУ НАЗАД?

— Да нет же, я купил ее совсем недавно, но деньги получил действительно пять лет тому назад. Просто я боялся их тратить... Я вообще все это время жил в постоянном страхе. А когда меня сбила машина...

— Лева, побойся бога, машиной тебя сбили совсем по другому делу, ты, кажется, вскрывал Валентину Огинцеву... Тебе и там заплатили... Кажется, я поняла, на какие деньги ты покупаешь себе машины и все остальное... И как только тебя земля держит?

— А тебя как держит? Ты на себя-то посмотри... Возомнила из себя невесть что, собралась замуж за Крымова! Вышла замуж за скромного Чайкина — и жила бы себе спокойно. Нет, подавай ей богатенького Крымова, красавчика, который перетрахал... весь город. Ты с ним уже по второму разу крутишься? Да он использует тебя сейчас как домработницу и шлюху одновременно. Неужели ты, дурочка, веришь, что он действительно женится на тебе? Уж если он не женился на Юле Земцовой, а она, я тебе скажу, баба роскошная, прямо-таки умопомрачительная, просто цену себе не знает... Так вот, если он не взял в жены Земцову, то тебя, уродину-шизофреничку, он к себе и за версту не подпустит! Вспомни хотя бы о своей мнимой беременности и всех причудах, которыми ты изводила бедолагу Чайкина! Разве нормальная женщина способна на такие чудовищные поступки? Другое дело, что тебе до смерти хочется выйти замуж за Крымова, чтобы тем самым НАСОЛИТЬ Земцовой и доказать в первую очередь ей, даже не себе, что Крымов любит НЕ ЕЕ! А он между тем любит именно ее. А ты... Ты всего лишь Надя Щукина — такая же продажная тварь, как все остальные бабы... Я вас ненавижу, ненавижу, хотя иногда и использую вот в таких тихих и безлюдных местах... Я и не удивился, когда увидел тебя в морге.

А почему бы и нет, подумал я. Женщина хочет, и мне ничего не стоит захотеть. Первая сигнальная система, по Павлову. А ты умеешь возбудить мужчину, у тебя, видимо, есть опыт...

Щукина кинулась на него и надавала ему несколько пощечин — ладони с силой били по мокрым от дождя упругим щекам... Затем, когда из носа Тришкина хлынула кровь, она, испугавшись, отпрянула от него... А он все продолжал и продолжал оскорблять ее, говорить такие мерзкие вещи, что она не выдержала. Забралась в машину, завела мотор и, уже не обращая внимания на его угрозы (а угрозы были страшные, отчаянные!), выехала из леса, поднялась по скользкому склону на трассу и помчалась в город. Остановившись возле первого таксофона, она позвонила по «02» и сказала, изменив голос, что на шестнадцатом километре Московского шоссе, по правую сторону, в сосняке, лежит мужчина, который нуждается в помощи. Чтобы подстраховаться на случай, если на ее первое заявление никто не обратит внимания, она повторила то же самое еще два раза с разницей в четверть часа. Затем пересекла город, выехала на трассу, ведущую к химическому комбинату, съехала с нее, поставила машину за смородиновые посадки, достала из багажника канистру с бензином и, твердя про себя: «Сам виноват, сам виноват...» — облила машину и подожгла.

Она бежала, не оглядываясь, к шоссе, моля бога об одном — чтобы в момент взрыва поблизости никого не было. Но шел дождь, и дорога, на ее счастье, была пустынна. Она перебежала на другую сторону, спустилась с насыпи вниз, к посадкам, и забилась в густые заросли дикой смородины; замерла в ожидании взрыва. Когда же он прогремел — оглушительный, утробный, как будто идущий изнутри земли,— сердце ее чуть не выскочило из груди. Все было кончено — у Тришкина теперь не скоро появится новая машина. Разве что он продаст кому-нибудь очередной труп, скажем, труп Нади Щукиной...

Анна Данилова

Глава 14

— Привет, Земцова. — Крымов, не обращая внимания на присутствие Шубина, сгреб Юлю в охапку и закружился с ней, задевая все углы приемной. — Какая же ты легонькая, как пух... Мы так по тебе соскучились. — И он несколько раз, дурачась, крепко поцеловал ее поочередно в губы и щеки.

— Поставь ее на место, — хмуро пробормотал Шубин, подходя к Юле и стараясь не смотреть ей в глаза. Он больше всего сейчас боялся увидеть в них отражение души, ставшей совсем ЧУЖОЙ, другой Юли, той, которая, возможно, уже принадлежит Харыбину. — Привет, Юлечка.

Он нежно коснулся губами ее губ и, не выдержав, вздохнул.

Несмотря на то что, приемная плавала в синеватых пасмурных сумерках, а за окном шел дождь, во всем, начиная с общего тона разговора и улыбок на лицах и кончая пляшущими на стенах тенями от ярко горящей настольной лампы, чувствовалась некая праздничность, приподнятость. Радость была написана на лицах обоих мужчин, которые хотя бы на эти минуты заполучили себе прежнюю Юлю, ИХ Земцову.

— А где Надя? — спросила Юля, когда наконец они успокоились и каждый сел в свое кресло. — Так кофейку захотелось...

— Да уж, услышала бы она тебя сейчас... — покачал головой Крымов. — Что же это, она теперь больше, чем на кофе, уже и не способна?

— Женя, я никого не хотела обидеть, просто кофе хочется. Но я и сама могу его приготовить...

— Не обижайся... Ты нам сначала расскажи о Харыбине, а потом про всех любовников Белотеловой, — вполне серьезно, как если бы речь шла о работе, предложил Крымов, не сводя с Юли внимательных глаз. — Зачем он поехал с тобой? Ты знала, с кем полетишь?

— Это что, допрос? Да нет, я ничего не знала. Там, в самолете, было много важных птиц, и Харыбина я поначалу восприняла как друга Корнилова, который должен был мне помочь улететь в Петрозаводск, и только. Я и сама удивилась, когда он со мной поднялся по трапу... Вот, собственно, и все. У него, оказывается, в Петрозаводске были дела... Мы почти не виделись.

— Ты хочешь сказать, что ты все это время была одна и тебе никто не помогал?

— Мне помог Корнилов, он позвонил своему другу... — И Юля подробно изложила все, что ей удалось узнать в Петрозаводске о Белотеловой, исключив из своего отчета роль Харыбина.

— Получается, — заключил Крымов, — что Харыбин оказался с тобой в самолете случайно и случайно же вернулся этим же рейсом, так?

— Женя, что-то я не совсем понимаю, о чем идет речь? — вдруг возмутилась Юля. — Вас интересует Белотелова, из-за которой я туда ездила, или моя личная жизнь? Игорь, а ты почему молчишь? Я же только что рассказала вам о Соляных, об их отношениях с Ларисой, почему же Крымов пытает меня насчет Харыбина? Он что, как-то связан с этим делом? Откуда такой интерес к его персоне?

— Юля, — тихо проговорил Игорь, — дела у нас здесь идут из рук вон плохо... Ты еще многого не знаешь... Но все это пустяки по сравнению с твоей поездкой... — Он не решился сказать большее.

— ...а Корнилов нам все рассказал, — вставил Крымов. — Он нам рассказал про тебя и Диму Харыбина. Это правда, что ты выходишь за него замуж?

Юля резко встала и подошла к окну. Меньше всего она ожидала таких откровенных, прямых вопросов. Она и сама еще не верила в то, что произошло между нею и Дмитрием в Карелии, а потому не хотела говорить об этом с кем бы то ни было, чтобы не расплескать переполнявшее ее счастье. К тому же произошло еще нечто, что сильно обрадовало ее и внесло в жизнь совершенно новые ощущения: при виде Крымова сердце ее билось так же спокойно, как и ДО встречи с ним. Это означало, что ОНА ВЫЛЕЧИЛАСЬ ОТ НЕ-

ГО. Она больше не зависела от Крымова, от его взглядов, слов, настроения, тайных объятий, поцелуев и близости, время для которой он всегда выбирал сам, причем не самое удачное; их редкие свидания носили уж слишком унизительный для нее характер...

Что касается Игоря Шубина, то ее почему-то перестали мучить угрызения совести — в конечном счете, она никогда его не обманывала и ушла от него, не успев, по сути, прийти...

— Мальчики, я только что рассказала вам о Ларисе, о Соляных, о парне, с которым она встречалась ДО Соляных и которого посадили за кражу... По-моему, это куда интереснее моих отношений с Харыбиным...

— Ладно, — более примирительным тоном произнес Крымов, закуривая уже вторую сигарету и с надеждой поглядывая на Шубина, который взял на себя обязанности Щукиной и теперь разливал свежесваренный кофе по чашечкам, — ты, как всегда, права... Шубин, давай абстрагироваться. Мы с тобой действительно сильно отошли от темы. Мне две ложечки, пожалуйста... Спасибо. Итак. — Крымов набрал в легкие побольше воздуха и попытался произнести вслух уже более стройно оформленные в его сознании факты из прежней жизни Ларисы. — Белотелова в Петрозаводске жила с вором по кличке Золотой. В скобках, для уточнения: сто процентов, что эти сведения тебе помог собрать не кто иной, как господин Харыбин. Идем дальше, уже не отвлекаясь. Этот самый Золотой попался. Вам это ни о чем не говорит? Мне лично говорит о многом. Это не вор в законе, а так, воришка... Настоящие воры так просто не попадаются и не сидят. Они воруют десятилетиями и по-крупному, но их НЕ САЖАЮТ. Вам это снова ни о чем не говорит?

— Крымов, хватит выпендриваться, — бросил Шубин, — я сразу понял, что этот вор никакого отношения к деньгам Белотеловой не имеет. Ведь она дала Соляных ОЧЕНЬ КРУПНУЮ сумму. Уверен, что у нее были деньги ДО ВСТРЕЧИ С ЗОЛОТЫМ. Другое дело, что никто, даже твой, Юлечка, Харыбин, так и не смог выяснить происхождение ее денег... Да и мы не сможем. Вероятно, они достались ей нечистым путем, и она попросила Соляных ОТМЫТЬ их, а он попался в Москве, позвонил и сказал ей об этом. И она, чтобы не быть связанной с ним, поскольку это могло грозить не только ее капиталу, но и, возможно, ее жизни, все продала и, опять же с кругленькой суммой, приехала к нам, в С. Здесь-то все как раз ясно. Но вот, начиная именно с этого момента, логическая цепь событий из жизни Ларисы рвется... Хорошо, приехала она в незнакомый город; у нее куча денег, на которые она собирается купить квартиру. Что она сделает в первую очередь?

— Я бы на ее месте сначала купила газеты и попыталась поискать квартиру без посредников.

— Правильно, — продолжил Шубин, в то время как Крымов, гримасничая, пил кофе и откровенно валял дурака (Юля его просто не узнавала!). Словно то, что произносилось в его присутствии, он знал и раньше, и нечего, мол, тут объяснять прописные истины. — Крымов, успокойся, а то поперхнешься... — вынужден был прерваться Шубин. — Но, поискав себе квартиру таким вот образом, то есть без посредников, и столкнувшись с тем, что все ее попытки обратиться непосредственно к ПОКУПАТЕЛЮ заканчивались в конечном итоге встречей с подставным агентом, она сдалась и заключила договор с агентом по недвижимости Павловым.

— Послушай, Игорек, ну что ты сотрясаешь воздух, когда мы все это знали от самой Белотеловой...

— Женя, не перебивай, — мягко попросила Юля, — чего ты так на всех злишься? Мы же рассуждаем.

— Павлов предложил ей купить квартиру на улице Некрасова... Уверен, что к тому времени она уже прекрасно ориентировалась в местных ценах на недвижимость, а потому не могла не удивиться столь низкой стоимости квартиры. Наврядли она стала бы выяснять у агента, по какой причине он (или же сам хозяин) продает квартиру за четверть цены. Она обрадовалась такому ходу событий и поспешила оформить покупку в регистрационной палате. Я сам был там и видел копии этих документов... — последние слова Шубин произнес с особенной гордостью.

— Ну и что это доказывает? — не унимался Крымов.

— Ничего особенного. Ну, купила она себе квартиру так дешево, считай, повезло. Я одного только не могу понять, по какой причине АГЕНТ не воспользовался редкой возможностью так легко и быстро разбогатеть. Ведь стоило ему самому выкупить у Пермитина эту квартиру, и он перепродал бы ее втридорога! Пусть Пермитин спешил, чтобы привлечь к себе деньгами Ларчикову, но агент-то!.. — Шубин всплеснул руками и хлопнул себя ладонями по ляжкам.

— А вы нашли этого самого агента? Вот бы посмотреть на него...

— Он мертв. Пока тебя не было, столько всего произошло, что не знаешь, с чего и начать...

Юля, молча слушая Шубина, быстро строчила в своем блокноте.

— Кроме этого, у нас в запасе имеется еще один труп: Ларчикову, классную руководительницу девятого «Б», вчера зарезали на собственной даче. Оказывается, Пермитин Михаил Яковлевич был, представь себе, ЕЕ ЖЕНИХОМ.

— И он же, — Юля подняла голову и задумчиво посмотрела на Шубина, — бывший хозяин квартиры на Некрасова... Так? Известно, кто ее убил и когда?

— Убили ее вчера в полдень, соседи видели какие-то машины, но пока ничего определенного сказать невозможно. Пермитин приехал на дачу, рыдал...

Все трое: Крымов, Шубин и Земцова — услышали шум со стороны входной двери, затем быстрые шаги; наконец дверь распахнулась, и в приемную влетела растрепанная и мокрая как мышь Щукина. Ее блуждающий и страшный в своей ненависти взгляд остановился на уютно устроившейся в кресле Земцовой и сразу же потух. Надя рухнула в свободное кресло и несколько минут приходила в себя, не зная, с чего начать свой рассказ...

— Надя! — Крымов бросился к ней. — Что с тобой случилось? Ну-ка, пойдем со мной... — и уже обращаясь ко всем присутствующим: — По-моему, она не в себе...

Он словно извинялся перед всеми за столь странное появление Нади. Обнимая ее за плечи, он прямиком направился с нею в душ. Спустя минуту все услышали шум воды.

— Что с ней? Где она была? — спросила Юля. — Ты видел, в каком она состоянии? У нее вся одежда грязная, мокрая, лицо черное, с волос течет вода... А глаза? Ты видел ее глаза? Может, ей вызвать врача?

Она кинулась вслед за Крымовым и громко, стараясь перекричать шум воды, спросила, не требуется ли ее помощь, или вызвать «Скорую».

Почти тотчас из душевой вышел Крымов.

— Она замерзла. Стоит, греется под горячим душем. Ей бы одежду какую. У тебя нет ничего подходящего?

— Здесь? Конечно, нет. Но если она подождет, то я сейчас привезу из дома...

Никто и опомниться не успел, как Юля выбежала из агентства. Хлопнула дверь, затем с улицы послышался звук отъезжающей машины.

— Что с Надей? Где она была? — спросил Шубин Крымова.

— Не знаю. Главное, что она не ранена, не избита, но она находится в шоке и пока что не может говорить... Ее одежда вся в грязи. Я не представляю, на чем она вообще сюда добралась. А в волосах хвойные иголки, мусор... Я пойду, вдруг она там потеряет сознание...

* * *

Город, утопая в дожде, навевал грустные мысли: а что, если Харыбин исчезнет из ее жизни так же, как исчезали все прежние мужчины? Как ей избавиться от этого саднящего чувства неуверенности в себе и полностью отдаться другому, высокому и головокружительному чувству — любви? Любовь — этого слова не хватало в ее душевном лексиконе, равно как и самого чувства в ее сердце. Грубая фамилия ее нового возлюбленного словно маскировала нежнейшего и самого ласкового из мужчин: «ХА-РЫ-БИН! Ха-ха-ха! Рыба! Ры-бин!»

Вцепившись в руль и словно проплывая по серым мутным улицам, как по дну огромного аквариума, кишащего большими грязными рыбинами-машинами, Юля до сладкой истомы в теле вспоминала проведенную в гостинице ночь с Дмитрием. Они решили жить вместе. Он забирает ее к себе. Он разрешает ей работать по-прежнему у Крымова. Он доверяет ей. Он любит ее. Он будет во всем помогать ей. Он будет подстраховывать ее, как он делал это вот уже почти три года... ОН. ОН. ОН. Где он? Почему же она сейчас одна? Он подвез ее до гаража и, убедившись в том, что в ее машине полно бензина, поцеловал ее и со словами: «До вечера» — уехал на служебной «Волге» в неизвестном направлении. Он никогда и ни в чем не будет ей отчитываться, возможно даже, что у них не будет общих тем, но почему же тогда так сильно бьется ее сердце, когда она думает о том, что увидит его уже совсем скоро. Через каких-нибудь шесть-семь часов он приедет за ней, погрузит в свою машину ее вещи и увезет к себе. К СЕБЕ. А если все это — не более чем сказка, придуманная наспех, как средство от одиночества?

Она пришла в себя, когда машинально затормозила возле своего дома. Спасаясь до дождя, Юля быстро, насколько это было возможно, добралась, прыгая по

306

лужам, до подъезда, вбежала в него и чуть не столкнулась с выходящим оттуда Зверевым.

— Вот так встреча, Юлечка... — Сергей, держа в руках зонт, с которого еще капала вода, в порыве чувств приобнял ее. — Я уж думал, что ты никогда не вернешься...

Юля довольно решительно отстранила его от себя и стала молча наблюдать, что же последует за этим. Меньше всего она хотела сейчас разговаривать с человеком, который ассоциировался у нее лишь с кошмарами на квартире Белотеловой. С другой стороны, она понимала, что сама дала ему повод так бесцеремонно обращаться с собой — ведь инициатива их последней встречи принадлежала ей, и на квартиру Белотеловой его пригласила тоже она сама. Любой другой мужчина, окажись на месте Сергея, расценил бы это как желание женщины сблизиться.

— Не понял... Ты не рада меня видеть? Я же только что от тебя... Ты была в командировке? Когда ты вернулась? Почему ты смотришь на меня такими злыми глазами? Обиделась, что я в тот раз сбежал? Никогда не торопись с выводами. Если я так сделал, значит, на то были причины.

Он говорил с ней тоном мужчины, который уже давно имеет на нее право. Должно быть, Зверев относился к той породе людей, которые считают, что им принадлежит все, к чему они хотя бы раз прикоснулись или чем выразили желание обладать. И женщиной — в первую очередь.

— Меня не интересуют эти причины.

Говоря это, она нисколько не лукавила — теперь, когда в ее жизни появился Харыбин, остальные мужчины перестали существовать для нее. А мысль о том, что Дмитрий может узнать от кого-то, что Зверев увлечен ею, если не больше, заставила ее расстроиться.

Юля сделала попытку пройти мимо него, к лестнице, как вдруг он довольно дерзко схватил ее за руку:

— Я понимаю, что ты обиделась...

— Я бы не хотела, чтобы вы обращались ко мне на «ты». Мы далеко не в таких отношениях, чтобы разговаривать подобным образом...

— Ты приревновала меня к Ларисе?

— Прошу вас отпустить мою руку.

— Да что с тобой?

— Я же сказала... — И Юля, резко выдернув руку, с силой ударила Зверева по лицу. Она сделала это намеренно, чтобы охладить его пыл. — И не приходите сюда больше.

— Ах, ты еще и драться... — И Зверев, подтолкнув Юлю к стене и навалившись на нее всем телом, прижал и, запрокинув ей голову, поцеловал прямо в губы. Отпустил, передохнул и приник к ней снова, как будто не допил последнюю каплю воды.

Когда он отпустил ее, Юля, вместо того чтобы возмутиться или ударить его еще раз, лишь молча вытерла губы и неожиданно для себя подумала о том, что ТОТ, первый поцелуй, который он подарил ей при знакомстве в агентстве, был более проникновенным и страстным, чем этот — грубый, резкий — поцелуй собственника... Он, Зверев, зверь, хотел бы, наверно, припечатать его на ее губах навсегда, чтобы всем видно было, кто хозяин этих губ и этой женщины...

Она улыбнулась — она была счастлива другой любовью. А потому решила быть более снисходительной к своему странноватому воздыхателю.

— Хорошо, давай поговорим на «ты», если иначе невозможно. Но только не у меня дома, как ты надеялся, а в моей машине, потому что я очень спешу. У меня к тебе тоже довольно много вопросов. Согласен? Вот только поднимусь в квартиру, возьму кое-что, а ты подожди меня здесь, хорошо?

Она взяла дома белье и теплую одежду для Нади, сложила все в пакет и вернулась к Звереву.

Они сели в машину, и Юля, развернувшись, поехала в сторону Абрамовской.

— Конечно, — говорил Сергей, не выпуская сигарету изо рта, — я должен был тебе сразу все рассказать, в самую первую встречу, но мое мужское начало взяло верх, и я подумал: «Зверев, куда ты спешишь? Ты еще все успеешь, и эта девушка будет твоя». Пожалуй, только за эти мысли я и должен попросить у тебя прощения. Но мужчина так устроен — он никогда не пройдет мимо красивой женщины. Однако я, признаюсь, немного оробел, когда увидел тебя, и принялся, если ты помнишь, нести всякую чушь, звать тебя на ужин, придумал какую-то жену... Я не знал, что для меня важнее — то, ради чего я и пришел в ваше агентство, или — ты. Понимаешь, о чем я?

Но Юля из всего услышанного поняла пока только одно: Зверев пришел в агентство НЕ ИЗ-ЗА НЕЕ, а по какому-то совершенно конкретному делу и приударил за Юлей скорее всего по инерции... Что ж, довольно откровенное признание.

— Так зачем ты пришел в агентство?

— По делу. И оно тоже связано с женщиной.

— Она твоя жена?

— Нет, она никогда не была мне женой...

— С ней что-то случилось?

— Она погибла.

— Ее убили?

— Вот именно это я и хотел узнать.

— Дело серьезное. Но почему же ты обратился не к Крымову — шефу агентства, а именно ко мне? По рекомендации Ломова? — усмехнулась она. — Он порекомендовал меня с того света? У вас что, прямая связь? Электронная почта?

— Ты можешь смеяться сколько угодно, но именно по его рекомендации. Он еще тогда, давно, рассказывал мне о крымовском агентстве и объяснил на пальцах, что Крымов — бездельник и что основную работу делаете за него ты и Шубин. Вот я и решил обратиться лично к тебе, чтобы и заплатить за работу именно тебе, а не Крымову, который на твои гонорары покупает загородные дома для своих любовниц...

Анна Данилова

— Надя не любовница, она его невеста... — неизвестно зачем заметила Юля и густо покраснела. — Так что это за женщина?

— Одна знакомая.

— Как погибла эта твоя знакомая и когда?

— У меня дома есть газета, там все написано... Я не очень люблю желтую прессу, потому что она дурно пахнет, но там иногда печатают правду... Хотя, лучше бы я эту газету не читал...

Юля, извинившись, что вынуждена прервать разговор, поскольку они уже подъехали к агентству, предложила Звереву зайти вместе с ней, чтобы уже там, в ее кабинете, продолжить беседу. Но он отказался:

— Нет, ты иди, а я подожду тебя здесь.

— Так ведь на улице дождь!

— Я не сахарный, не растаю.

Юля пожала плечами, но предложить ему остаться в своей машине не решилась — а вдруг увидит Харыбин?

Сумятица чувств, переполнявших ее в тот день, сделала свое черное дело: она впала в приятное и вместе с тем непонятное оцепенение, граничащее с блаженной рассеянностью...

Выстрел прозвучал совсем рядом; Юля успела лишь обернуться, когда все уже было кончено. Она пропустила несколько важных кадров, свидетельствующих о недавнем присутствии убийцы. Сергей Зверев с открытыми глазами лежал на спине, прямо в луже, и грязная вода пузырилась вокруг его еще не успевшего побледнеть лица. Рядом валялся наполовину раскрытый черный зонт.

На крыльце появился Шубин. Звук подъехавшей Юлиной машины он узнал бы из сотни, и, когда раздался выстрел, он почти моментально оказался на улице. Увидев находящуюся в столбняке Земцову, застывшую в двух шагах от распростертого на асфальте мужчины, он с трудом оттащил ее в сторону и почти внес в агентство, после чего выбежал в надежде увидеть хотя бы хвост другой машины, звук мотора которой пробивался сквозь шум дождя. Но он опоздал — преступник уже успел скрыться за поворотом.

Вернувшись в приемную, Игорь достал из бара бутылку коньяка.

— Вот, выпей... — Он протянул бокал вжавшейся в кресло Юле. — Прямо напасть какая-то... Щукина отключилась, лежит сейчас в комнате для гостей на диване, и Крымов отпаивает ее водкой...

— Я привезла ей теплую одежду, — цокая зубами о край бокала, с трудом проговорила Юля.

— Ты посиди здесь минутку, я сейчас отнесу ей пакет, а то она совсем замерзла в крымовском пиджаке... Ее тоже всю колотит.

— Надя что-нибудь рассказала? — Юля спросила об этом, как бы не желая верить в то, что где-то там, за окном, сейчас лежит и мокнет под дождем тело Сергея. Его БЕСЧУВСТВЕННОЕ тело, которому холод и вода теперь нипочем.

— Рассказала, — скороговоркой, стараясь быть как можно лаконичнее, ответил Игорь. — Она пыталась соблазнить Тришкина, чтобы узнать все про труп агента Павлова. Тришкин привез ее в лес, сама понимаешь для чего, а она выстрелила ему в лицо из газового пистолета, связала, а когда он пришел в себя, начала его расспрашивать... Оказывается, Тришкин пять лет тому назад продал Бурмистрову...

— Какому еще Бурмистрову?

— Тому самому... ты все правильно поняла... Так вот. Он продал Бурмистрову труп одной девушки, вокзальной шлюхи. А теперь этого «покупателя» почему-то заинтересовал труп Павлова. Короче говоря, Щукина разошлась не на шутку... Тришкин, по всей видимости, начал ее оскорблять, прошелся по ее внешности и отношениям с Крымовым (я знаю Тришкина, у него грязный язык!), ну, она, недолго думая, села в его машину и уехала, бросив его одного в лесу, связанного... Представляешь?

Анна Данилова

311

— Ну и правильно сделала.

— А потом сожгла его «Фольксваген». Затем остановила на шоссе машину и попросила водителя привезти ее сюда. Вот, собственно, и все...

— Класс! — Юля так отчетливо представила себе все, о чем услышала, что не могла не восхититься решительным и отчаянным поступком Щукиной. — Потрясающе... Где она? Я хочу на нее посмотреть...

— Ты, душенька, забыла, наверное, что возле крыльца лежит труп Зверева...

— Я ничего не забыла. Понимаю, что надо позвонить Корнилову, но прежде я должна осмотреть вещи убитого, вывернуть карманы — понимаешь, у него ко мне было СОВСЕМ НЕ ТО ДЕЛО, о котором вы с Крымовым подумали... Пожалуйста, разверни мою машину таким образом, чтобы скрыть труп от прохожих, а я сейчас проведаю Надю и тотчас вернусь...

С пакетом, в котором находилась одежда, Юля без стука вошла в комнату для гостей, где застала целующихся на широком диване Щукину и Крымова.

— Я принесла тебе тут кое-что, можешь переодеться. У меня мало времени, но Шубин мне все рассказал. Щукина, я в восторге. Я поздравляю тебя. И если у тебя возникнут проблемы с Тришкиным, я обещаю тебе свою помощь и поддержку...

Говоря это, Юля успела увидеть затуманенные страстью глаза Нади, ее налившееся кровью лицо и непристойно белое бедро под бесстыдной рукой Крымова; рассыпанные по подушке рыжие волосы, черный лацкан крымовского пиджака, накинутого на плечи Нади и не скрывающего ее грудь... Картинка яркая, бьющая по нервам и чувствам. Но только не по Юлиным. Она и сама удивилась себе, своему спокойствию и отсутствию ревности.

Крымов вскочил с дивана и принялся машинально застегиваться, приглаживаться, словом, приводить себя в порядок.

— Там только что убили Зверева, пуля просвистела

прямо перед моим носом. Представляете, как вам повезло, что она не задела меня, а то бы вы разорились на похоронах...

* * *

Корнилов возвратился домой настолько уставший, что сил едва хватило на то, чтобы забраться в ванну и под шум воды попытаться проанализировать весь сегодняшний день. Приятное тепло понималось все выше и выше, когда же вода заполнила ванну почти на две трети, он выключил воду, и сразу стало невыносимо тихо.

Голова его работала на редкость ясно и, слава богу, не болела. Быть может, потому, что он за весь день не выпил ни капли пива или водки. Да и курил совсем мало.

Город лихорадило — слишком много убийств за последние несколько дней. Проведена колоссальная работа, опрошено невиданное количество свидетелей, а результатов — никаких.

Сюжет не нов, хотя и очень груб. Наташа Голубева была влюблена в Вадима Льдова, который пятого апреля назначил свидание одновременно двум девушкам: Наташе и, судя по опросам одноклассниц, Оле Драницыной. Но Драницына, по словам Жанны Сениной, собиралась прийти на свидание со Льдовым РАНЬШЕ. Из этого выходило, что либо Драницына видела убийцу Льдова (а теперь она пропала, ее все ищут), либо НАТАША ГОЛУБЕВА ВИДЕЛА ДРАНИЦЫНУ И ЛЬДОВА ВМЕСТЕ, то есть застала их в интимной ситуации. Это могло произойти случайно, но скорее было подстроено самим Льдовым или даже им и Олей по сговору. Зачем? Хороший вопрос. Чтобы досадить Голубевой, чтобы сделать ей больно. Судя по акварельным рисункам и запискам, в которых Льдов (а почерк принадлежал ему) приглашал девушек на свидание, Наташа Голубева ревновала Льдова к Драницыной. Поэтому на первом рисунке рядом с Вадимом стоит Наташа (она довольно хорошо изобразила себя), а на следующих вместо Наташи появляется Драницына в розовой кофточке. Значит, первый рисунок был как бы ее мечтой, а второй — ее болью.

Кроме того, вторая записка наверняка оказалась у Наташи не случайно — кто-то намеренно подкинул ее. Возможно, сама Оля. Или кто-нибудь из ее подружек.

Вот и получается, что у Наташи Голубевой была причина убить Льдова. Ее мучила мысль, что парень, с которым она находилась в близких отношениях, изменяет ей с Драницыной. Оля слишком красивая девочка, чтобы можно было надеяться на то, что Льдов в конце концов оставит ее. Скорее всего он так и пользовался бы благосклонностью обеих девушек, если бы остался жив. Но кто-то положил этому конец, убив его. Обрушить топор на голову ничего не подозревающего человека, в особенности когда он сидит спиной к потенциальному убийце, — на это чисто физически способен даже первоклассник. Чего уж говорить о девятикласснице, находящейся в невменяемом состоянии из-за обуревающей ее ревности. Ее можно понять. Она готовилась к свиданию, привела себя в порядок, накрасилась, одолжила у подружки деньги на новые колготки, пришла в строго назначенное время и вдруг застала своего парня целующимся (и это в лучшем случае) с Драницыной. Голубева, находясь под впечатлением увиденного и не в силах совладать со своими чувствами, оглушенная таким откровенным предательством и цинизмом и задыхаясь от злости, спускается вниз, в столярку, и, улучив удобный момент, забирает оттуда топор, прячет в пакет или сумку, возвращается к кабинету географии, приоткрывает дверь (возможно даже, что у них троих были ключи от этого кабинета), заходит... Здесь трудно представить, как ведут себя Льдов и Драницына. Продолжая разыгрывать сексуальный спектакль, они могут сделать вид, что поглощены друг другом и не замечают вошедшую в кабинет Голубеву. Есть еще один вариант поведения:

они приглашают ее принять участие в их забавах. И третье — они открыто указывают ей на дверь. Все три варианта примерно одинаковы по силе воздействия на Голубеву, находящуюся на грани нервного срыва. Она встает таким образом, чтобы ее не видел Льдов, достает топор и с силой обрушивает его на голову Вадима... Реакция Драницыной — страх. Она убегает. А Голубева, выбросив топор через открытую форточку на залитый водой газон, возвращается домой... Ищет в аптечке снотворное, приносит к себе в комнату и ждет момента, когда у нее появятся силы, чтобы осуществить задуманное. Ведь она убила... Ей грозит тюрьма. Стыд. Позор. Суд, на котором будет присутствовать весь класс. Родители Льдова...

Корнилов подлил в ванну горячей воды. Смахнул выступившую на лбу испарину.

Теперь Ларчикова. За что могли убить ее? Кто? Жених? Спрашивается, как могло случиться, что такая молодая женщина решила вдруг выйти замуж за Пермитина? Из-за денег? Исключительно. Но если так, то почему же у него нет машины? Почему он приехал на дачу на электричке, а не взял, скажем, такси? Билет, который он предъявил в качестве доказательства своего алиби (мол, ехал полтора часа на электричке, а до этого был дома, пусть подтвердят соседи), мог быть взят у любого пассажира, а то и вовсе подобран Пермитиным на перроне... Билеты не именные, их можно было предъявить с десяток, если не больше.

Корнилов и сам не мог ответить себе на вопрос, почему первый подозреваемый для него — именно Пермитин. Быть может, фамилия показалась ему знакомой?.. Он не успел навести о нем справки. Но Крымов с Шубиным утверждают, что именно Пермитин являлся хозяином квартиры, принадлежащей теперь Ларисе Белотеловой. Квартира стоит очень дорого. Он срочно продает ее за бесценок, чтобы этими деньгами ослепить полунищую учительницу Ларчикову. Спрашивается, зачем ему было убивать? Не-за-чем! Он ее и не убивал. Просто он не понравился Корнилову — вот и все дела. Необъективность? Непрофессионализм? Интуиция? Корнилов не мог бы сейчас ответить на эти вопросы.

Кроме того, ему не понравились соседи Ларчиковой по даче — они явно что-то недоговаривали. Крымов предполагает, что они, оказавшись на даче Ларчиковой СЛУЧАЙНО (а не из-за крика Татьяны, потому что, услышав крик, Михайловы запросто могли бы увидеть убегающего преступника или хотя бы отъезжающую машину) и обнаружив труп соседки на втором этаже, просто-напросто ОГРАБИЛИ дачу, вынесли из нее все самое ценное и погрузили в машину. И хотели уже уехать, как вдруг на даче Ларчиковой появился сторож. Михайловым не оставалось ничего другого, как рассказать, что Ларчикова мертва... Тут же ими была придумана версия, что они приносили Ларчиковой редиску... Так, во всяком случае, считает Крымов. Он видел за стеклом заднего сиденья михайловских «Жигулей» какой-то натюрморт с ромашками. Этот же натюрморт, опять же по словам Крымова, он видел и на фотоснимках с изображением Ларчиковой, сделанных шутки ради Льдовым и Кравцовым. Вывод: Льдов и Кравцов были гостями на даче Ларчиковой? Но что они там могли делать: двое учеников и одна учительница? Кравцов будет молчать — это ясно...

Телефонный звонок, прозвучавший как сигнал к действию, заставил Корнилова покинуть ванну, и он, ступая босыми ногами по паркету, добежал до аппарата в прихожей:

— Корнилов слушает.

Звонил Сазонов. Он сказал, что неподалеку от дачи Ларчиковой, в лесу, обнаружена раненная в голову и находящаяся в крайне тяжелом состоянии девятиклассница Оля Драницына. А примерно в десяти километрах от основной трассы, ведущей от этого дачного массива в город, в овраге найдены голубые «Жигули», принадлежащие Михайлову Борису Александровичу. В машине два обгоревших трупа, предположительно чета Михайловых...

— Послушай, Сазонов, ты мне перед ужином весь аппетит испортил... Да что же это такое! Не класс — а сплошной кошмар! Надеюсь, это все?

— А тебе мало? Кстати, ты помнишь Зверева?

— Зверев... Что-то знакомое.

— Ты не помнишь? Мы его водили с тобой за нос лет пять тому назад, запугали бедолагу так, что ему пришлось уехать отсюда на время, чтобы история с Пермитиным поутихла... Так вот: он снова здесь и начал копать...

— Вот черт, я же помню, что уже где-то встречал эту фамилию... Пермитин! Ну конечно! Вдовец! Его...

— Витя, спокойной ночи.

И Сазонов положил трубку. Корнилов разозлился — неужели Сазонов думает, что и его телефон прослушивается?! Может, теперь из-за этого Бурмистрова вообще свернуть всю работу прокуратуры?

На паркете образовалась лужа. Произнеся громко вслух все, что он думает по этому поводу, Корнилов, дрожа от холода, вернулся в ванную и собрался было уже погрузиться в теплую воду, но теперь его отвлек звонок в дверь.

Чертыхаясь, он накинул халат и пошел открывать. Но, увидев стоящую на пороге Людмилу Голубеву, был приятно удивлен.

— Извините меня, но там наши дети... за «Ботаникой»... дерутся с интернатскими... — находясь в сильнейшем волнении, она с трудом подбирала слова. — Мама Горкина позвонила мне и сказала, что Кравцов и его ребята пошли в «Ботанику», у них там «стрелка»... Выясняют отношения... За интернатскими стоят взрослые бандиты. Еще при Льдове кто-то обидел интернатскую девочку, ее избили в посадках, заставляли чуть ли не землю есть... Помогите. Я понимаю, что это не в вашей компетенции, но вы хороший человек, вы знаете, что надо делать...

— Вы что, даже в милицию не позвонили?

— Позвонили. Но время идет, никто еще не приезжал...

— Подождите, я только оденусь...

Кравцову позвонили поздно вечером накануне. И он понял, что не может не прийти. Тогда он потеряет все: авторитет, самоуважение, власть. Ему захотелось исчезнуть, раствориться в душном воздухе маленькой комнаты, чтобы никто и никогда его не нашел.

Мать, зайдя к нему, чтобы пожелать спокойной ночи, спросила, кто же так поздно позвонил, на что получила невразумительный ответ: знакомые.

Он ждал, когда все улягутся спать, чтобы потом незаметно выбраться из квартиры и пойти на поклон к Льдову-старшему. Другого выхода из создавшегося положения он не видел. Понятное дело, что интернатские позовут свою «крышу» — бандитов из Заводского района. Драться Кравцов не умеет. Да и разборку относительно девчонки, с которой сцепилась Тамарка, надо было устраивать при жизни Льдова, а не теперь, когда его нет... Но «стрелка» была назначена, и никакая сила не способна была противостоять решению интерната отомстить за унижение Марины.

Виктор даже не помнил, как он вышел из квартиры и по темной лестнице спустился вниз, как шел по ночным улицам, шарахаясь от собственной тени, до дома, в котором еще совсем недавно жил Льдов. Но Вадима не было, он ушел, он предал всех и в первую очередь Кравцова, подставил его своей смертью...

Лифт уже отключили, и Виктору пришлось подниматься пешком. Остановившись с бьющимся сердцем перед такой знакомой дверью, он почувствовал тошноту. Пот струился по его вискам, выступил на лбу и над губами. Достав платок, он вытер лицо и позвонил. Он знал, что все спят — окна квартиры Льдова были темными.

Однако уже очень скоро тонкий женский голос, доносящийся откуда-то из глубины квартиры, должно быть из домофона или специального устройства, спросил: «Кто там?»

— Это я, Кравцов.

Дверь сразу же открылась, и Вероника Льдова, закутанная в длинный розовый халат, испуганно уставилась на Виктора.

— Витя, что стряслось?

Но для Кравцова даже смерть Ларчиковой и ранение Драницыной, о которых он узнал от одноклассников, были пустяком по сравнению с завтрашней «стрелкой»:

— Дядя Саша дома? — спросил он главное, ради чего и пришел сюда в столь поздний час. — Вы извините, что я разбудил вас...

— Его нет, да ты проходи, не бойся... Я одна. Лежу в темноте и все думаю, думаю...

Она сама взяла его за руку и втянула в прихожую.

— Пойдем, выпьем чайку, поговорим. Ведь ты же не просто так пришел к нам, верно? У тебя проблемы?

Но он решил молчать.

На кухне горел маленький светильник, на столе лежала раскрытая книга, рядом — тарелка с подсохшим пирогом и пустая чашка с ломтиком лимона. Вероника не спала, она ждала мужа.

— Можешь мне ничего не рассказывать, но Сашу ты все равно не дождешься. Поэтому решай сам — раскрываться мне или нет. Скажи, речь идет о моем сыне?

Она говорила это таким спокойным, обыденным тоном, что, будь Кравцов настоящим убийцей, он бы, наверное, не выдержал и сам во всем признался. Но он не убивал Вадима.

— Нет, я не знаю, кто убил Вадика. Можно только предполагать...

— Ты ничего не хочешь рассказать мне об Олечке Драницыной? Что с ней случилось?

— А... — Он с трудом мог говорить о чужой беде. — Да что... Ее нашли на дачах, в лесу, с простреленной головой... Но я слышал, что она еще жива.

— Ты так говоришь об этом, словно тебе нисколько не жалко ее. Ты никого не подозреваешь?

— Нет, никого. Ей нравилось проводить время с

мужчинами, она встречалась и спала с ними за деньги, это всем известно.

— Она была в близких отношениях и с Вадимом?

Такого вопроса Виктор не ожидал.

— Не знаю...

— Неправда, ты все знаешь. Как знаешь и то, что в ТОТ день Вадим назначил встречу сразу двум девочкам — Оле Драницыной и Наташе Голубевой. Может, ты мне все-таки скажешь, кто из них двоих, этих маленьких шлюх, пришел ПЕРВОЙ? Оля? Наташа? Кто убил моего мальчика? Кто взял топор из столярки?

— Я ничего этого не знаю.

— А зачем ты тогда пришел? Разве не для того, чтобы рассказать мне, как все было? Назвать имя убийцы...

— Нет... Просто завтра интернатские придут в «Ботанику», они назначили нам «стрелку», а у меня нет «крыши», — выпалил он и опустил голову.

— А... Понятно, и ты пришел, чтобы попросить помощи у моего мужа? Так вот, послушай, что я тебе на это скажу. Твое счастье, что его сейчас нет, а то он спустил бы тебя с лестницы. После того, что случилось с Вадиком, Саша ненавидит и школу, и тех, кто окружал Вадика в ней... Человек, которого сразило такое большое горе, становится необъективным... Ты думаешь, что мы, родители, ничего не видим и не понимаем? Весь класс обожал Вадика, боготворил его. А ты не знаешь, за что?

Кравцов молчал. Он уже тысячу раз успел пожалеть, что пришел сюда, к сумасшедшим Льдовым. Права была Валя Турусова, ох как права... Разве им сейчас до «стрелок» и разборок?

— А я знаю. За то, что у него такой крутой отец и всегда водятся деньги. Вот и все. А если к этому добавить еще и смазливую физиономию... — Она чуть было не сорвалась, резко встала из-за стола и принялась звенеть чашками — готовить чай ему, Кравцову, ночному, незваному гостю.

И вдруг Виктор понял что-то очень важное, и от этого открытия ему вдруг сделалось не по себе. А ведь

Вероника, мать Вадима, не любила своего сына. После того как ему в голову забралась эта совершенно дикая, абсурдная и вместе с тем реальная мысль, поскольку только в этом случае мать могла бы в таком презрительном и уничижительном тоне упоминать имя только что погибшего сына, Кравцову стало немного легче, и он даже поднял голову и посмотрел Веронике в глаза. Да, они были влажны от слез, но это еще ничего не значило.

— Я скажу тебе, Виктор, что мой сын был редким зверем, чудовищем, нечеловеком. И убили его именно по этой причине. Здесь не надо искать каких-то подводных течений и особых причин, тем более связанных с деятельностью его отца... Вадика убил тот, кто не мог больше терпеть его идиотских выходок и, главное, безнаказанности, того, что ему абсолютно все сходило с рук... Ведь его отец, мой муж, делал все возможное, чтобы оградить Вадима от разного рода неприятностей. Больше того, я тебе скажу: Саша гордился своим сыном! Да-да, не удивляйся! Ему нравилось, что Вадим не мямля, что его все боятся и уважают, что за ним бегают девочки... Он считал это признаком нормального развития молодого мужчины. А Вадик был всего лишь чрезмерно избалованным ребенком, уродцем, потерявшим (еще не успев приобрести) все моральные ориентиры. Ты думаешь, я бездействую? Нет, я обратилась в частное сыскное агентство, чтобы они нашли убийцу моего сына. И они найдут — я больше чем уверена. Но этого убийцу я буду УВАЖАТЬ, понимаешь меня? Мне достаточно только взглянуть на него, чтобы понять, права я была относительно своего сына или нет! Ты не смотри на меня так — я еще не сошла с ума. Но поверь, когда узнаешь о собственном сыне такое... Ты не знаешь, к примеру, из-за чего разгорелся конфликт между вашей классной руководительницей и Вадиком? Ведь фотоаппаратом щелкал ТЫ, ТЫ, КРАВЦОВ! А где? В кабинете литературы? А может быть, и еще где-нибудь? Ты куда, уже уходишь? ТЫ ТОЖЕ БЫЛ ТАМ!

Анна Данилова

Кравцов, испугавшись, что разговор может зайти слишком далеко, кинулся к дверям.

Он боялся, что Вероника крикнет ему вслед что-нибудь оскорбительное, страшное, но ничего такого не произошло. Виктор вылетел на лестничную площадку и, перепрыгивая через ступени, бросился вниз, в ночь, в темноту, где его никто не смог бы увидеть... Он одного не мог понять: откуда Вероника узнала, ГДЕ были сделаны эти снимки? Неужели Льдов проговорился?

* * *

В семь часов к Ботаническому саду, расположенному в центре города, этому чудному зеленому месту, удивляющему горожан совершенно фантастическими сочетаниями деревьев и кустарников, подъехала машина, из которой вышло пятеро взрослых мужчин. Они подошли к группе подростков, прятавшихся от моросящего дождя под кронами американского клена, и начался разговор. Напротив, через узкую, протоптанную местными жителями тропинку, стояла другая группа подростков, но уже с девочками. Самый высокий, Кравцов, держал над головами Кати Синельниковой, Тамары Перепелкиной и Жанны Сениной зонт. Горкин на «стрелку» не пришел. Олеференко обещал прийти, но, должно быть, опаздывал.

От группы интернатских отделился молодой мужчина в черных джинсах и красной спортивной куртке, подошел к Кравцову и сказал, перемежая каждое, несущее смысловую нагрузку слово, матерным:

— Пятнадцать кусков деревянных. Сроку — неделя. Встречаемся здесь же. Телок твоих пока трогать не будем.

Последние слова потонули в шуме моторов — в сад въезжали милицейские фургоны и машина «Скорой помощи»...

Машина с «заводскими», петляя между деревьями, уже удалялась к кладбищу, когда один милицейский фургон, резко развернувшись, поехал за ними. Интернатские бросились врассыпную.

Когда Людмила Борисовна Голубева, торопливо покинув милицейскую машину, подбежала к сбившимся в стайку девочкам, одноклассницам ее погибшей дочери, ей показалось, что среди перепуганных бледных лиц она видит и Наташино...

— Девочки, с вами все в порядке? — спросила она, обнимая всех по очереди.

— Да все нормально... — охрипшим голосом ответила за всех Тамара Перепелкина. Она-то боялась больше всех — ведь это из-за нее поднялось столько шума. — Они уехали. Сказали, чтобы мы заплатили им пятнадцать тысяч...

— Долларов? — спросил подошедший Корнилов.

— Да нет, рублей.

— Вы знаете, кто это был?

— Знаем. Интернат и «заводские», — ответила Сенина, да так бодро, по-бойцовски, как будто пожалела, что «стрелка» закончилась так постыдно: без драки, без крови, без победителя... — А вы из милиции?

Корнилов пожал плечами: разве не видно?

— А что там с Драницыной? — Сенину трудно было остановить, она вошла в раж и теперь чувствовала себя главным героем события. — Жива еще? Не нашли, кто стрелял?

— Сенина, заткнись! — Тамара Перепелкина бросила на нее полный отвращения взгляд, и Жанна сразу же замолкла.

— Это я должен поговорить с вами о ней, — как можно мягче произнес Корнилов. Он как бы извинялся за свою назойливость и, глядя на лица мальчишек и девчонок из обреченного 9 «Б», с ужасом думал о том, кто же будет следующим?

— С Олей больше всех дружила Лена Тараскина, но ее здесь нет, она в больнице... — сказала Тамара. — Нам известно, что Оля Драницына навещала довольно часто своего крестного, убирала у него, а он давал ей за это деньги.

— Где живет ее крестный? Как его зовут?

— Да вы спросите у ее мамы, она же должна знать...

Корнилов не знал, как объяснить им, что мама Оли Драницыной запила, и, чтобы вывести ее из этого жуткого состояния, требуется время.

— Валя Турусова видела, как Оля вчера садилась в машину с мужчиной. Утром, вместо того чтобы идти в школу, — не вытерпела Жанна и поспешила вставить свое слово. — Вы поговорите с ней, может, она помнит машину?

— Белая «шестерка», — вдруг выпалила Катя Синельникова. — Ну да, я точно помню, она так и сказала: «Белая «шестерка»... С Олей был взрослый мужчина. Помнишь, Жанна, ты ее еще спросила тогда, сколько она берет денег?..

— Какие еще деньги? — спросил Корнилов. — За что?

За тишиной, которая заполнялась лишь шелестом листвы да шумом дождя, Корнилов, конечно, без труда угадал истинное положение вещей и теперь глядел с состраданием на измученное лицо Людмилы Голубевой, которая в эту минуту не могла не думать о своей дочери и о том, платили ли и ей, пятнадцатилетней Наташе, за то, что она позволяла с собой делать тем неизвестным мальчикам, парням или взрослым мужчинам, которые последние месяцы занимали такое место в ее жизни.

— Я обычный следователь, — вдруг сказал Корнилов, глядя прямо в глаза стоящих перед ним девочек, — не педагог и тем более не ваш отец... Но вас с каждым днем становится все меньше и меньше... Я бы не хотел сейчас морализировать по поводу того, чем занимаетесь вы или ваши одноклассницы; думаю, что вы и сами догадываетесь, о чем идет речь, но подобный образ жизни не может привести ни к чему хорошему. Можете посмеяться над моей несовременностью. Недопустимо продавать свое тело и душу. Продавали бы лучше свои мозги. Быть может, я говорю сейчас коряво, но вы все-таки послушайте меня. Я тоже мужчина и понимаю, ЧТО все те мужчины, с которыми вы встречаетесь, находят в вас. Наслаждение. Редкое удовольствие. Если кто-то из вас употребляет наркотики, то тоже исключительно ради удовольствия. Но вы не можете не знать, что жизнь состоит не только из наслаждений... Есть куда более удивительные и приятные ощущения, связанные с высокими чувствами, о которых вы, быть может, и не имеете представления... Спустя несколько лет, когда схлынет вся эта дурная муть и вы захотите чего-то большего, нормальных человеческих отношений, любви, о которой ваша душа еще ничего не знает или не хочет знать, будет уже поздно... Порядочный мужчина не захочет иметь дело с уставшей от бесчисленных любовников женщиной, у которой вместо души — пепелище, а тело — сплошная рана... Ненасытность в удовольствиях перерастет в манию, в патологию, и, когда все запасы, отпущенные природой для наслаждений, будут исчерпаны, вы сделаете себе последнюю инъекцию...

— Виктор Львович, — перебила его Голубева, — вы разговариваете с ними, как с наркоманами...

— А вы попробуйте взять у них кровь на анализ... Они же не позволят вам сделать этого, — с горечью произнес Корнилов и развел руками, а затем снова обратился к девочкам: — Вам по пятнадцать лет, а вы все уже готовы к смерти? Покажите ваши руки... на сгибе, там, где проходят вены...

Никто из девочек не пошелохнулся. У большинства из них следы уколов были пусть даже и двухнедельной давности, но все равно БЫЛИ. Катя Синельникова делала себе уколы в бедра, но и она не показала руки: а вдруг кто-то уже без ее ведома всадил иглу в вену на руке, когда она находилась в полубессознательном состоянии?

— Вы все поняли? — Корнилов посмотрел на Голубеву. — А вы говорите... Но самое ужасное заключается в том, что процесс этот НЕОБРАТИМЫЙ. Ну что ж, поедем? Вы не хотите навестить Драницыну, а то бы я взял вас с собой.

Людмила поняла, что он не хочет оставлять ее одну после всего, что произошло и что ей пришлось сейчас пережить, и теплое чувство благодарности, смешанное с нежностью, затопило ее изболевшуюся душу.

— Виктор Львович, — сказала Голубева уже в машине, когда они выезжали из сада (в боковом зеркале мелькнули и исчезли фигурки стоящих под кленом девочек), — где, вы говорите, нашли Олю Дарницыну? Неподалеку от дачи Ларчиковой? И ранили почти одновременно с убийством Татьяны Николаевны?

— Да, а что?

— Я, конечно, не уверена, но вы сами говорили, что Ларчикова была невестой Пермитина, человека, который появился на дачном участке спустя некоторое время после совершенного убийства, так? А вы знаете, что этот самый Пермитин — сосед Оли Драницыной? Вы о нем вообще что-нибудь знаете?

— Людмила Борисовна, я много чего знаю о Пермитине...

— Его жена... он же вдовец, об этом писали в газете пять лет тому назад... Неужели никто из вас ни разу не допустил мысли о том, что это он, он убил Таню Ларчикову?.. Да и Олю? Что вы на меня так смотрите? Вы... Вы все знали? И молчали? Отпустите мою руку, остановите машину и выпустите меня... Вы... вы...

Глава 15

Юля передала Крымову и Шубину свой разговор со Зверевым накануне его гибели. Истинной причиной, заставившей его обратиться к ним в агентство, была смерть какой-то женщины. Все, что было связано с этим трагическим событием, и хотел выяснить Сергей. Его труп решено было спрятать на время в ванной комнате агентства. Это необходимо было сделать, чтобы получить возможность, воспользовавшись его ключами, поискать в квартире ту самую «желтую» газету, о которой Зверев упомянул в связи с этой историей.

В кармане его брюк Юля нашла листок с номером телефона Белотеловой, и ревность нервным холодком прошлась-пробежалась по сердцу: все-таки она не ошиблась, и Лариса не ограничилась мимолетным знакомством с молодым и преуспевающим бизнесменом.

— Белотеловой везет на богатых любовников, — заметила она, пряча записку в карман.

— А им — везет на нее. Только с противоположным знаком, — возразил Крымов. — Насколько я понял, Лариса по своей природе РАЗРУШИТЕЛЬНИЦА. Судите сами: в Петрозаводске она связывается с вором, Золотым, и он оказывается в тюрьме. Затем она переносит свою любовь на Соляных, которому просто чудом удается избежать полного банкротства. Ну и наконец, Лариса приезжает к нам сюда...

— ... и начинает охмурять Крымова, — вставил Шубин. — Ты хочешь сказать, что мы скоро останемся без работы? Что наше агентство тоже сгорит ярким пламенем?

Юле показалось, что Игорь переигрывает, и ей стало даже неловко за него: разве можно таким пошловатым образом задирать своего мнимого соперника?

— Не перебивай, — отмахнулся от него Крымов, как от назойливой мухи, и этим намеренно-пренебрежительным жестом произвел на Юлю еще более неблагоприятное впечатление, — в поле зрения Белотеловой попал бизнесмен Зверев, который волочился за нашей Земцовой, и Лариса решила его отбить. Так что, возможно, Юлечка, пока ты прохлаждалась в Карелии и дышала свежим онежским воздухом, твой обожатель уже не раз изменил тебе с нашей клиенткой.

— Знаю. Я это поняла еще тогда, когда мы все вместе встретились у нее в квартире, помнишь, Игорь?

— Попрошу не отвлекаться, — продолжал гримасничать Крымов. — Так на чем я остановился? Белотелова связалась со Зверевым, и что в результате?

— В результате — труп. — Юля покачала головой. — Я до сих пор не могу поверить, что он мертв... И все-таки. Я довольно долго молчала и слушала вас, пыталась представить себе все, что произошло за время моего отсутствия, а когда представила, меня бросило в жар... Вы вообще-то понимаете, что творится вокруг? Я уж не говорю о том, что два наших дела, НЕСОМНЕННО, СВЯЗАНЫ! Труп на трупе и трупом погоняет! Я что-то не вижу вашей работы. Чем вы занимались все это время? Расскажите! Кроме длинного списка убийств я еще ничего толкового не услышала. Крымов, где твоя хваленая интуиция? Где план действий! Ты хотя бы соображаешь, чем могло закончиться для Нади свидание с Тришкиным? Кто надоумил ее отправиться к нему и задавать прямо в лоб свои глобальные вопросы? Неужели вы еще не поняли, что история с Белотеловой и убийства в школе связаны с каким-то событием пятилетней давности? На это указывает Тришкин (зачем было Бурмистрову покупать у него труп какой-то вокзальной шлюхи?), об этом свидетельствует и тот факт, что Лариса Белотелова появилась в Петрозаводске тоже ПЯТЬ ЛЕТ ТОМУ НАЗАД... Крымов, а ты чего молчишь? Почему ты не спросишь Корнилова ПРЯМО, что же такого произошло в нашем городе пять лет назад, что мешает нам теперь расследовать какие-то параллельные и явно связанные с тем ПРОШЛЫМ дела?

Крымов молчал, делая вид, что ничего не понимает. Правда, эмоций на этот раз на его лице поубавилось.

— Значит, так, я сейчас еду к Звереву домой. Кто со мной? — отчеканил Шубин.

— Я останусь с Надей, — отозвался Крымов, — а вы поезжайте. Но должен вас предупредить: без меня ничего не предпринимайте. Возможно, мы действительно влезли в осиное гнездо, и я не хотел бы вас потерять...

Он произнес это обычным тоном, но и Юля, и Шубин сразу поняли, что речь идет о чем-то крайне серьезном.

— Крымов, обещаешь, что не подставишь нас и не пришлешь на квартиру Зверева опергруппу? Я понимаю, конечно, что ты давно работаешь на два, а то и на три фронта, но иногда приходится делать выбор... — Юля, быть может, впервые говорила с шефом таким бесстрастным тоном, который дался ей на удивление легко.

— Вы, ребята, слишком хорошо обо мне думаете. — Крымов закурил. — Поезжайте, я буду ждать вас здесь. Мне бы только утрясти вопрос с Тришкиным... А что, если вы за дверь, а ко мне сюда явятся люди Бурмистрова и повяжут Надю?

— Не повяжут, — успокоила его Земцова, — потому что Тришкин не такой идиот, чтобы трубить о своем унижении. Да он скорее застрелится, чем позволит узнать банде, которая работает на Бурмистрова, о том, что с ним произошло и ЧЕМ ИНТЕРЕСОВАЛАСЬ ЩУКИНА! Скажите мне, разве при взгляде на Тришкина не ясно, что представляет собой этот человек? Он трус. И если Бурмистров узнает о сцене в лесу, то смертный приговор Тришкину обеспечен. А в серьезности этого дела, в которое мы все влипли, я не сомневаюсь уже только потому, что чуть не застрелили Чайкина! А ведь он, казалось бы, совсем ни при чем. Так... свидетель.

Перед тем как поехать на квартиру Зверева, Юля положила в сумку все самое необходимое: перчатки, пакеты, пистолет и даже черную маску.

За минуту до ее ухода зазвонил телефон — это был Харыбин.

— Скажи, что меня уже нет, — попросила Юля чуть слышно Крымова, прикрывшего ладонью телефонную трубку.

— Она поехала к Звереву... — сказал Крымов и с явным удовольствием положил трубку.

— Ну и скотина же ты, Крымов. — Юля запустила

в него первой попавшейся под руку папкой с документами. — Я же тебя как человека попросила...

— А если с тобой что-нибудь случится? Пусть уж лучше он будет нести за тебя ответственность, чем я. Вон и Шубин молчит — видимо, придерживается точно такого же мнения, верно?

Шубин действительно молчал: все было ясно и без слов.

Зверев, как было им известно, жил в том же доме на Некрасова, что и Белотелова, только в соседнем подъезде. Неожиданно появившийся охранник попросил у них документы.

— Мы к Звереву, в четвертую квартиру, это вы сами покажите мне документы, а потом я покажу вам свои, — тоном профессиональной скандалистки заявила Земцова, понимая, что только таким напором и нахальством можно обезвредить чрезмерно любопытного стража. — Охраняйте-ка лучше этот дом от настоящих преступников... Вот скажите мне на милость, где вас черти носили, когда в первом подъезде чуть не пристрелили мою подружку? Ушами здесь хлопаете...

И когда парень в камуфляжной форме исчез за дверью, расположенной справа от входа в подъезд, где находилась каморка для охранников, Юля вдруг посмотрела на Шубина и спросила:

— Игорь, а правда, где все ОНИ были тогда?

— Понятия не имею.

— Так пойдем, спросим.

И она, не дожидаясь, когда он ответит, прошмыгнула в дверь следом за охранником.

Маленькая комнатка с двумя диванами, несколькими колченогими стульями, старым письменным столом, на котором стояли кофейник, банка с сахаром и пульт охраны с экраном.

— Я из частного сыскного агентства, моя фамилия Земцова, и я хотела бы знать, где вы были неделю тому назад, когда в вашем доме было совершено убийство девушки?

Паренек, высокий, нескладный, с торчащими красными ушами и смешными веснушками на носу, молча хлопал маленькими светлыми глазками.

— Ты чего, язык проглотил? — спросил Шубин.

— Да я только вчера первый раз заступил. А тех, прежних, всех уволили. Я слышал, что они, точнее, охранник, который дежурил в день, когда убили девушку, спал... Крепко спал. Похоже, ему подсыпали снотворного.

— Да вы и без снотворного спать горазды, — махнула рукой Юля и, словно потеряв всякий интерес к разговору, направилась к выходу. — Да, — обернулась она, — кстати, а что с той девушкой? Не нашли убийцу?

— Да никакого убийства и не было, просто ранили женщину из второй квартиры, и все... — Паренек говорил осторожно, подбирая каждое слово, словно боясь очередного эмоционального взрыва со стороны посетительницы. — Но охранников все равно уволили. Всех.

— Круг замыкается, — сказала Юля, когда они с Шубиным вышли из комнаты охраны и поднялись на один лестничный марш, — охрану уволили не случайно. Видишь, Игорек, уже и убийства никакого не было. А так, пришел кто-то и — пиф-паф — кого-то ранил... Не нравится мне все это. Даже, признаюсь, мне страшновато. А что, если мы сейчас откроем эту квартиру, а там гора трупов?

— Типун тебе на язык. — Шубин легонько подтолкнул ее в спину. — Поднимайся скорее, как бы этот охранник не пошел следом...

Юля достала из сумочки ключи от квартиры Сергея, и они общими усилиями открыли все пять замков на двух дверях.

— Трупами вроде не пахнет, заходи скорее... — Она поспешила закрыть и даже запереть за собой двери. — У него точно такая же квартира, как и у Белотеловой. Красиво жить не запретишь... Смотри, какая роскошь... У меня создается ощущение, что сейчас из какой-нибудь двери появится Лариса и спросит: какого черта вы, дорогие мои, пожаловали?..

Юля осматривала квартиру, трогала руками обивку дорогой мебели, обои, заглянула в ванную комнату...

— Хорошо еще, что нет кровавых потеков на зеркалах и женских трусиков под ногами... А он был аккуратистом, этот бизнесмен Зверев. Признаюсь, Игорек, мне он даже нравился...

— Не называй меня Игорьком.

— Пожалуйста, не буду. Ты думаешь, я не замечаю, что с тобой происходит? Игорь, нельзя же вечно дуться на меня. Ты — мой самый лучший друг, и единственная моя ошибка состояла только в том, что...

— Не надо, а? Все прошло-проехало.

— Не нервничай, лучше давай подумаем, где у него могут лежать документы...

Старый маленький чемоданчик, доверху наполненный пожелтевшими от времени бумагами, фотографиями и письмами, они нашли в шкафу, под выстроившимися в ряд костюмами. Большой конверт из плотной почтовой бумаги сразу же привлек внимание, и Юля, не раздумывая, раскрыла его.

— А вот и газета, о которой велась речь... Смотри, Шубин, октябрь 1994 года, газета «Прямая речь». Первый раз вижу это название.

Юля развернула газету и стала искать на ее страницах материал, который мог бы иметь отношение к личности теперь уже покойного господина Зверева, но, просмотрев внимательнейшим образом всю газету от начала и до конца, не нашла ни одного упоминания этой приметной фамилии.

— Игорь, ты что-нибудь понимаешь?

— Дай-ка мне, ты не там смотришь, ты слишком зациклилась на Звереве, а смотреть надо, как мне думается, в криминальной хронике, тем более что Зверев говорил тебе о смерти какой-то женщины.

И вдруг Шубин замер с газетой в руках — взгляд его уткнулся в крошечное сообщение на четвертой странице газеты под заголовком «Криминальная сводка»:

«8 октября в доме по улице Некрасова совершено убийство молодой женщины. Ее обнаружил, вернувшись домой, муж, гр. П. У женщины была отрезана голова. Начато расследование».

Юля, которая прочитала это поверх плеча Шубина, покачала головой:

— Вот это да! И кто же выпускал эту газету? Убери палец... А... — Она закрыла рот рукой. — Павлов. А. Павлов. Игорь, звони скорее кому-нибудь из своих знакомых журналистов и попытайся узнать хоть что-нибудь о Павлове. Неужели это тот самый агент Саша?

Через полчаса ее догадка подтвердилась: двое знакомых журналистов Шубина сказали одно и то же — действительно, Александр Павлов лет пять-шесть тому назад выпускал бульварную газетенку «Прямая речь», которую пару раз закрывали, а редакцию поджигали, поскольку газетка была непростая, носила явно оппозиционный характер и доставила немало хлопот местным властям своими сенсационными разоблачениями. После неудавшегося покушения на его жизнь Павлов закрыл газету и занялся продажей недвижимости. Когда же Шубин попытался их расспросить относительно страшного убийства, совершенного в доме на улице Некрасова, и упомянул о трупе молодой женщины с отрезанной головой, оба журналиста, словно сговорившись, ответили примерно одинаково: не суйся туда. И резко повесили трубку.

— Какие интересные люди живут в нашем городе, — удивилась Юля, которая прослушивала оба разговора через параллельный телефон. — Уверена, если ты сейчас позвонишь еще кому-нибудь, тебе ответят приблизительно то же самое. Черт побери, что же такое произошло с той несчастной женщиной? То, что на квартире гр. П. нашли — как я понимаю теперь, после рассказа Тришкина, — обезглавленный труп вокзальной шлюхи, это ясно как день. Но кому понадобилось это делать и зачем (я имею в виду — подкидывать труп другой женщины вместо настоящей жены гр. П.) — вот в чем вопрос! Игорь, мне необходимо срочно позвонить... Или нет, мне надо навестить кое-кого... Но перед этим давай все сложим на место и уберем. В конверте, между прочим, помимо газеты, еще и доллары, видел? — И Юля, отогнув край конверта, показала Игорю довольно внушительную пачку «зеленых». — Мало ли что... Да и вообще здесь жутко.

Игорь в это время держал в руках паспорт Зверева, который нашел на столе, в хрустальной салатнице.

— Хочешь посмотреть, где господин Зверев жил и был прописан до 1994 года?

— Конечно, хочу.

— Пожалуйста: «Якутия (Саха), Оймяконский район, пос. Дражный...» Тебе это ни о чем не говорит?

— Лишь о том, что до 1994 года Зверев морозил свои уши на Севере...

Шубин перезвонил Крымову:

— Женя, постарайся вспомнить, где мы с тобой могли совсем недавно видеть паспорт с якутской пропиской.

Юля взяла трубку и услышала, как Крымов выругался матом. Она успела лишь подумать о том, насколько грубы могут быть даже самые ласковые мужчины, когда они уверены в том, что их не подслушивают женщины, как Крымов, еще раз смачно выругавшись, вдруг заявил:

— Шубин, ты старый маразматик. Вернее, МЫ С ТОБОЙ старые маразматики и склеротики. То я никак не мог вспомнить, где видел натюрморт с ромашками, теперь ты носишься со своей якутской пропиской... В саду у Ларчиковой Тани — вот где! Пермитин протянул Корнилову свой паспорт, а потом, когда тот начал допрашивать его, паспорт этот взял у него я, а ты еще тогда заглянул в него, сказал, что на фотографии этот старый хрен выглядит моложе, чем в жизни. Вспомнил?

— Точно! Он еще тогда дрожал, этот Пермитин, и название поселка — Дражный... И я представил себе, как он дрожит в своем Дражном. Ну, спасибо.

— Дарю. С тебя пять долларов. А кто еще из Дражного?

— Зверев.

— Понятно. Вы где? Все там же?

— Да.

— Значит, Земцова сейчас нас подслушивает?

— Значит, — отозвалась Юля и улыбнулась. — Но откуда тебе известно, что здесь два телефона?

— Да потому что их не два, а много больше... Обычные дела. Ты слышала, как я общался по душам с Игорьком?

— Слышала, конечно. Блеск!

— Извини за русскую речь. — И тут же: — Что нового нарыли?

— Еще одну могилу.

— Не понял — труп?

— Приедем — расскажем. Пока.

Они уже собирались уходить, когда Шубину пришла в голову мысль включить компьютер Зверева, чтобы попытаться найти в нем что-нибудь интересное. Он был удивлен, когда понял, что эта электронная шкатулка просто нафарширована играми.

— Он играл во всю эту дребедень, как ребенок. — Игорь «гулял» по файлам, открывая их и закрывая с невероятной скоростью, словно целыми днями только этим и занимался. — Надо же — ничего серьезного... Должно быть, он пользовался лишь Интернетом и электронной почтой, поскольку ни одной сколько-нибудь стоящей программы я здесь так и не нашел... Подожди, вот еще один, последний файл. Абракадабра какая-то, а не название.

На синем поле экрана появился убористый белый текст. Шубин открыл самую последнюю страницу, и они почти хором прочитали:

«Я сбежал. Юля З. теперь долго будет думать, почему. Она похожа на Брижит Бардо, только слишком не уверена в себе. Думаю, что все дело в Крымове...»

— Быстро отключи эту штуковину... — Юля шлепнула Шубина по руке. — Немедленно! И не читай эту чушь! Все вы, мужики, одинаковые...

Но Шубин уже прочел. И покраснел. Зверев довольно открыто написал в своем сине-белом дневнике о чувствах, которые он испытывает к Юле З. Другая женщина на ее месте затрепетала бы от этих признаний. Но только не Юля.

— Я что-то не понял, зачем он приходил в агентство: к тебе или по поводу убитой девушки...

— Шубин, ты сейчас же отвезешь меня к Драницыной, а сам пробейся в ИВЦ и собери информацию о всех жителях нашего города, которые приехали сюда из Дражного. Ты вообще-то понимаешь, что такое Якутия?

— Снег, мороз...

— Сам ты — снег и мороз! Шляпа!

Игорь между тем продолжал листать страницы компьютерного дневника Зверева, в котором тот помечал даты заключения договоров, важных встреч, свои впечатления от партнеров. И только одна строчка привлекла к себе внимание, причем в связи с именем Белотеловой:

«Вчера встретил прелестную соседку. Она почему-то живет одна. У нее красивая грудь, но еще красивее золотой крестик с бриллиантом, точно такой был у Л. Как бы мне хотелось все это забыть...»

Содержание электронных писем тоже носило деловой характер: поставка луковиц тюльпанов из Голландии, удобрения, литература о парниках и теплицах, каталоги ювелирных аукционов, копии приказов Российского федерального казначейства, прайс-листы компьютерной техники...

— Посмотри, может, ему пришли новые письма? — посоветовала Юля, которая, продолжая стоять за спиной Шубина, с интересом знакомилась с огромным количеством мелькающих на экране писем.

Но новых писем не было. Игорь выключил компьютер, и они вышли из квартиры.

— Между прочим, человек, который убил Сергея, — сказала Юля, явно нервничая из-за того, что Шубин, запирая двери, довольно долго возится с каждым замком, — запросто может прибить и нас... Пойдем скорее... Ты не забыл, куда меня нужно сейчас отвезти?

— К Драницыной. Я только не понял — зачем.

— Я не уверена, но мне кажется, что соседи иногда знают больше самых близких родных и друзей. А ведь Пермитин живет через стенку от них... Стой, стой... Мне в голову пришла потрясающая мысль. Ты подожди, пожалуйста, меня на улице, а мне надо позвонить одному знакомому...

Шубин, несколько обиженный, ушел, а Юля беззастенчиво принялась набирать код Петрозаводска.

— Здравствуйте, мне бы Павла Ивановича Соболева... Павел Иванович? Это говорит Юля Земцова. Пожалуйста, не в службу, а в дружбу, помогите мне... Что? Да, поездка была замечательной. Я к вам вот по какому делу. Вы когда-нибудь слышали о поселке Дражном?..

* * *

Крымов, переодев полусонную от успокоительных капель Надю в Юлину теплую одежду и укрыв ее одеялом, подождал, пока она уснет, и только после этого вернулся в приемную и позвонил Белотеловой.

— Лариса? Добрый день. Это Крымов. Как ваши дела? Что интересного происходит в вашей квартире?

— А... Господин Крымов собственной персоной... — раздался на другом конце провода насмешливый и явно недовольный голос Ларисы. — А я уж и не надеялась, что вы обо мне когда-нибудь вспомните. Ничего нового не происходило, но мне хватило и того, что было. Вы, очевидно, хотите отказаться от дела?

— С чего вы решили?

— Я не вижу результатов. У меня сложилось впечатление, что вы, как и сотни людей вашего плана, только делаете вид, что работаете, а на самом деле организовали свое сыскное бюро, исключительно чтобы обманывать таких доверчивых клиентов, как я.

— Сурово.

— Но это факт. Я понимаю, конечно, что мое дело довольно странное, что в нем имеют место необъяснимые явления, но вы хотя бы пришли ко мне, подежу- рили ночь-другую, чтобы выяснить, что же такое происходит в этих стенах и откуда берутся эти вещи... Так нет — вы заняты чем угодно, но только не мною. Но мне не хочется оказаться в дураках, поэтому давайте встретимся и поговорим начистоту.

— Давайте. Вы хотите забрать свои деньги назад?

— Разумеется. Я просто настаиваю на этом, иначе у вас будут большие неприятности.

— Хорошо, я сейчас же приеду к вам.

— Вот и прекрасно. Не забудьте привезти деньги.

И она повесила трубку.

Крымов, оказавшись в уютном зеленом дворике на улице Некрасова и в очередной раз восхитившись домом, тяжело вздохнул, вошел в подъезд и поднялся на второй этаж, где располагалась квартира Белотеловой. Он понимал, что разговор предстоит довольно тяжелый, унизительный для него и весьма приятный для Ларисы. Но главным для него сейчас было — убедить ее не забирать назад деньги, а продолжить расследование «паранормальных» явлений, в которые он, разумеется, не верил, но игра в которые кому-то была крайне выгодна. В конечном счете он был готов даже соблазнить Ларису, лишь бы достигнуть своей цели и сохранить ее в качестве клиентки — он не любил проигрывать.

Когда она открыла дверь и он увидел выражение ее лица, надежда на благоприятный исход дела у него явно поуменьшилась. Лариса пригласила его войти и, не оглядываясь, быстрым шагом направилась на кухню. Крымову ничего другого не оставалось, как следовать за ней.

— Садитесь. Я вам даже чаю не предложу, потому что вы, Крымов, — мошенник. Отдавайте назад деньги, и разойдемся по-хорошему.

Лицо Ларисы — сильно напудренное и показавшееся Крымову постаревшим за те несколько дней, что они не виделись, — иначе как злым назвать было нельзя. Домашний махровый халат до пят, тюрбан из полотенца на голове, сильно стягивающий кожу лица, нервные пальцы, выбивающие дробь на поверхности стола, — все это свидетельствовало о том, что Ларисе было глубоко наплевать на визит одного из самых красивых мужчин города; больше того — она намеревалась, судя по раздувающимся ноздрям и холодному блеску в глазах, смешать его с грязью, если он тотчас же не вернет ей деньги.

— Я готов отчитаться, — спокойно заявил Крымов и достал из кармана блокнот. — Если вам действительно интересно, что происходит в вашей квартире и кому принадлежат вещи, которые появляются здесь неизвестно каким образом, и если вы все это не подстроили сами, чтобы заполучить меня в качестве очередного любовника, то потрудитесь-ка выслушать меня внимательнейшим образом. Начну с того, что женская одежда, представленная вами, принадлежит женщине, заметно уступающей вам по габаритам. Кровь, которой кто-то поливает ваши зеркала, — от беременных женщин, причем — разных. Скажите, вам никогда не приходило в голову, что эти странные явления имеют вполне реальное объяснение и ведут к одной-единственной двери, связывающей ДВЕ СОСЕДНИЕ КВАРТИРЫ?

— Не понимаю...

— Если вы не против, я сейчас покажу вам дверь, соединяющую вашу квартиру с соседней, и все сразу встанет на свои места...

Лицо Ларисы пошло красными пятнами.

— С чего вы это взяли? — спросила она побелевшими губами. — Вы хотите сказать, что кто-то проникает в мою квартиру БЕЗ МОЕГО ВЕДОМА?

— А вы не знали?

Крымов придумал все это по дороге сюда, и теперь внимательно смотрел на лицо Ларисы, чтобы по мимике, взгляду, взлету бровей, по малейшим деталям определить степень волнения Ларисы, ее отношение к услышанному, пусть даже это и напоминало бред. «Ведь на самом деле, — рассуждал он, — если не она, так кто может оказаться в ее квартире неожиданно, незаметно и с чашкой, полной крови, или с чулками в руке? Только человек, живущий через стену и знающий о существовании тайной двери, которая может находиться где-нибудь в шкафу или стеновой панели в закрытом месте, вроде ниши в прихожей...» Все это не имело для него никакого значения. Крымову сейчас важно было другое — смутить Белотелову, выбить почву из-под ее ног и упрекнуть именно ее в мошенничестве и желании обмануть работников агентства, трудящихся в поте лица над ЕЕ ДЕЛОМ. Пустить пыль в глаза и заставить платить — вот ради чего Крымов приехал сюда и теперь со вкусом, наслаждаясь, морочил голову Белотеловой.

— О чем вы? Я ничего такого не знала и не знаю...

— Вы сами покажете мне эту дверь или лаз, назовите его как хотите, или прикажете мне ворошить ваше белье в стенных шкафах?.. Поймите наконец, что во всем должен быть смысл. И если кто-то, проникающий в вашу квартиру по ночам ли, а может, и днем, пачкает кровью беременных женщин ваши зеркала и разбрасывает по комнатам женскую одежду, значит, ЕМУ ЭТО НУЖНО. Вот и спрашивается: зачем? Мы отправили в Петрозаводск нашего работника, Юлю Земцову, вы ее хорошо знаете (кстати, эта командировочка влетела нам в копейку!), с тем чтобы навести о вас справки. Неужели вам никогда не приходило в голову, что все эти идиотские штучки в духе Хичкока — проделки вашего бывшего компаньона, Соляных?

— А что он рассказал вам?

— Ничего. И знаете почему? Да потому что его уже к тому времени не было в живых, его, оказывается, убили. Причем буквально за два дня до приезда Земцовой. И вы, прекрасно зная об этом, ничего нам не сказали, — вдохновенно врал Крымов.

— Я... Я ничего не знала...

— Не надо, все вы знали. Соляных был единственным человеком, который мог пролить свет на ваше прошлое, уважаемая госпожа Белотелова. И он сильно мешал вам в вашей бурной деятельности, связанной с доставкой в Карелию опия из Средней Азии. Быть может, на первых порах он и был нужен вам, и вы использовали его связи вплоть до того самого звонка из Москвы, когда он сообщил вам, что погорел и попросил вас продать все, что у вас было, чтобы спасти его...

— Ложь! — крикнула Лариса. — Я никогда не участвовала в его делах. Я вообще ничего не знаю...

— Не перебивайте меня! — жестко осадил ее Крымов, не спуская с нее глаз и наслаждаясь первыми результатами ее испуга. — Люди, с которыми он не поделился в Москве, расправились с ним очень жестоко и теперь подбираются к вам. И вы, зная об этом, боитесь, но ничего не можете с этим поделать. Разве не ясно, что кровь на зеркалах — это предупреждение? Что разбросанная по квартире одежда — лишь продолжение спектакля, цель которого — та самая доля, которая принадлежит не вам, Лариса... Верните долги — и в вашу жизнь вернется покой. Другое дело, что денег у вас нет и вы на волоске от смерти...

— Прекратите нести чушь! Какие еще наркотики?! Какая Средняя Азия? Какие спектакли?

— Вы думаете, что мы позволим на себе экономить? Вы вздумали мне угрожать, милочка, а это уже дурной тон. В нашем городе это не принято. Да это вообще нигде не принято, даже в Петрозаводске. Зная о том, что вашего подельника убили, вы даже пальцем не пошевелили, чтобы остановить нас, предупредить, чтобы мы не совали нос в это грязное дело, а Юля, между прочим, рисковала жизнью...

Он не помнил, что еще наплел перепуганной насмерть Белотеловой, и очнулся уже тогда, когда на столе появилась стопка стодолларовых банкнот. Лариса с опухшим от слез лицом умоляла его сделать все возможное, чтобы обеспечить ей алиби на момент убийства Соляных.

— И все равно, — прошептала она, обнимая себя за плечи и дрожа от озноба, — Соляных здесь ни при чем... Это недоразумение. Я ничего в своей жизни не умею, только делать маникюр. Это — все! Какие, к черту, наркотики?! Все это придумано там, в Петрозаводске. Люди завидовали мне, что я живу с Колей. Он был очень богат, а это всегда вызывает массу негативных чувств со стороны окружающих. Вы должны верить мне... Вот, возьмите эти деньги и сделайте все возможное, чтобы меня никто не смог втянуть в это дело...

Крымов вышел от Белотеловой в состоянии, близком к истерике: такого отчаянного вранья он и сам от себя не ожидал. Наркотики, Средняя Азия, мертвый Соляных — бред собачий! А дверь, соединяющая две соседние квартиры? Хорошо, что он вовремя сменил тему, а то пришлось бы искать этот тайный, несуществующий ход... Но как она испугалась, эта молодая хамка!

Зато теперь можно было уже не переживать относительно возврата гонорара. Пускай настоящих результатов этого расследования еще нет! Не так-то просто вести подобные дела. Со временем все образуется, и Белотелова получит обратно свои деньги — те, что выдала ему сверх гонорара в порыве чувств... Интересно, она обрадуется, если узнает, что Соляных жив и здоров, или наоборот — сильно огорчится?

Крымов возвращался в агентство с больной головой: слишком много навалилось на него непонятного, сложного и абсурдного. Корнилов сказал ему — не суйся в это дело. Но в какое? Последние дела связались в тугой узел, и поди разбери, где его самый опасный конец, ведущий к Бурмистрову? И при чем здесь убийство, совершенное пять лет тому назад, вокруг которого столько бессмысленных предупреждений и намеков? И почему Корнилов боится рассказать о сыне Бурмистрова, тем более что тот жив и здоров? Разве что это делается намеренно?!

А что делать с трупом Зверева и как объяснять теперь, что он полдня пролежал на холодном кафельном полу ванной комнаты агентства?

Вспомнив про поселок Дражный и о том, что оба — и Пермитин и Зверев — жили там какое-то время, Крымов подумал, что тот, кто убил Зверева, явно опасался его... А что, если это и есть Пермитин? Если это именно он убил Ларчикову и ее учеников, а затем застрелил Зверева? Только где смысл во всех этих страшных смертях? А кто ранил Олю Драницыну? Тоже он? Но за что?

Надю он застал всю в слезах. Увидев входящего в комнату Крымова, она разрыдалась.

— Женя, ну куда же ты ушел? Почему ты меня бросил? Я вошла в ванную комнату, а там... там... труп... Вы что, совсем сошли с ума? Хотите, чтобы я лишилась рассудка? Увези меня отсюда, пожалуйста, очень тебя прошу... Скажи, меня посадят за Тришкина?

Она стала нервно икать, и Крымов, обняв ее и усадив к себе на колени, принялся успокаивать, как маленькую. Вытер ей слезы, поцеловал и прижал к себе. В душе его происходило что-то непонятное, сердце заломило: он страдал из-за невозможности успокоить впавшую в отчаяние и окончательно раскисшую Надю; он не находил слов, которые помогли бы ей не думать о Тришкине.

— Ты хочешь, чтобы я привез его к тебе, и ты сама, собственными глазами, увидела его и услышала, что у него к тебе нет никаких претензий? Если хочешь, я могу это устроить.

Она смотрела на него широко распахнутыми и полными слез глазами и не знала, что сказать: возможно, именно это и успокоило бы ее сейчас.

— Я только никак не могу понять, зачем ты поехала к нему? Разве это твое дело?

— Юля тоже бы поехала, окажись она на моем месте.

— Юля — это совсем другое дело. А ты должна беречь себя...

Надя проглотила эту волшебную фразу, как неслыханно огромную порцию счастья, и немного успокоилась: он любит ее, этот невозможный Крымов, любит ее!..

К разговору о Тришкине в этот вечер больше не возвращались.

* * *

Тамара Перепелкина, вернувшись из Ботанического сада домой, открыла дверь своими ключами и по доносящимся из глубины квартиры голосам поняла, что у них гость. Отец разговаривал со Сперанским, и была чудесная возможность подслушать их разговор, оставаясь незамеченной.

Едва держась на ногах и находясь на пределе сил, Тамара тем не менее, прижавшись спиной к стене прихожей, на цыпочках приблизилась к двери гостиной и вся обратилась вслух. Сердце ее ухало в груди уже от одного звука голоса Игоря Сергеевича. Она не представляла себе, что же будет, если она УВИДИТ его. Таких сильных чувств к кому-либо она еще никогда не испытывала, и какие удивительные это были переживания: радость, смешанная с непонятной зудящей болью, нежный трепет, желание очутиться в его объятиях и яркое, сильное предчувствие скорого счастья... И это почти в тот момент, когда жизнь ее, казалось бы, уже потеряла смысл, когда душа и тело уже были легкомысленно отданы на откуп каждодневной бессмысленной инерции поступков и желаний.

— ... я узнавал, для этого требуется решение районной администрации, оно так и называется: «Решение о снижении брачного возраста»... Мне ничего не стоит заполучить эту бумагу, а справку от врача — тем более... Как только она согласится, я сразу же начну действовать и увезу ее отсюда...

— А если она не согласится? Ведь у нее в голове ветер, она не ведает, что творит... Но, с другой стороны, я не хочу потерять дочь, а потому единственное, что я могу сейчас для нее сделать, это дать ей возможность увидеть совершенно другую жизнь, других людей, о существовании которых она и не подозревает. Ведь вся жизнь у нее сейчас сконцентрировалась на школе, классе и тех бездельниках и подонках, быть может, даже наркоманах, которых она видит каждый день, с которыми разговаривает и впитывает в себя весь этот подростковый яд неведения... Ты бы видел, в каком состоянии она иногда возвращается домой, какие пустые и одновременно грустные взгляды она бросает на меня, словно извиняясь... А ведь это мне следовало бы попросить у нее прощения за то, что она целыми днями одна, что у нее дома нет настоящей семьи... Только прошу тебя, Игорь, будь с ней осторожен, не позволяй ей замыкаться на своих проблемах, которых у нее, как мне кажется, предостаточно для девочки такого возраста.

Тамара вернулась к двери и позвенела ключами, чтобы заявить о своем присутствии. Сразу стало очень тихо, и только спустя несколько секунд послышались шаги — в прихожей появился отец. С виноватым видом он проблеял, словно его застукали на месте преступления:

— Тамарочка, проходи... У нас Игорь Сергеевич. Он хочет с тобой поговорить. Или, может, ты сначала поужинаешь?

Тамара пожала плечами и покачала головой — какой еще ужин, когда на душе творится такое?!

В гостиной она увидела Сперанского. Он поднялся ей навстречу и поспешил взять ее руку в свою.

— Мне надо сходить за хлебом, а вы поговорите, поговорите. — Перепелкин засуетился в поисках неизвестно чего: несколько раз открыл и закрыл ящики шкафа, заглянул в сервант, затем умчался на кухню, а когда вернулся, взял со стола рюмку, допил то, что оставалось на донышке, и наконец, извинившись, пулей вылетел из квартиры.

Тамара села в кресло напротив сильно смущенного, ставшего вмиг розовощеким Сперанского, и заставила себя посмотреть ему в глаза.

— Тамара. — Игорь Сергеевич потянулся к ней всем телом и взял ее крепко за обе руки; глаза его изучали ее лицо, взгляд скользил по ее векам, ресницам, губам... — Понимаешь, так случилось, что твой отец выбрал меня...

Она широко раскрыла глаза: что он этим собирался сказать?

— Скажи, ты бы хотела уехать отсюда? Хотя бы на месяц? Куда-нибудь очень далеко, на море, например?

— Зачем?

— Чтобы сменить обстановку и забыть хотя бы на время свою школу, класс... У вас слишком много страшных событий произошло за последние две недели, и никому не известно, чем все это может закончиться... Тебе опасно оставаться здесь, в любую минуту с тобой может произойти то же самое, что и с твоими одноклассницами... В городе, судя по всему, появился очередной маньяк, который неравнодушен к девочкам почему-то именно из вашего класса.. Вот твой отец и попросил меня отвезти тебя на море... Там ты отдохнешь, позагораешь, восстановишь свою нервную систему.

— А почему вас? Разве он сам не в состоянии поехать со мной? Он что, заболел? — Тамара не хотела, чтобы Сперанский говорил ей о море и школе, она ждала от него большего. Хотя кое-что, безусловно, в их отношениях изменилось — он называл ее на «ты», а это резко сократило расстояние между ними.

— Нет он не заболел... Это я заболел, и серьезно. — Сперанский и сам не понял, как очутился возле нее и подхватил ее на руки, опустился с нею на коленях в кресло и крепко прижал к себе, вдыхая аромат ее влажных от дождя, пропитанных запахами Ботанического сада волос. — Я тебя люблю, Тамарочка, понимаешь? И хоть ты совсем еще маленькая, я бы хотел жить с тобой. Ты хочешь этого? Ты понимаешь, о чем я говорю?

Тамара зажмурилась, и он сам нашел губами ее губы и поцеловал так, как ее еще никто и никогда не целовал — проникновенно, дерзко, страстно...

Она не смогла ответить на его поцелуй — силы покинули ее, и даже ее жаркие полураскрытые губы отказывались подчиняться ей; они жаждали продолжения поцелуя.

— Скажи, что ты чувствуешь по отношению ко мне? — спрашивал Игорь Сергеевич, покрывая поцелуями ее лицо, шею, грудь и снова возвращаясь к губам. — Ты ведь понимаешь, что я едва владею собой, но все будет так, как ты скажешь... Я никогда не причиню тебе боли, и если у тебя ко мне нет чувств, то я исчезну из твоей жизни. Конечно, если у меня хватит сил для этого...

Она так и не смогла ему ничего ответить. Ее мутило от переизбытка чувств, от ощущения нереальности происходящего, потому что слова, которые она услышала от Сперанского, показались ей озвученным сном... «Такого не может быть, — твердила она себе, — я люблю его, но он не может меня любить, потому что я гадкая, грязная...»

Раздался телефонный звонок, и Тамара, очнувшись от сладкого забытья, в которое была погружена нежными прикосновениями Игоря Сергеевича, тотчас взяла трубку. Мужской голос предлагал ей прийти к нему в гости прямо сейчас и удовлетворить его. Судя по всему, мужчина был пьян, а потому речь его была грубой, как и то, что он предлагал ей сделать. Она узнала его, это был Слава, тот самый неутомимый пенсионер, который приводил ее вчера к себе в коммуналку. Она бросила трубку и со страхом посмотрела на Сперанского, словно спрашивая его, услышал ли он слова, которые говорил ей Слава. Но Игорь Сергеевич даже не придал значения звонку. Он ждал от нее ответа.

«Вы мне очень нравитесь, Игорь Сергеевич, но вы слишком хороший для меня. У нас с вами ничего не получится».

Она подумала это, но не произнесла вслух.

— Дело в том, — опомнившись, сказал он, — что я могу поехать с тобой только в качестве мужа, вот в чем дело... Иначе у нас могут быть серьезные неприятности. И если ты не против, я готов все это оформить... законным образом.

Снова телефонный звонок. На этот раз Слава говорил еще более невозможные вещи, услышав которые Сперанский умер бы на месте.

— Вы ошиблись номером, — как можно спокойнее ответила Тамара и, чтобы не было заметно, что она волнуется, осторожно положила трубку на место.

— Ты согласна?

И кто-то вместо нее, там, внутри, другая Тамара, смелая и решительная, ответила:

— Да. Я согласна.

Она ждала в ответ на ее согласие каких-то более смелых действий со стороны Сперанского, ей так хотелось, чтобы его ласковые руки раздели ее и уложили в постель, ей необходимо было ощутить рядом с собой его надежное тепло, в котором она так нуждалась, но ничего этого не последовало. Игорь Сергеевич сидел в кресле напротив и продолжал держать ее за руки. Как и тогда, еще в начале их разговора, когда не было никаких поцелуев, объятий и предложения... И тогда она подумала: «А не приснилось ли мне все это?»

— Ты ничего не хочешь мне рассказать? — вдруг услышала она и почувствовала, что краснеет.

— А что вы хотите услышать? — вопрос прозвучал вызывающе громко. Она снова потеряла уверенность и в себе, и в том, что рай со Сперанским возможен. А раз так, пусть послушает...

— Все. Расскажи мне о своем классе, о своих подругах и о том, что же на самом деле произошло с девочкой, которая отравилась...

— Вы что, издеваетесь надо мной? — возмутилась она до глубины души. — Вы только что ТАК целовали меня и предлагали мне руку и сердце, и теперь расспрашиваете меня о том, что не имеет отношения к предмету нашего разговора! Зачем вам это? Что вы от меня хотите?

Он улыбнулся. Она была права, эта маленькая женщина с молочной кожей и ясными чистыми глазами... Но он не мог позволить себе доказать ей свою любовь прямо сейчас, здесь, в этой квартире, куда в любую минуту может вернуться ее отец... Он подождет, он привык ждать. А через несколько дней, когда все формальности будут улажены и он увезет свою несовершеннолетнюю жену подальше от этого проклятого города, кишащего убийцами и наркоманами, у них обоих будет возможность любить открыто. Вот только как ей объяснить это сейчас, когда она, созревшая телом и душой, ждет от него ласки, а вместо этого ей приходится выслушивать дежурные вопросы о школе, классе, погибшей подружке?..

В дверь позвонили, и очень вовремя — вопрос, заданный сбитой с толку Тамарой, повис в воздухе. Сперанский пошел открывать.

— Тамара, это к тебе...

Глава 16

Шубин нашел уборщицу тетю Валю в подсобке, на первом этаже школы. Она спала прямо в низком продавленном кресле, положив под голову свернутую вязаную кофту. Во сне морщинки ее разгладились, зато обозначились припухлости под глазами, какие бывают у пьющих людей. В сером длинном халатике, из-под которого торчали худые, в коричневых чулках, ноги, обутые в резиновые калоши, тетя Валя представляла собой жалкое зрелище.

— Валентина Ивановна? — Шубин принялся тормошить ее за плечо. — Вставайте, школа горит...

Она открыла глаза и тупо уставилась не незнакомого мужчину.

— Кто вы? Что вам нужно?

— Поговорить.

— О чем? — Она окончательно пришла в себя, встала, вся подобралась, подтянулась, и за какие-то несколько секунд глаза ее наполнились страхом. — Кого еще убили?

— А почему вы так решили?

— Вы из милиции?

— Предположим.

— Я ничего не знаю. Мою себе полы, и все.

— Квартира, которую вы сдавали Вадику Льдову, сейчас не занята?

— Да вроде нет... — неуверенно ответила уборщица и сощурила глаза, словно пытаясь вспомнить подлинный ход событий. — Так, иногда хожу туда, проверяю окна, да чтоб краны не текли...

Она говорила и глядела в это время куда-то в сторону, боясь встретиться с Игорем взглядом. «И не хитрость это никакая, — подумал Шубин, — а водка, которая отшибла ей память».

— Я бы сам хотел снять эту квартиру, на месячишко. Как, договоримся?

— А чего ж не договориться-то? Пятьдесят рублей — а я тебе ключи, делов-то... Адрес знаешь?

— Знаю. — Шубин достал деньги и протянул их тете Вале. — Я готов прямо сейчас...

Та, не моргнув глазом, выхватила деньги и спрятала в карман халата.

— А кто Льдова убил, не знаете? — спросила она уже перед тем, как Шубину выйти из подсобки.

— Знаю.

— И кто? — удивилась она. — А мы ничего не знаем, говорят, что убийцу теперь никто не найдет...

— А я знаю. Так я пойду?

— Иди, конечно, иди...

— Вы, Валентина Ивановна, только никому ничего не говорите, хорошо?

— Как скажешь.

Шубин вышел из подсобки и, протопав, стоя на месте, чтобы Валентина поверила в то, что он действительно ушел, спрятался за дверью, которую нарочно оставил приоткрытой, и принялся подслушивать, кому она сейчас позвонит. И совсем не удивился, когда послышался характерный звук набираемого номера, после чего тетя Валя довольно бодрым голосом попросила к телефону Виктора. «Из школы», — пояснила она кому-то в трубку. «Витя? Это я. Сейчас у меня тут из милиции мужчина был, про тебя спрашивал. Я сказала, что ничего не знаю. Мне бы это... еще рублей сто — сто пятьдесят. Чего? Да по мне ты хоть коз туда води — главное, платить надо. Я ж не себе... Ты мне не груби, он еще не ушел, вон, под окнами стоит, учителей про тебя расспрашивает. А если это ты убил Вадьку? Кто вас знает? Мы договаривались как? Чтобы чисто было, а вы окурки набросали, пустые бутылки... Ну, бутылки мне пригодились, я их сдала, а вот остальное убирать надо. Я в вашу жизнь не вмешиваюсь, но если не заплатите — скажу, что вы без моего ведома квартиру занимаете». Игорь слышал, что она сама, не дожидаясь ответа, быстро положила трубку, после чего загремела ведрами.

Он не ожидал, что можно таким вот немыслимым, прямо-таки идиотским образом снять квартиру. Эта старая пьяница даже не удосужилась ПОКАЗАТЬ ее! Это может говорить только об одном: в таком полупьяном состоянии тетя Валя могла одновременно сдать квартиру сразу нескольким временным жильцам, только бы ей за это заплатили.

Шубин пошел на квартиру Иоффе. Он еще от директрисы узнал, кто является истинным хозяином этой квартиры, и очень удивился тому, каким образом старый школьный сторож распорядился своей недвижимостью. Но у стариков свои причуды. Конечно, при такой, пусть и временной, хозяйке, как тетя Валя, эту квартиру кто угодно мог превратить в притон, даже говорить нечего. Но тогда непонятна выжидательно-наплевательская позиция директрисы Галины Васильевны, прекрасно знающей о существовании этой квартиры и о тех слухах, которыми полнится школа...

Грязный подъезд, обшарпанные стены, полуразбитая дверь, запах сырости и плесени. Шубин сначала прислушался, не слышно ли голосов в квартире, и только потом, когда убедился, что там тихо, осторожно открыл дверь. В лицо ему сразу же пахнуло тошнотворным застарелым запахом табака, мочи и просто грязи. Грязь была повсюду — под ногами, на стенах, на подлокотниках старого дивана и унылых венских стульях; но особенно много ее было на кухне, где в раковине томилась покрытая налетом плесени посуда, а под ней в мусорном ведре разлагалась банановая кожура вперемешку с окурками. В туалет Шубин войти не решился — с него и так было достаточно впечатлений...

Судя по серым, в рыжих пятнах, простыням и одеревеневшим заскорузлым полотенцам, которые валялись в углах дивана и кровати (за которыми, кстати, пылились в огромном количестве разноцветные колечки использованных презервативов), в этой квартире кто-то очень весело проводил время. Возраст обитателей или гостей этого жилища определить тоже не составляло труда — картофельные чипсы, пластиковые стаканчики из-под йогуртов, обертки от конфет и шоколада, яблочные огрызки и апельсиновые корки... Дети! Девятый «Б». И что-то не похоже, чтобы они здесь ограничились тогда поминками по своим погибшим одноклассникам; школьники оказались куда взрослее и распущеннее, чем это можно было себе представить.

Шубин собрался было уже уйти, как вдруг услышал, что кто-то открывает дверь квартиры своим ключом. Этим «кто-то» оказался Кравцов. Заперев за собой дверь, он обошел квартиру, заглянул в туалет, и Шубин, который спрятался за дверью и потому не всегда мог держать его в поле зрения, вдруг услышал булькающие звуки, после чего в нос ему ударил резкий запах бензина. Прежде чем по полу зазмеилась огненная дорожка, Шубин выбежал из своего укрытия и, чуть не сбив с ног Кравцова, возящегося с замком, рванул на себя дверь, после чего они оба оказались на лестничной клетке.

— Идиот, что ты сделал? — Шубин дал ему такую затрещину, что Кравцов отлетел к стене. — Звони немедленно по 01, вызывай пожарных... Что, решил замести следы? Тебе крупно не повезло, потому что я все видел, это во-первых, во-вторых, есть еще целая куча свидетелей, которые могут подтвердить твою причастность к убийству Льдова, в-третьих, жива Оля Драницына, которая тоже много чего знает, поэтому не вздумай сбежать, понятно? В твоих же интересах вести себя благоразумно. А теперь — марш к таксофону!..

Шубин понимал, что если Кравцов ни при чем, то все эти угрозы, весь этот довольно дурно пахнущий дешевый блеф, который он вылил на его голову, не произведут никакого эффекта. Ну и пусть, тем лучше! Зато, если Кравцов замешан в убийстве своего лучшего дружка или, предположим, Ларчиковой, которую они фотографировали вместе с Льдовым, вот тогда реакция не заставит себя долго ждать: страх порождает ошибки.

Пока Кравцов звонил, Шубин прислушивался к тому, что происходило за дверью (оттуда доносились треск и шипенье, а из щелей уже валил густой синий дым), и спрашивал себя, правильно ли он сделал, отпустив поджигателя; и только когда Виктор вернулся и, как преданный пес, взглянул в глаза невозмутимого Шубина, Игорь предложил ему сесть в машину и поговорить.

Через несколько минут во дворе дома появилась пожарная машина, из нее выбежали сразу несколько человек в почти космических скафандрах, и все они бросились в подъезд, где горела квартира Иоффе.

— Нравится? — спросил Шубин, наблюдая за работой пожарных, которые тянули через весь двор длинный толстый шланг, чтобы привернуть его к водопроводной трубе. — Ты вообще-то соображал, что делаешь? Вокруг люди живут... Ты знаешь, сколько тебе за это впаяют?

— Это вы приходили к Вадьке?

— Я. Дальше что?

— А то, что я здесь ни при чем. Квартиру поджег я, это правда, тем более что вы сами все видели, но Вадьку я не убивал, я вообще никого не убивал, и что вы все от меня хотите? Он наломал дров, а мне отвечай? Это при нем насиловали девчонку из интерната, а разбираться пришлось мне... Это он устроил здесь бардак, а все свалят на меня?! Все курили травку, а меня решили поставить крайним? Сюда, на эту квартиру, ходили все, а платить только мне? Какая-то пропойца вздумала мне угрожать!

— Успокойся, не кипятись. Поедем сейчас ко мне и поговорим. Понимаешь, вокруг вашего класса происходят очень странные вещи, и причина, как я понимаю, кроется в вас самих. Если ты не поможешь мне сейчас и не ответишь на некоторые вопросы, боюсь, что могут появиться новые жертвы... Будешь со мной откровенен — я буду молчать. Тем более что пожарные приехали вовремя, и квартира почти не пострадала... Ты согласен?

— Согласен, — выдохнул Кравцов и впервые за последнее время почувствовал острое желание выговориться.

* * *

Драницына-старшая открыла дверь и без слов впустила Земцову. Как ни странно, но она была абсолютно трезва, умыта и чисто одета. Высокая худая женщина, в прошлом необыкновенно красивая той особенной красотой, что так привлекает к себе мужчин и раздражает женщин. В простой черной юбке и красной кофте, облегающих ее идеальную фигуру, Ирина Сергеевна Драницына, если бы не ее испитое одутловатое лицо и поредевшие, собранные в пучок волосы, могла бы выглядеть лет на десять моложе своего возраста.

Юля без слов протянула ей свое удостоверение, по которому Ирина скользнула равнодушным взглядом:

— Проходите вон туда, в комнату, я сейчас согрею чай... — и ушла, покачивая бедрами, как если бы она была на подиуме, а не в прихожей скромной квартирки с потемневшим от времени вытертым паркетом.

Бедность чувствовалась во всем, но соседствовала с чистотой, что тоже бросалось в глаза: на столе появились белоснежные чашки, промытые, без коричневого налета, как это обычно случается в домах, где люди пьют; на диване лежала подушка, а на ней — белая, чистая и выглаженная наволочка; стекла окон прозрачны до невидимости.

— Ко мне уже приходили из милиции, но я тогда была не в форме и не могла с ними говорить, — сказала Драницына, разливая по чашкам чай и разговаривая с Юлей так, словно они заранее договаривались о встрече и теперь им ничего другого не оставалось, как вести задушевную беседу.

— Вы видели Олю? Вы были у нее в больнице?

— Конечно. Я только что оттуда вернулась. Она, слава богу, уже пришла в себя, ее посетил один следователь, Корнилов, и задавал ей вопросы, а она, бедняжка, так устала, что пришлось ей сделать укол, и теперь она будет спать до самого утра. Знаете, я больше всего боялась, что у нее необратимо поврежден мозг, но она, представьте себе, узнала меня и даже спросила, где она и что с ней случилось... Вам это все может показаться несущественным, но я уже была готова к тому, что она вообще никак не будет реагировать ни на что... Хотя вспомнить, кто в нее стрелял, она пока не может. Врачи говорят, что память еще вернется. Но по мне — пусть лучше она ничего не помнит, живее будет.

— Вы извините меня за вопрос... Ее только ранили в голову, и все?

— Вы хотите спросить, не изнасилована ли она? Судмедэксперт, с которым я разговаривала, говорит, что ее изнасиловали, причем не один человек, но я ему не верю... У них свои интересы, ведь им куда проще будет свалить вину за случившееся на саму потерпевшую...

— Я что-то не совсем понимаю...

— Да что там понимать. — Она махнула рукой и отвернулась. — Они мне такого про нее наговорили, что я чуть со стыда не сгорела... Но Оля не такая, у нее еще не было ни одного мужчины. Она хорошая девочка. Просто она рано сформировалась, но это же не ее вина. Безусловно, мужчины заглядывались на нее, но это не не преступление, как вы считаете?

— Конечно. Ирина Сергеевна, я расследую убийство Вадика Льдова... Я понимаю, что мой визит к вам крайне несвоевремен, но Оля еще поправится, я в этом уверена, а вот Вадика уже не вернешь. Мы ведем расследование, и нам кажется, что эти преступления как-то связаны между собой... Вы же знаете про Ларчикову?..

— Ларчикову? Да, мне рассказали. Жалко ее, конечно, но такие, как она, или... я... Понимаете, такие, как мы с нею, хорошо не заканчивают. И не умирают своей смертью.

— Что вы имеете в виду?

— Таня пила. Она пришла в школу после двух лет лечения от алкоголизма. Мы с ней лечились вместе. Как вы думаете, чему хорошему может научить алкоголичка, пусть даже и как бы излечившаяся? У нас в обществе принято говорить о преподавателях только хорошее, они, мол, жертвы нашего времени, полунищие благородные люди, отдавшие себя детям и образованию... А я против обобщений. Все люди разные, и к каждому нужно подходить индивидуально. Вот Таня Ларчикова. Она была несомненно талантливым человеком, но НЕ УЧИТЕЛЬНИЦЕЙ. Из нее получилась бы хорошая журналистка, но, повторю, не учительница. Вы бы послушали, как вела она уроки — это же форменный бред! Анекдоты травила, сидя на столе, разглагольствовала на политические темы, заставляла учеников писать сочинения на совершенно немыслимые темы и словно насмехалась над всеми и над собой в первую очередь... Кроме того, в Таниной жизни большое место занимали мужчины, без которых она вообще не могла обходиться... У нее всегда было много любовников; думаю, что у нее были романы даже с учениками, да с тем же Льдовым! Она сама звала меня к себе на дачу — развлечься с мальчиками... Я понимаю, что вы не верите мне, потому что у нас не принято говорить такое об учителях, но учителя — это те же люди, со своими недостатками и, как ни крути, пороками. Я знаю многих из них, которые ненавидят учеников и находят садистское удовольствие в том, чтобы мучить своих подопечных... Хотя, безусловно, большинство учителей достойны всяческого уважения и действительно преданы своему делу.

— Вы можете предположить, кто убил Ларчикову?

— Понятия не имею. Хотя, когда я видела ее в последний раз, она рассказала мне историю, которая, кстати, могла бы заинтересовать вас. Дело в том, что совсем недавно Таня познакомилась с одной женщиной, приезжей, которая дала ей в долг довольно крупную сумму. Не знаю, как вас, но меня этот факт насторожил. Представьте себе, вы приехали в другой город, где вас никто не знает и вы никого не знаете. Вы знакомитесь с женщиной и буквально через неделю даете ей в долг сто тысяч рублей! На машину.

— Такого не бывает. Это сильно смахивает на взятку.

— Правильно. Вот и я Тане тоже говорила — неспроста она дала тебе эти деньги, ты ей зачем-то нужна... И вот, пожалуйста, нету Тани. Ни машины, ни Тани...

— А где же деньги?

— Представьте, она купила себе две шубы, хрустальную люстру, а остальное проела-пропила... Благо Пермитин, ее жених, обещал погасить этот долг...

— Какая странная история. А больше Ларчикова ничего не рассказывала об этой женщине?

— Рассказывала. Но все это касается только Пермитина Михаила Яковлевича. Удивительно, но ее женихом оказался наш сосед. Понимаете, он много старше Тани, но вроде как влюбился в нее... Хотя я в подобное не очень-то верю. Но это уже не мое дело. Так вот. Эта женщина, ее зовут Лариса, рассказала о Пермитине много такого, что насторожило Таню и даже испугало. Ведь Михаил Яковлевич — вдовец. Пять лет тому назад у него погибла жена, и она тоже была намного моложе его, совсем девчонка и, говорят, красивая. Они жили с ней в шикарном доме на улице Некрасова, в таких апартаментах, которые вам и не снились... Приехали они откуда-то с Севера, купили эту квартиру, и, казалось бы, чего еще нужно?! Но возвращается как-то господин Пермитин домой, открывает дверь, а на полу лежит его жена, вернее, не вся жена... Короче, ей отрезали голову. Представляете себе шок? Ее похоронили, а убийцу так до сих пор и не нашли.

— Ирина, какие ужасные вещи вы рассказываете!

— Да это не я рассказываю, а Таня Ларчикова, а ей, в свою очередь, рассказала как раз та самая женщина, Лариса.

— А вы хорошо знаете вашего соседа?

— Он переехал сюда недавно, но в подъезде к нему все относятся с уважением. Быть может, потому, что он человек вежливый, с виду интеллигентный, тихий... Знаете, он любитель хоровой музыки, из его квартиры часто можно услышать мессы Баха, а на простых людей это действует... Послушайте, я же не рассказала вам самого главного! Эта Лариса утверждала, что будто бы это сам Пермитин убил свою молодую жену.

— Я так и поняла.

— Вот поэтому-то Таня и испугалась, стала следить за своим женихом, некоторое время ходила за ним буквально по пятам и даже нанимала такси, чтобы держать его в поле зрения... Но у него довольно однообразная жизнь, ведь он пенсионер, особых увлечений у него нет, разве что фотографии... Он ходит по школам и фотографирует детей. Но я уверена, что это не ради заработка, он и так довольно богатый человек, а просто так, для души, чтобы заняться чем-нибудь полезным и интересным. Я вон и Олю свою к нему отпускала, пусть, думаю, поучится у него фотографировать, проявлять... Да и вообще, разве плохо, если ребенок в таком трудном возрасте будет общаться с умным интеллигентным человеком? Пусть уж лучше с ним, чем со своими недоумками-сверстниками, у которых в голове один только...

— Значит, вы все-таки хорошего мнения о Пермитине...

— Конечно! Человека всегда видно, так что все попытки той женщины опорочить Михаила Яковлевича в глазах его будущей жены, как мне кажется, были напрасными. Но крови она Тане попортила немало, заставила бедняжку переживать, следить за женихом...

— А как вообще появилась эта идея с неравным браком, ведь Пермитин намного старше Тани?

— Хороший вопрос. Я вам сразу сказала — помните? — что никакая это не любовь, и тем более не взаимная. Они люди взрослые и прекрасно понимали, что кому надо от жизни. Тане, само собой, нужны были деньги Пермитина, и он это знал, а что касается самого Михаила Яковлевича, то в таком возрасте, как у него...

— А сколько ему, кстати, лет?

— Около шестидесяти. Так вот, ему нужна была хозяйка в доме, но не какая-нибудь старая тетка, а молодая красивая женщина. В сущности, он имел на это право...

— Что вы хотите этим сказать?

— Только то, что, если у мужчины есть деньги, значит, ему хватило ума их заработать, а раз так, то почему бы ему не пожить на старости лет в свое удовольствие? Я не права?

— Возможно, что и правы. Другое дело, КАК он их заработал.

— Так он же приехал сюда с Севера. Оттуда и привез свою первую жену.

— Он не показывал вам ее фотографии? Вы не были настолько хорошо знакомы, чтобы посещать его?

— Почему же... Он доверял нам с Олей свою квартиру и ключи от нее. Когда ему случалось куда-нибудь уезжать, мы по очереди поливали у него цветы, вытирали пыль... А если он простужался, что случалось тоже довольно часто, Оля ходила делать ему горчичники, ставила банки, а он платил ей за это, вернее, даже не платил, а благодарил. Он же знал, что я нигде не работаю. А потом, когда Оля научилась печатать фотографии, он давал ей определенное задание, сам уходил, а она оставалась у него и работала. За это он тоже платил ей.

— Так это и есть тот самый крестный, пенсионер, о котором нам рассказала Олина подружка?

— Наверное, Лена Тараскина. Да, это он. Мы особенно не афишировали свою дружбу с Михаилом Яковлевичем, потому что понимали — человек он состоятельный, в доме полно добра, мало ли что...

— Значит, цветы поливали?.. — недоверчиво переспросила Юля, для которой образ Пермитина, в отличие от Олиной матери, носил резко отрицательный характер хотя бы потому, что под большим вопросом находилась и странная продажа квартиры на Некрасова, и тот ужасающий факт, что его молодой жене отрезали голову. Как можно вообще доверять свою молоденькую дочку кому бы то ни было, пусть даже и пожилому пенсионеру? Мужчина, он и есть мужчина.

— Вы не заметили, как мы перешли от разговора о Вадике к Пермитину? Это хорошо, что я немного отвлеклась от Оли...

— Ирина Сергеевна, а вы не знаете, что могла делать Оля на даче у вашей приятельницы Татьяны Ларчиковой? И бывала ли она там раньше?

— Нет, я думаю, что не бывала. Знаете, мне кажется, что Ларчикова здесь вообще ни при чем. Вернее, она-то как раз и при чем... К ней мог приехать какой-нибудь одноклассник Оли, Кравцов, к примеру. Он нравился дочке...

— Вы хотите сказать, что Оля могла поехать на эту дачу вслед за Кравцовым, чтобы застать их вместе с Ларчиковой?

— Да, приблизительно так.

— С ваших слов получается, что эта Ларчикова — исчадие ада!

— Я вам толкую об этом уже битый час. Ее к школе ни на шаг нельзя было подпускать, а ей доверили девятые классы.

— Вы считаете, что объективны по отношению к ней? Быть может, у вас с ней старые счеты, знаете, как это иногда бывает?..

— Нет, ничего подобного, никаких старых счетов. Мне хорошо известен подобный тип женщин, они проживают короткую и бурную жизнь и, как правило, умирают не своей смертью. Вы напрасно ищете в моих словах неприязнь к Татьяне, потому что у меня у самой жизнь не сложилась... Но если она ищет утешения в объятиях мужчин, то я — в бутылке... — Драницына вздохнула и, обведя рассеянным взглядом комнату, покачала головой. — Сами видите, как мы живем.

— Но кто же мог выстрелить в Олю?

— Не представляю...

— Вам не приходило в голову, что Таню Ларчикову, вашу приятельницу, убил ПЕРМИТИН? А Оля, которая поехала вслед за ним или вообще БЫЛА С НИМ НА ДАЧЕ, оказалась свидетельницей этого убийства?

Ирина Сергеевна бухнула чашкой о блюдце и застыла, глядя испуганными глазами на Юлю.

— Михаил Яковлевич?

— Ну конечно! Вы заидеализировали его образ, а ведь жену-то его кто-то убил, убийцу не нашли... У нее была отрезана голова, у Тани перерезано горло... Может, ваш хваленый Пермитин психически ненормальный человек, но вы не хотели себе в этом признаться, потому что в некоторой степени зависели от него, от его денег... И с чего это вы взяли, что Оля занималась у него фотографией, а не чем-нибудь другим?

— Что вы такое говорите?.. Моя Оля — хорошая девочка, она... Она не такая, как Голубева.

— А вы знаете о том, что в день убийства Вадика Льдова в кабинет географии должны были прийти две девочки, он сразу двум своим одноклассницам назначил встречу: Наташе Голубевой и вашей Оле. Наташа была влюблена в Льдова, а Оле нравился Кравцов, но она все равно почему-то пришла на свидание...

— Откуда вам это известно?

— Да потому что Наташа, придя в кабинет географии, наверняка увидела Олю в объятиях Льдова, и именно этот факт заставил ее принять яд...

Юля высказывала всего лишь свои предположения, и, быть может, это было жестоко по отношению к находящейся в тяжелой депрессии Драницыной, но она не видела другого выхода, чтобы заставить ее говорить.

— Чего вы от меня хотите? Чтобы я поверила в то, что Вадика убила Оля? И только потому, что она была в том кабинете, где его убили? Это мог быть кто угодно!

— Я и не говорила, что его убила Оля. Возможно, и Оля, и Наташа оказались невольными свидетельницами убийства Льдова, и если Наташу отравили (а это тоже вполне возможно), то Олю только ранили...

— Я не понимаю, что вы хотите от меня услышать.

— У Оли есть розовая кофточка, английская?

Юля сейчас сгребала в кучу всю информацию, которую успела узнать об Оле Драницыной от Шубина, Крымова и Корнилова, который, в свою очередь, многое узнал от Людмилы Голубевой. Ей надо было окончательно сбить с толку Драницыну, чтобы, воспользовавшись ее состоянием, выяснить, где хранятся ключи от квартиры Пермитина. Ей казалось, что она уже знает, кто убил Ларчикову и стрелял в Олю. Оставалось только раздобыть доказательства. Но как проникнуть в его квартиру, не вызвав подозрения у преданной ему соседки?

— Да у нее каких только кофточек нет.

— Вот именно. А откуда у нее деньги на такие дорогие вещи?

— Говорите со мной прямо, пожалуйста. — Ирина Сергеевна уже поднялась со стула и дрожащими руками уперлась в край стола. — Вы подозреваете нас в воровстве?

— Я думаю, что вам необходимо успокоиться. У вас есть какие-нибудь капли, валерьянка? Я бы не хотела, чтобы вы из-за меня снова запили...

Юля ждала, когда в ее душе проснется жалость к

этой несчастной алкоголичке, давно потерявшей себя и упустившей свою пятнадцатилетнюю дочь, которая наверняка живет с Пермитиным и получает за это от него деньги, но ничего подобного не происходило. Она воспринимала эту женщину как некое абстрактное существо, необратимо потерянное для общества, и ничего не могла с собой поделать. Быть может, она просто повзрослела за последнее время и уже не верит в чудеса, как это было с ней раньше. Как можно помочь человеку, который сознательно губит себя? Женщина-алкоголичка, что может быть страшнее для общества, не говоря уже о близких? Юля не была уверена, что Оля не повторит судьбу матери, конечно, если останется живой.

Она направилась к выходу. Разговор с Драницыной получился хоть и тяжелым, но бесполезным. Она не узнала ничего нового, разве что оправдались некоторые ее предположения относительно морального облика Ларчиковой. И теперь, если не удастся ее план, можно будет сказать, что она потеряла время и часть своего здоровья.

Ключи она заметила сразу — они висели на гвозде, вбитом в вешалку. Судя по тому, что на кольце их было довольно много, она поняла, что это и есть те самые ключи от пермитинской квартиры, поскольку хозяйских, драницынских, могло быть от силы два.

— Извините меня, — она повернулась к провожающей ее Ирине и посмотрела на нее виноватым взглядом, — но это моя работа... У вас не найдется немного кипяченой воды?

Драницына молча развернулась и пошла на кухню. Когда она вернулась, ключи от квартиры Михаила Яковлевича Пермитина уже перекочевали в сумочку Юли.

* * *

Крымов проторчал перед домом Корнилова почти час: в прокуратуре ему сказали, что тот поехал домой. Но, оказывается, НЕ ДОМОЙ.

Он уже собирался сесть в машину и вернуться в агентство, как из-за угла вывернула черная «Волга», из которой вышел Виктор Львович и стремительным шагом направился к своему подъезду. Машина умчалась.

Крымов окликнул его. Корнилов обрадовался, подошел. Они поздоровались, пожали друг другу руки.

— Я за тобой, Виктор Львович. Разговор есть.

— Так пойдем ко мне, там и поговорим.

— Ну уж нет. У тебя небось пустой холодильник и тараканы бегают, а я приглашаю тебя к себе домой, на ужин. Надя ждет меня в агентстве, я не могу ее одну оставлять ни на минуту, поэтому соглашайся, и поедем...

— Нет, Крымов, я не могу поехать к тебе, потому что у меня через час встреча.

— Позвони и перенеси. Дело серьезное и не терпит отлагательств. Кроме того, — Крымов отогнул борт пиджака и показал пачку долларов, тех самых, которые он вытряс из Белотеловой, — надо отрабатывать.

С этими словами он протянул Корнилову свой сотовый телефон, терпеливо дождался, пока тот, отвернувшись, переговорит с кем-то, судя по всему, с женщиной, и только после этого они сели в машину, заехали в агентство, забрали Надю и потом вместе отправились к Крымову в загородный дом.

Дождь кончился, и в лесу, куда они свернули, чтобы сократить путь, Крымов остановил машину, приказал всем открыть окна и подышать свежим воздухом:

— Наслаждайтесь, — говорил он притихшим на заднем сиденье Наде и Корнилову, — где еще подышите таким воздухом? Сосны, голубое небо, солнце... Ребята, по-моему, жизнь проходит, если не пролетает, мимо нас.

Капли полуденного дождя, пронизанные солнечными лучами, сверкали на ветвях сосен, и казалось, что именно они источают горьковато-хвойный, терпкий аромат, а порозовевшие стволы сосен так и хотелось потрогать руками. Даже Надя, забывшись, глядела на блистающий радужными вспышками лес и дышала полной грудью, держа в подсознании лишь предстоящие ей кухонные дела. Она понимала, что Крымов намеревается выпотрошить из Корнилова все, что только можно, в отношении Чайкина, Тришкина и Бурмистрова. «Кто знает, — подумала она, — может, именно сегодня Чайкин получит команду «отбой» и отправится в морг, чтобы вернуться к ставшей для него привычной работе судмедэксперта? Тем более что он нужен им сейчас как никогда: ведь найдены обгоревшие тела четы Михайловых...»

Когда приехали в дом, первое, что сделал Крымов, это вручил Корнилову деньги и поставил перед ним на стол бутылку виски.

— Ты же знаешь, Женя, я эту гадость не пью... Мне бы водочки...

Но в руках бутылку повертел, рассмотрел, разве что не лизнул. Крымов отметил, что рука у Корнилова худая, жилистая, как и он сам. Что-то стариковское стало появляться в его внешности, а в глазах убавилось блеска.

— Я же вижу, что она тебе нравится...

— Кто?

— Голубева. Ты все-таки настоящий прокурорский работник — отложил свидание ради каких-то мертвецов. Я бы, окажись на твоем месте...

— Ладно, хватит об этом. Тебе и на своем месте неплохо. Вон, какую женщину отхватил: шустрая — не успела войти, а по дому уже такие запахи поплыли...

— Она хорошо готовит. Но за Харыбина ты мне все равно когда-нибудь ответишь. Надя — это одно, а Юля — сам знаешь... И кто бы ни хозяйничал здесь на кухне, и даже если мне Надя родит детей, клянусь тебе — я не забуду Земцову. Когда я вижу ее, у меня вот здесь и здесь... Эх, да что там говорить!.. Я до сих пор схожу по ней с ума, а уж когда узнал, что она теперь с Харыбиным, вообще не нахожу себе места... Ты мне скажи, что с Чайкиным? Где он?

Корнилов поднял голову: так неожиданно прозвучали эти вопросы.

— Не знаю, откуда мне знать?

— Ты все знаешь и допустил до того, что в Лешу стреляли. Что, предупредить не мог? Когда все это началось и почему я ничего не знаю? Ты уже забыл, о чем мы договаривались, когда вместе начинали дело? Столько усилий потрачено, такая работа проведена — и все коту под хвост? Я так не привык, Виктор Львович. У меня к тебе много вопросов, и, если не ответишь, тебе же будет хуже.

Лицо Корнилова прямо на глазах изменилось, словно окаменело: складки вокруг рта исчезли, глаза потухли, а взгляд удивил Крымова своей безучастностью и холодностью.

— Ты напрасно взял этот тон, Крымов. Я все равно не могу тебе ничего сказать, потому что, в отличие от тебя, должен заработать себе пенсию.

— Брось, то, что ты мне расскажешь, никак не повлияет на твое положение и уж тем более на пенсию — ведь я не собираюсь тебя подставлять. А вот из-за твоего дурацкого молчания мы потеряем приличные деньги и наживем кучу неприятностей. Говорю прямо: Льдова и Белотелова заплатили мне хороший аванс, и я не собираюсь его возвращать. Но время идет, а мы стоим на месте. В чем дело? Как ты мог допустить, я повторяю, чтобы стреляли в Лешу? Разве ты не знаешь, как много он делает, причем почти бескорыстно, для нашего агентства? А Тришкин спокойно продает трупы, покупает машины и чувствует себя преотлично, в то время как честный и исполнительный Чайкин, бедолага Чайкин, вынужден пахать там с утра и до ночи, питаясь всухомятку, чтобы только-только заработать себе на прокорм? И он же, я почти уверен, окажется крайним! Ведь труп агента увезли какие-то мордовороты, а если кто его спохватится, то отвечать будет опять же таки Чайкин...

— Крымов, не вынуждай меня говорить тебе неприятные вещи, — процедил сквозь зубы Корнилов, не глядя на Крымова. — То, как ты работаешь, всем известно, поэтому не советую тебе разговаривать со мной в таком тоне...

— Ты кого-то покрываешь, ВЫ ВСЕ кого-то покрываете, а если точнее, то господина Бурмистрова, начальника областного УВД, ну а если уж быть совсем точным, то его сына. Спрашивается, почему? Что он такого натворил? Убил кого?

И Крымов, вдруг рассвирепев от одного вида упорно молчащего Виктора Львовича, резко выпалил:

— Значит, так. Ты только что был в нашем агентстве, наследил там, натопал. А теперь проглоти следующую информацию: в ванной комнате агентства, на полу, лежит труп Зверева, того самого бизнесмена, который волочился за нашей Земцовой. И поди попробуй доказать своим начальничкам, что ты здесь ни при чем! Его убили еще в обед, и я могу кому угодно сказать, что ты был в курсе и все это время молчал об этом... Больше того, раз ВЫ, господа небожители, действуете такими грубыми методами, не раскрывая рта и делая вид, что ваша работа — самая важная, а вы — еще важнее, то мне тоже ничего не будет стоить подкинуть этот труп вообще тебе домой. Я вынужден разговаривать с тобой таким образом, потому что у меня слишком мало времени для более утонченной дискуссии. Выбирай — или мы остаемся друзьями, и ты рассказываешь мне все, что связано с сыном Бурмистрова, или ты получаешь свою долю и убираешься отсюда к чертовой матери... Мне не жалко денег, я продам свои машины и квартиру, но зато буду знать, что теперь я свободен и никому ничем не обязан. А это дорогого стоит.

Появившаяся на пороге комнаты Надя в веселом переднике, вся такая распаренная, пахнущая жареным луком и еще чем-то необыкновенно аппетитным, принесла с собой немного домашней праздничной суеты и смягчила произведенное Крымовым на гостя впечатление.

— Ты ему рассказал, кто у нас прячется? И не

смотри на меня так, — заявила она внезапно в ответ на протестующие жесты Крымова, которыми он пытался сдержать ее готовую прорваться наружу досаду из-за несправедливости высшего начальства по отношению к Чайкину, — я все равно не буду молчать. Вы, Виктор Ильич, не знаете, что в Лешу стреляли, что его чуть не убили, и теперь он вынужден прятаться здесь, у нас, в то время как ваш разлюбезный продажный Тришкин катается на машине в рабочее время, и это вместо того, чтобы работать! Позвоните в морг — там сейчас никого нет, я уже мозоль себе на пальце набила, пока звонила ему туда весь день... Я специально рассказала вам, что Чайкин здесь, у нас, потому что теперь, если кто-то захочет его убрать, он будет иметь дело со мной и Крымовым. Мы не дадим Лешу в обиду, так и передайте своим друзьям. Эх, Юля Земцова еще не знает о том, какой вы и на что способны ради своей пенсии... Я бы могла понять вас при других обстоятельствах, если бы под угрозой не была жизнь ни в чем не повинного человека. Но вы — такой же, как все они, там, НАВЕРХУ... Для вас человеческая жизнь — ничто.

Корнилов, который слушал Надю, сидя неподвижно и внешне никак не реагируя на ее слова, вдруг хмыкнул и мотнул головой:

— Вы что, на самом деле думаете, что я все знал? Да никто ничего толком не знает, кроме того, что пять лет тому назад сын Бурмистрова влип в одну историю, что называется, по самые уши. Парень был ни при чем, но ему пришлось на некоторое время даже уехать из города, чтобы история забылась.

— С кем связана эта история? С Пермитиным? — спросил Крымов.

— Там замешана женщина, и это все, что я знаю. Меня проинструктировали, чтобы я всячески пресекал расследование, связанное с трупом женщины, вокзальной проститутки, и с совсем недавно появившимся трупом Павлова.

— Вы понимали, что квартира Белотеловой, ее

бывший хозяин Пермитин, а теперь еще и прибавившиеся к этому убийство невесты Пермитина, покушение на жизнь его соседки, Драницыной, и — перекиньте мостик! — смерть Льдова и Голубевой, — ЧТО ВСЕ ЭТО ИМЕЕТ ОТНОШЕНИЕ К ДАННОЙ ВАМ ИНСТРУКЦИИ? Вы уже догадались, что инструктировали вас не НА ВСЯКИЙ СЛУЧАЙ, а именно на тот, когда преступление, в котором был замешан Бурмистров-младший, спустя какое-то время даст о себе знать? Что ТАМ, НАВЕРХУ, ожидали появления в городе лица, явно заинтересованного в продолжении расследования?

— Конечно, догадался, — пробормотал Корнилов, переживая не самые лучшие в своей жизни минуты. — Но ведь и мои люди работали, да и сам я ездил в школу, опрашивал всех, кого только мог, чтобы найти убийцу Льдова... Столько убийств — и все в одной школе! Сам губернатор звонил главному прокурору... В школе паника, родители замучили своими звонками директрису с просьбой усилить охрану на первом этаже, они пишут письма в Генпрокуратуру... Одно дело — самоубийство девочки из-за несчастной любви, об этом бы поговорили и забыли, а тут сплошные трагедии, одна смерть следует за другой!.. Я не знал, с какой стороны распутывать этот кровавый клубок, и, только когда понял, что Ларчикова — это единственное связующее звено между подростками и Пермитиным, а следовательно, и Белотеловой, в квартире которой начали происходить эти странные вещи, о которых вы рассказывали, мне и самому стало не по себе. Из администрации звонят: что же вы так плохо работаете, почему до сих пор не нашли убийц детей и классной руководительницы? А с другой стороны давят люди Бурмистрова — требуют, чтобы я оставил Пермитина в покое...

— Все-таки Пермитина! — воскликнул Крымов и стукнул кулаком по столу. — Я так и знал, что все эти страсти-мордасти крутятся вокруг него. Он мне сразу не понравился...

— Виктор Львович, что вы знаете о нем? — спросила Надя. — Ведь есть же что-то такое, о чем вы не рассказали нам. Кто этот человек? Кем он был и где жил до того, как приехать в наш город? Он преступник? Он сбежал из тюрьмы?

— Если бы... Мы сделали официальный запрос в Якутию, связались с поселком Дражный и буквально на днях получили такую характеристику на Пермитина, что его хоть в святые записывай: и лучший работник на прииске, и с людьми умеет ладить, и семьянин прекрасный... Пять лет тому назад он женился там же, в Дражном, на молоденькой поварихе и, решив, что пора обзаводиться детьми, уволился с прииска, покинул Якутию вместе с женой и перебрался на Волгу, к нам, в С. Понятное дело, что за пятнадцать лет работы на прииске Пермитин скопил достаточно средств, чтобы купить здесь хорошую квартиру и обустроиться...

— А фотографию его вам не прислали, может, это вовсе не тот Пермитин? — спросила Надя.

— Мы сами вместе с запросом отправили туда его фотографию, которую пересняли с его военного билета, после чего получили подтверждение, что да, действительно, это Пермитин Михаил Яковлевич... Вот и выходит, что он — всеми уважаемый и вполне достойный человек.

— А откуда у вас его военный билет? — насторожился Крымов. — Он что, сам вам его отдал?

— Мы нашли его на даче Ларчиковой, среди документов на право владения земельным участком...

— Странно, — задумалась Надя, — военный билет на даче?

— Мы отвлеклись. Что было после того, как убили Ларчикову и ты понял, что мы почти вплотную подошли к Пермитину? Ты поспешил к самому Бурмистрову, чтобы перестраховаться и предупредить его о том, что охота на лис началась? Что в расследовании начали появляться первые результаты?..

— Нет! Его люди сами пришли ко мне. Эти ребята много не говорят. Просто намекнули, чтобы Пермитина не трогали. Ну а я, в свою очередь, предупредил тебя...

— А я предупредил Земцову с Шубиным... Ты хоть понимаешь, что они сейчас в опасности! Мало того что убили Ларчикову и ранили Драницыну, так еще и Зверева пристрелили прямо возле нашего агентства, на глазах у Земцовой.

— А почему же ты не позвонил мне? Как вы могли оставить труп у себя? Вы что, с ума сошли?

— Да потому, что так надо было. Ты думаешь, что мы такие идиоты и ничего не почувствовали? Думаешь, Шубин не понял, что ты намеренно тормозишь следствие и не даешь нам возможности работать на полную катушку?

— Неужели и Зверев имел какое-то отношение ко всем этим делам? — Корнилов явно пытался перевести внимание с себя на только что появившийся в деле труп Зверева.

— Вот ты нам об этом и расскажешь. Но только после ужина. Надечка, у тебя там ничего не сгорит?

— Нет, там давно все готово, наверное, даже остыло. Пойдемте на кухню, а то Леша там уже заждался вас...

Корнилов тяжело вздохнул: сейчас ему меньше всего хотелось видеть чудом оставшегося в живых Чайкина.

— Подожди... — Виктор Львович удержал Крымова за рукав и показал ему на бутылку виски. — Давай прихватим с собой.

Глава 17

Позвонив в дверь Пермитина и убедившись в том, что его нет дома, Юля вышла на улицу, немного прогулялась в расположенном неподалеку сквере, съела мороженое и вернулась обратно спустя полчаса — примерно столько, рассудила она, потребуется Ирине Драницыной, чтобы прийти в себя после тяжелого разговора с нахальной сыщицей.

Нажав несколько раз на тугую черную кнопку звонка на случай, если она просмотрела его и Пермитин уже дома, Юля достала из кармана приготовленные заранее шарики мягкой жевательной резинки, залепила ими глазки на двух соседних дверях и быстро, насколько это только было возможно, принялась отпирать, один за другим, бесчисленные замки. В любую минуту на лестничной площадке могли появиться соседи, знающие Пермитина. Последствия этого угадать было нетрудно: звонок в милицию и куча неприятностей...

Когда был открыт последний замок и Юля, слыша только биение своего сердца и чувствуя, как по вискам течет пот, уже почти вошла в квартиру и хотела было уже закрыть за собой дверь, как какая-то неведомая сила втянула ее в прихожую и прижала лицом к мягкой поверхности одежды, висящей в самом углу, справа от двери.

— Не бойся, это я, — услышала она знакомый голос и от волнения чуть не рухнула без чувств.

Харыбин с минуту подержал ее в объятиях, чтобы она успокоилась, после чего поцеловал в макушку:

— Все? Теперь можно похозяйничать в квартире одного из самых состоятельных людей города? Это таким, значит, методам учит вас Крымов? Молодец, ничего не скажешь.

— Ты всегда будешь меня так пугать? — Юля легонько ущипнула его через рукав. — А если бы я выстрелила?

— К сожалению, ты пока еще не умеешь этого делать — не обучена. Но если будешь всегда со мной, я тебя многому научу. Ладно, не станем тратить времени. Я знал, что рано или поздно ты придешь сюда и постараешься найти здесь доказательства причастности Пермитина ко всем своим делам... Вообще-то, мы уже давно следим за «дядей Мишей», да только он всегда чувствует, когда ему угрожает опасность. Ты себе представить не можешь, насколько у этого человека развит инстинкт самосохранения.

Квартира Пермитина выглядела довольно скромно и меньше всего напоминала жилище «одного из самых состоятельных людей», как его охарактеризовал Дмитрий. И, уж конечно, сильно отличалась от квартиры, в которой он жил раньше, а теперь жила Лариса Белотелова. Либо деньги у Пермитина кончились, а вместе с ними изменилось его мироощущение в целом, либо он слишком дорого заплатил за любовь Тани Ларчиковой...

Ничего особенного в его вещах и документах Юля с Харыбиным не нашли. Несколько кассет с хоровой музыкой, обнаруженных в изголовье большой кровати в спальне, — единственное, что отличало его от других таких же, как он, скучающих пенсионеров. Даже обширная коллекция порнофильмов и коробка из-под обуви, в которой Пермитин хранил несколько безобидных игрушек из секс-шопа, никого не удивили: чем бы пенсионер ни тешился...

В мусорном ведре на кухне, где Юля, помня о находках Крымова, пыталась найти нечто такое, что могло бы решить судьбу Пермитина, они тоже не отыскали ничего, кроме самого обычного бытового мусора.

— Скажи, а что бы ты хотела здесь обнаружить? Как ты вообще представляешь себе роль Пермитина в происшедших убийствах?

— Ты спрашиваешь меня об этом так, словно я твоя ученица и сдаю тебе экзамен по криминалистике. Если честно, то я ожидала здесь увидеть нечто связанное хотя бы с фотографией, которой он занимался... Где его фотопринадлежности? Где фотоаппаратура, пленки?

Говоря это, она подошла к двери ванной комнаты и хотела уже пройти мимо, потому что они там уже были, осматривали и содержимое шкафчиков, и висевшие на стене купальные халаты, и даже нюхали содержимое пузырьков и баночек на стеклянной полочке над раковиной, но почему-то включила свет и вошла туда еще раз. Осмотрелась. Нечто, что она увидела, но, быть может, не осознала его важность, присутствовало здесь, но ее взгляд еще не был готов поймать эту деталь. Что это? Где это?

— Ну что, пойдем?

Она никак не отреагировала на слова Дмитрия и продолжала смотреть на стены ванной комнаты.

— Скажи, зачем нужна эта занавеска? — спросила Юля, приподнимая край тонкой полиэтиленовой занавески, висящей вдоль ванны.

— Скажешь тоже — чтобы, когда принимаешь душ, вода не попала на пол... Разве у тебя дома нет такой?

— Есть. Но она вполовину меньше, и ее хватает едва от стены до стены, а эта зачем-то заворачивается по периметру ванны. Кроме того, обрати внимание, какая маленькая у него ванна. А ведь он крупный мужчина...

— И все равно не понимаю твоей мысли. Пойдем, ты тратишь время попусту, ведь в любую минуту может вернуться Пермитин, и что ты ему тогда скажешь?

— А я так его и спрошу: где помещение, в котором он занимается фотографией? И послушаю, что он мне ответит. Дело в том, что Оля Драницына, по словам ее матери, приходила к нему исключительно для того, чтобы поучиться у него фотографировать, проявлять пленки... Если вдруг окажется, что никакими фотографиями он НЕ ЗАНИМАЛСЯ ВООБЩЕ, ему придется ответить, чему же он тогда обучал Олю, несовершеннолетнюю соседку, которую, между прочим, изнасиловали перед тем, как выстрелить ей в голову... А что, если это было не насилие? Что, если Пермитин жил с Олей и после свидания с ней здесь, в этой квартире, именно он повез ее на дачу Ларчиковой, чтобы продолжить свидание... Или же наоборот — они сразу же поехали с Олей на дачу к Ларчиковой, расположились там, на втором этаже, в спальне, а в это время неожиданно для них на дачу приехала сама хозяйка, увидела их, раскричалась или даже стала угрожать Пермитину тем, что заявит на него в милицию за связь с несовершеннолетней... И он в приступе гнева убивает Ларчикову прямо на глазах Оли... Та решает сбежать, выпрыгивает, к примеру, из окна, а Пермитин — за ней... Он догоняет ее в лесу и стреляет в нее...

— Ну и фантазия! Да тебе бы только детективы писать! Ты представила его таким монстром, что дальше некуда. Но только непонятно тогда, если он такой злодей, так почему же он оставил ее в живых? Почему не пристрелил до конца?

— А потому что ему помешали или же просто было некогда...

— А машина? У Пермитина официально нет никакой машины. Мы проверяли даже доверенности — такой фамилии в С. больше ни у кого нет. Пермитин — скромный житель нашего города, предпочитающий ездить на общественном транспорте... И гаража у него тоже нет — мы проверяли. И никто из соседей ни разу не видел его на машине. А ведь машина — не велосипед, ее не спрячешь... Так мы идем, или ты решила остаться здесь до его возвращения?

— Подожди... — Юля подошла к занавеске с другого края, отвернула ее, открыв стену, выложенную кафелем, и вдруг, присмотревшись повнимательнее, с силой надавила на нее... — Смотри, никакой это не кафель!

Образовавшаяся дверь, легкая, покрытая пластиком с рисунком, напоминающим кафель, открылась, а за ней в полумраке замерцала матовыми бликами еще одна ванная комната, куда Юля протиснулась, крепко держа за руку Харыбина.

— Я же говорила тебе, здесь что-то не так... Это же вход в другую квартиру... Пермитин купил здесь не одну, а ДВЕ квартиры... Надо будет спросить у Драницыной, кто в ней жил раньше...

— Говори тише, а что, если ОН здесь?

Юля на цыпочках вышла из ванной в прихожую уже другой квартиры и включила свет.

— Ну вот, пожалуйста, и проявитель, и ванночки, и пленки, и целая полка с альбомами!

Она вдруг резко повернулась к стоящему позади

нее Харыбину, но, встретившись с ним взглядом, вздохнула с облегчением:

— Знаешь, о чем я сейчас подумала?

— Знаю. О том, что я заодно с Пермитиным, что я шел сюда, чтобы предупредить его, и теперь, когда ты забралась так глубоко, мне ничего другого не остается, как удушить тебя в этой ванной комнате и замуровать, как замуровал кота герой новеллы Эдгара По... Но я работаю не на Бурмистрова, если ты это хотела узнать, а потому воспользуюсь сложившейся ситуацией по-своему, ты не возражаешь?..

— Прямо здесь? Нет, я так не могу... Извини, Дима, но меня всю колотит, и не от страха...

— ... и не от страсти, конечно, — рассмеялся Харыбин.

— Правильно, мне не терпится взглянуть на эти фотографии... Я уверена, что он фотографировал Олю в раздетом виде...

Но то, что они увидели в альбомах Пермитина, превзошло все самые невероятные ожидания Юли: на снимках были дети, мальчики и девочки, заснятые прямо в школе. На обороте каждой фотографии указаны домашний адрес, год рождения, фамилия и имя. На титульных листах альбомов — телефонные номера.

— Юля, нам надо уходить. Это слишком серьезно...

— Харыбин, ты знаешь эти номера? Отвечай! Знаешь?!

— Их знает весь город... Пойдем, пока сюда никто не пришел.

— Я не могу, здесь есть еще один альбом, но в нем...

— Я же сказал тебе — пошли! Мы сегодня же арестуем Пермитина уже официально, но оставаться здесь опасно, понимаешь?

— В том, последнем альбоме...

— Все. Ни слова. Я тебе потом все объясню.

И Харыбин насильно перетащил Юлю из одной ванной комнаты в другую, закрыл дверь, соединяющую две квартиры, опустил занавеску и почти выволок извивающуюся в его руках Земцову из квартиры Пермитина. Сам запер двери, содрал с дверных глазков шарики жевательной резинки и, крепко держа Юлю за руку, вывел из подъезда и посадил в свою машину.

— Рабочий день для тебя сегодня закончен, поняла? Пристегивайся...

Она, насупившись, сидела по правую руку от него и думала о последнем альбоме. Тетрадный лист, вложенный между снимками с портретами школьников, представлял собой список чеченских городов с цифрами и чернильными галочками напротив каждого.

— Как мы вовремя, — услышала она голос Харыбина и, очнувшись, увидела торопливо перебегающего дорогу Пермитина. — А ты не хотела слушать дяденьку.

* * *

Сейчас, когда Льдова уже не было в живых, а значит, и некому было требовать ответа за его каждодневные поступки и, в частности, за неудавшуюся «стрелку» в «Ботанике», Виктор Кравцов, сам загнавший себя в угол сознательным стремлением занять место лидера, увидел в Шубине человека, способного, быть может, понять его. И не потому, что Шубин работал в сыскном агентстве и мог в любую минуту выдать его милиции за поджог квартиры Иоффе, а лишь из-за того, что Шубин — нейтральный человек. Он не из их компании, не из их школы, и ему глубоко наплевать, кто у них там лидер. У Шубина есть свои конкретные цели, одна из которых — найти убийцу Льдова. Так почему же не помочь ему? Тем более что он сам, Кравцов, ничего об этом убийстве не знает. Но, возможно, что человек со стороны, как раз такой, как Шубин, выслушав его, увидит ту самую причину, заставившую кого-то убить Льдова.

Об этом думал Виктор, когда Шубин вез его к себе домой.

Они пили чай, закусывали бутербродами с колбасой, которую Шубин купил по пути, и Кравцов рассказывал о Ларчиковой.

— Это началось прошлой осенью. Татьяна Николаевна пригласила нас с Вадиком к себе на дачу, мол, яблоки надо привезти, а машины у нее нет. Сказала она это в обычной беседе как-то после уроков, когда мы заглянули к ней в класс, чтобы отнести в библиотеку книги... То есть она попросила Вадика привезти ей с дачи яблоки. Но он бы один не поехал, он взял меня. И мы спустя пару часов прихватили ее из школы и повезли на дачу. Она давно нравилась Вадьке, он говорил мне об этом. Мы даже хотели с ним поспорить, согласится она с ним или нет. А на даче у нее было так хорошо и действительно так много яблок, что мы остались там на ночь, тем более что дело было под выходной, не помню уж какой... Она угощала нас вином, курицей, а мы с ним были почему-то такие голодные... Да и вообще она вела себя совсем не как учительница. Она говорила, что терпеть не может школу, что оказалась здесь случайно, что скоро ей предложат более интересную и денежную работу. Льдов считал ее умной и современной. Ему вообще нравились женщины без комплексов. Я даже думаю, что это в нем от отца, причем в самом прямом смысле. Короче... отец брал его иногда с собой в сауны, к своим любовницам. А я тогда никак не мог понять, зачем его отцу это надо, если у него такая красивая жена, Вероника. Льдов мне объяснял, что у настоящего мужчины должно быть много женщин. У него вообще всего должно быть много: и денег, и женщин, и дела, и отдыха... Это все его отец. Вот и получилось так, что мы опьянели, причем очень сильно. Я вообще плохо помню тот вечер, у меня в памяти осталось только одно: наша классная раздевается перед камином... И если я ушел в другую комнату, потому что мне мешало, что я вижу перед собой учительницу, с которой скоро встречусь в школе, то для Льдова это не имело никакого значения.

После этого он зачастил к ней на дачу, а иногда они встречались и у нее дома. Но у нее был мужчина,

Пермитин, которого она немного побаивалась. Она говорила, что собирается за него замуж, но с Льдовым рвать из-за этого не собирается. Вообще-то она была очень молодая, красивая, и я иногда завидовал Льдову...

Но у нас была еще одна жизнь, та, что протекала в квартире Иоффе. Мы все... — он сделал паузу, словно не решаясь назвать всех участников оргий, но потом все же перечислил их, — собирались там и делали все, что хотели. Мы пробовали сначала пиво, в больших количествах. Деньги нам давал Льдов. Затем стали пробовать водку. Надо сказать, что оказаться в нашей компании было трудно и, конечно, престижно... И я вот так, для себя, решил, что мы все подобрались по одному принципу: люди без тормозов... Да, мы все без тормозов. Одна Валька Турусова понимала, что то, чем мы занимаемся, добром не кончится. Она то уходила, то возвращалась снова. С остальными одноклассниками ей было скучно, потому что она переросла их в интеллектуальном смысле... У нее есть парень, художник, но, по-видимому, у него совсем нет денег, даже на сигареты, а у Валькиных родителей тоже... Вот она и металась. Еще Тамара Перепелкина, она, в отличие, от Тараскиной, Драницыной, Синельниковой и уж, конечно, Сениной, классная и умная девчонка. Но у нее плохие гены. Ее мать пила, бросила отца, а отец у нее — хороший мужик, но только всегда на работе, занятой человек... Драницына — это отдельная история. Она, единственная из девчонок, кто ложился под любого. Говорили, что она занимается проституцией, что у нее уже скоплено много денег, на которые она собирается вылечить свою мать. Но мне кажется, что все это вранье — просто ей нравится это делать. А раз за это еще и платят, так почему бы не взять? Вы, наверно, хотите меня спросить, каким образом она оказалась на даче Ларчиковой? Ведь ее нашли там. Я думаю, что Оля приехала на дачу вместе со своим соседом, Пермитиным. Он вообще падкий до девочек. Льдов как-то показывал мне пленку, на которой Пермитин был с какой-то чуть ли не семиклассницей...

Эту пленку он выкрал из дома Ларчиковой. Она ее потом искала и даже спрашивала у Льдова, не он ли ее взял. Он признался, что взял, и посмеялся над ее женихом, обозвал его. А потом выдал все, что думает о ней, что они, мол, с Пермитиным специально фотографируют детей, чтобы предлагать потом в одну фирму, где девочки по вызову или что-то в этом роде... Уж не знаю, как он до этого додумался, но, видимо, попал в самую точку... После этого разговора Ларчикова испугалась и стала сторониться Льдова и меня. И тогда он предложил мне заснять их вместе, когда они будут на даче. Он каким-то образом уломал ее, привез на дачу, а я уже был там... Я и сфотографировал их... Снимков было много, больше двадцати. Но, понимая, ЧТО задумал Льдов, я испугался. В конечном счете, их отношения меня не касались. Я сказал Льдову, что пленка засветилась, и тогда он, разозлившись, велел сфотографировать их вдвоем уже в классе. Мы с ним выпили в школьном туалете вечером, затем ворвались в класс, он набросился на Ларчикову, а я их заснял. Вот и вся история с фотографиями. А та пленка до сих пор у меня. Я спрятал ее.

— То есть, — прокашлялся Шубин, — Льдов шантажировал ее?

— Да. Он говорил, что она устроилась в эту школу специально для того, чтобы помогать Пермитину в его грязных делишках, за которые им платили большие деньги. Организация публичного дома с несовершеннолетними — вот в чем подозревал Ларчикову и Пермитина Льдов. Но я как-то не особенно в это верил. Хотя у нас по школе ходили слухи о том, что многим родителям несовершеннолетних девочек предлагали деньги, если те согласятся отдать их на день или два... А поскольку сейчас многие голодают, некоторые родители якобы соглашались. Да я сам читал в газетах обо всем этом... Но Льдов подозревал эту пару и в сотрудничестве с другими силами, которые связаны с террористическими чеченскими организациями, готовящими операции по похищению русских детей или что-то в этом духе. Вот в это я уже не верил...

— Он говорил с тобой об этом всерьез?

— Конечно. Но его эта проблема мучила не из-за нравственных соображений. Он начал шантажировать Ларчикову, вот в чем все дело... И поэтому, когда его убили, я сразу же подумал на нее. Я, если честно, вообще не мог на нее смотреть. А потом вдруг убили и ее... Но это Пермитин. Думаю, что он догадался о ее связи с Льдовым, а может, даже сам Льдов вышел на Пермитина и начал угрожать ему. Но угроза угрозе — рознь. Думаю, что он говорил с ним от имени отца.

— Ты хочешь сказать, что и Льдова мог убить Пермитин?

— Конечно! Он запросто мог войти в школу и хрястнуть его топором по голове, тем более что у него для этого имелись такие веские причины. Ведь Вадик был моложе его на целую жизнь и красивый.

— А что ты думаешь по поводу Голубевой?

— Думаю, что она сама отравилась из-за Льдова. Она любила его, а он на ее глазах обнимался с Драницыной. Вот у кого нет никаких тормозов. Ей вообще никого никогда не было жалко. Я знаю, что Наташа пыталась упросить ее не встречаться с Льдовым, но Драницына не могла отказаться от роли близкой подружки лидера. Я слышал, что Вадик назначил им обеим свидание в кабинете географии в одно и то же время. Что ж, это в его стиле. Но ни одна из них его не убивала. Думаю, что Драницына пришла в класс первая, а потом появилась Наташа Голубева, и сдается мне, что Льдов для остроты ощущений сказал ей что-то вроде: «Что это ты пришла? Тебя сюда никто не звал!» В этом был весь Льдов. Но я не берусь утверждать...

— Хорошо. А Горкин?

— Он — дебил. Как и Олеференко. Но он «шестерка» Ларчиковой, это он тогда позвонил ей и сказал, что мы бьем в посадках интернатскую девчонку.

— И она приехала туда? Успела?

— Приехать-то она приехала, да только я не уверен, что ей удалось что-то увидеть. Мы не насиловали эту девчонку, а просто раздели... — Кравцов впервые за все это время покраснел. — Мне теперь надо раздобыть где-то пятнадцать тысяч, а то интернатские то же самое сделают с нашими девчонками, а Перепелкиной достанется еще хуже, ведь это же из-за нее все началось, это она вызвала на «стрелку» Марину.

— Тебе надо вернуть то, что вынес из дома Горкин.

— Да я договорился, продам свою видеокамеру и расплачусь.

И тут Кравцов понял, что проговорился. Незаметно для себя. Ведь он, по сути, признался, что заставил Горкина ограбить собственных родителей.

— Ты не договорил про Драницыну. Думаешь, она приехала на дачу с Пермитиным?

— Да наверняка. Он ведь денежный мужик, поманил ее, вот она и согласилась. А тут появилась Ларчикова, подняла шум... Думаю, что вам надо встретиться с ним и допросить. Он — гусь еще тот. Но у него, как мне говорил в свое время Льдов, есть «крыша», причем мощнейшая, чуть ли не губернаторская. Ведь не случайно он до сих пор на свободе! Замаскировался, перебрался из шикарной квартиры в маленькую, скромненькую и затаился, как мышь.

— А это ты откуда знаешь?

— Это все Вадька. Он терпеть его не мог. Говорил и еще кое-что, но это уже из области ужастиков... Вроде у него была жена, молодая, и ее убили, отрезали голову... Убийцу так и не нашли. А ему, Льдову, якобы рассказала об этом Ларчикова. Она боялась Пермитина, но и замуж за него хотела выйти, потому что он богатый...

— Значит, Льдову были нужны деньги? Шантаж... — Шубин развел руками.

— Деньги деньгам — рознь. У Льдова всегда имелись деньги «на кармане», но, по его мнению, это были копейки. А отец больше давать не собирался, он считал, что надо начать работать, чтобы иметь больше. А деньги для Льдова были всем. Он сорил ими на наших глазах, и это не могло не произвести впечатления... Деньги для него олицетворяли власть, а без власти он уже не мог.

— То есть, другими словами, он сунул нос в грязные дела Пермитина, чтобы тот поделился с ним...

— Думаю, что так.

— Скажи, Виктор, а что бы ты делал, если бы не связался с компанией Льдова? Я понимаю, конечно, что вопрос риторический, и ни в коем случае не собираюсь читать тебе мораль, но я был, понимаешь, БЫЛ в этой квартирке, и все, что я там увидел, потрясло меня... Что хорошего вы находите в таком времяпрепровождении? В грязной комнате, провонявшей табаком и какой-то тухлятиной, вы валяетесь на замызганных простынях, как свиньи, и совокупляетесь до хруста в костях... Я уверен, что вы делаете это под действием какой-нибудь дури, к которой запросто можно привыкнуть... У меня в жизни было столько случаев, когда я хоронил детей своих друзей, молодых парней, а то и мальчишек, умерших от передозировки... Неужели вам не страшно? Неужели тебе, здоровому и умному парню, нельзя в этой жизни найти себе другое применение? Да уж лучше сидеть целыми днями за компьютером или валяться на диване перед телевизором, если мозгов нет, чем так бездарно гробить себя. А ведь ваша группировка мнит себя «белой костью», элитой класса и чуть ли всей школы. Откуда в вас ЭТО?

Шубин усилием воли заставил себя остановиться. Перевел дыхание. «В конечном счете, — рассуждал он, — Кравцов и ему подобные обречены. Это сейчас, на ранней стадии порока, они еще не потеряли физическое здоровье, и на их щеках играет румянец, а через какое-то время, когда будет уже поздно, кого они станут винить в приближающейся смерти? Только себя».

Подростки могут только упрекать старшее поколение в том, что те построили для них несовершенное общество, лишенное элементарного смысла, если вообще не основанное на абсурде. Ничего не зная о прошлом, поскольку сейчас мало кто из этих молокососов читает, они жаждут лишь развлечений и удовольствия... Отсутствие воспитания ведет к интеллектуальной дистрофии, а это чревато серьезными последствиями. И Шубин был рад, что родился раньше Кравцова, что у него есть смысл в жизни, что ему нравится жить, пусть даже так, как сейчас, — по большому счету, безрадостно и буднично, — но зато С НАДЕЖДОЙ. И хотя все его последние надежды были связаны прежде всего с Юлей, которая выбрала из всех окружающих ее мужчин Харыбина, он, Шубин, все равно имел возможность видеть ее, работать вместе с ней, жить рядом, в одном городе... Пусть маленькое, но все равно счастье.

* * *

Пока Харыбин жарил рыбу на кухне, Юля, воспользовавшись тем, что ее не слышат, позвонила Крымову:

— Привет, Крымов. Я сейчас нахожусь под домашним арестом и не могу перемещаться в пространстве, зато у меня есть потрясающие новости, которые могли бы заинтересовать тебя, бездельника. Это не телефонный разговор, поэтому я не могу тебе многого рассказать, но постарайся убедить Корнилова, что Пермитина надо брать. Он чисто работает, ничего не скажешь, но слишком уж много вокруг него смертей. Уверена, что и Льдов — его работа. Я уж не говорю о Ларчиковой и Драницыной. Ты чего молчишь?

— Я слушаю. А на параллельном телефоне Виктор Львович собственной персоной. Можешь даже с ним поздороваться.

— Здравствуй, Юленька, — услышала она не совсем трезвый голос Корнилова.

— Это вы, Виктор Львович? Я вижу, вы времени зря не теряете. Если вы слышали то, что я сказала Крымову, так ответьте мне, что вы сами думаете по этому поводу?

— Я бы рад арестовать его, но не могу.

Юля поняла, что Корнилов безнадежно пьян. Извинившись, она положила трубку. Вошла на кухню, где Харыбин беззастенчиво подслушивал их разговор, прижав плечом к уху телефон, в то время как руки его обваливали в муке очередную порцию рыбы, и шлепнула его по плечу.

— Знаешь что, Дима, меня не покидает ощущение, что все вокруг меня чего-то ждут... Преступник разгуливает на свободе, а вы ужинаете, жарите рыбу, пьете водку и чуть ли не целуетесь друг с другом вместо того, чтобы начать действовать. Корнилов уже давно мог арестовать Пермитина по подозрению в убийстве Ларчиковой... Больше того, я уверена, что смерть Михайловых — соседей Ларчиковой по даче — тоже дело его рук, потому что ему ничего не стоило перерезать тормозной шланг в их машине перед тем, как дать им возможность уехать. Они — свидетели. Что вообще происходит, ты можешь мне ответить?

— Успокойся, еще не время...

Он обращался с ней как с маленькой. И она вдруг поняла, что не сможет постоянно находиться под опекой этого неразговорчивого и всезнающего человека, который время от времени будет сдерживать ее во всем, начиная с работы и кончая другими, более важными для нее отношениями.

— Хорошо... — Она покорно опустила голову и вышла из кухни под шипение горячего масла, в которое только что опустили прохладные и пушистые от муки куски карпа.

Ей хватило пяти минут, чтобы собраться и незаметно выскользнуть из квартиры. Все, вот она — свобода!

Выбежав из подъезда, она остановила первую же попавшуюся машину, которая довезла ее до гаража, вывела оттуда свою, заправила на первой же станции и решила сначала заехать домой, проверить автоответчик. Первое сообщение было от Соболева из Петрозаводска. Он просил ее перезвонить, что она и сделала, дрожа от нетерпения. За несколько минут Юля получила от него столько информации, что тут же воспряла духом и послала ему через тысячу километров воздушный поцелуй.

— Ты лучше приезжай сама и поцелуешь меня лично, — засмеялся на другом конце провода Павел Иванович. — Я рад, что помог тебе. Как Харыбин? У вас все нормально?

— Он жарит рыбу, — ответила Юля уклончиво.

Следующее сообщение было от Вероники Льдовой. Услышав ее голос, у Юли уже заранее упало сердце: вот он, пришел час расплаты... Она была уверена, что услышит что-нибудь ядовитое в адрес агентства: мол, не работаете, а деньги берете... Но вместо этого Вероника просила просто позвонить ей, причем срочно. Юля перезвонила. Вероника взяла трубку:

— Юля? Здравствуйте. Извините, что я отвлекаю вас от дел, я в курсе, что вы работаете и ищете... и очень благодарна вам за это. Понимаете, мне пришла в голову одна мысль. Но ее нужно проверить. Возможно, что вы не придали значения той экскурсии, помните, которую организовала Ларчикова, когда повезла весь класс в Москву, но мне пришло в голову, что это были единственные дни, когда Вадик находился вне поля моего зрения... А что, если там, в поезде, произошло нечто такое... Вы понимаете меня? Ведь там были все, весь класс, и Ларчикова. Я нашла билет Вадика в его письменном столе, так вот, они ездили шестого ноября, на фирменном московском поезде, вагон третий, купейный, место у него десятое. Быть может, это вам как-то поможет? Все, извините, я не могу сейчас говорить... — и повесила трубку.

Юля тотчас позвонила в Центр фирменного обслуживания железной дороги своей знакомой, которая не раз выручала ее в подобных случаях, и попросила навести справки о проводнице, работавшей шестого ноября в третьем вагоне московского поезда. Они договорились, что Юля перезвонит ей домой вечером. Приняв душ и переодевшись, Юля поехала на улицу

Некрасова. Наверное, так же чувствует себя охотник, оказавшийся наконец-то в благословенном лесу, кишащем будущими трофеями...

На этот раз она прошла мимо уже знакомого ей охранника без звука, как мимо неодушевленного предмета. Поднялась на один лестничный пролет и позвонила в единственную находящуюся на этом уровне дверь. Это был нижний сосед погибшего Зверева.

— Кто там? — послышался за дверью женский голос.

— Моя фамилия Земцова, я из милиции. — И показала посветлевшему глазку свое развернутое удостоверение. — Откройте, не бойтесь.

Дверь открылась, и Юля увидела перед собой невысокую яркую женщину в широких белых шортах и такой же спортивной майке. Аккуратная стрижка, ярко накрашенный рот и скучающий взгляд — взгляд типичной домохозяйки.

— Чем могу?.. — спросила она довольно доброжелательно, чем сразу же подкупила Юлю.

— Мне бы хотелось задать вам буквально несколько вопросов, касающихся ваших соседей... Это НЕофициальный визит и, разумеется, НЕофициальная беседа. Дело в том, что я вас немного обманула, вот, прочтите сами. — И она отдала женщине свое удостоверение.

— Понятно. Вы из крымовского агентства. Очень приятно. Меня зовут Маргарита Евгеньевна. Фамилию свою я вам пока не назову, мой муж категорически против этого... У него, знаете, вообще мания преследования. Но сейчас его нет дома, он в Москве, и я буду рада поговорить с вами БЕЗ СВИДЕТЕЛЕЙ.

У нее был очень приятный низкий голос, и, разговаривая, она протягивала слова так, как это делают люди, которые никогда в жизни никуда не спешили и которых всегда выслушивали до конца, не перебивая. Юля уже поняла, что оказалась приглашенной в квартиру высокого начальника.

— Пойдемте, Юля, можно, я с вами запросто?

Юля улыбнулась: конечно, можно.

В огромной полупустой комнате на ковре стоял столик на колесиках, а вокруг три белых кресла, в одном из которых спал на спинке, раскинув лапки в сторону и задрав умную пушистую белую мордочку, толстенький кот.

— Только, пожалуйста, не сядьте на Гамлета, — попросила хозяйка, предлагая Юле занять соседнее кресло. — Кофе? Чай?

— Спасибо, ничего.

— Значит, выпьем немного мартини. Говорите, я вас внимательно слушаю.

— Маргарита Евгеньевна, в вашем доме пять лет тому назад поселилась супружеская пара...

— Пермитины?

— Да. Не могли бы вы рассказать, что произошло и почему Михаил Яковлевич продал квартиру так дешево? Вам что-нибудь известно об этом?

— Дело в том, что мне известно многое, да только, если я вам сейчас все расскажу, вы сочтете меня сумасшедшей... А дело было так. Действительно, пять лет тому назад, когда только построили этот дом и квартиры здесь были практически распределены, за исключением одной, под номером «два», о которой мы с вами сейчас и ведем речь, ее купил приехавший с Севера вместе с молодой женой господин Пермитин Михаил Яковлевич. Понятное дело, что ПРОСТОЙ человек купить в этом доме квартиру не мог. Даже при наличии очень больших денег. И мы все (а нас всего-то было три семьи — мы, Сережа Зверев и Бурмистровы) сразу поняли, кто такой Пермитин...

— И кто же он? — занервничала Юля, которой не хотелось, чтобы ее приняли за бестолочь.

— Пермитин — человек, у которого рука в правительстве и, как я слышала от мужа, даже родственник, но вот кто именно, никому не известно... Единственная услуга этого родственника и заключалась, по всей видимости, в том, что Пермитину продали эту квартиру, но факт, согласитесь, остается фактом... Ведь желающих купить ее было больше чем достаточно. Ну да ладно. Все мы люди, все мы человеки и всегда будем пристраивать своих близких на теплые места. Так устроено наше общество.

— Извините, вы видели его жену?

— Конечно, видела! Я даже разговаривала с ней, когда мы случайно оказывались рядом где-нибудь в магазинчике, здесь, за углом, или во дворе, где под моим чутким руководством разбили эти чудесные клумбы... Очаровательная молодая женщина... Она мне сразу понравилась, и, скажу вам откровенно, меня постоянно подмывало спросить ее: «Ну что же ты, девочка, так вляпалась с этим Пермитиным? Зачем он тебе, когда ты так молода и красива?! Ведь у них была колоссальная разница в возрасте, да и вообще он мне не нравился...»

— И что же произошло? Где она, его жена?

— Вы хоть и спрашиваете, но и сами уже, наверное, много успели узнать... Как же, сейчас в газетах можно прочесть и не такое... Дело в том, что буквально через месяц после их новоселья эту бедняжечку зверски убили! Пермитин пришел домой и увидел ее лежащей на полу... Знаете, у нее не было головы... Он опознал свою жену по телу. А голову так и не нашли. Это было страшное преступление...

— Вы были там в день убийства? Вы видели это... тело?

— О да, конечно, видела, потому что нас пригласили для дачи свидетельских показаний. Правда, я видела только белую простыню всю в крови, которой и было накрыто тело. А на Пермитина было страшно смотреть. Он сказал, что ездил по магазинам в поисках люстры, а Лиза, так звали его жену, сославшись на недомогание, осталась дома, хотя очень хотела купить именно эту люстру... Двери квартиры были открыты... Но я не сказала вам самого главного. В комнате, где был обнаружен труп, находился еще один человек — их сосед снизу, Юра Бурмистров. Он был тогда холост. Я не поверила, что это он убил Лизу, потому что эту семью я знаю давно и Юра вырос у меня на глазах. Но дело в том, что в прихожей нашли отвертку со следами его пальцев. А дома у него обнаружили нож со следами Лизиной крови. Очень странная история... Вот если бы нашли голову, предположим, где-то в его квартире, я бы еще поняла и вынуждена была поверить в то, что Юра смог сделать такое, но ведь голову не нашли до сих пор! Спрашивается, куда он мог ее деть, и вообще — почему же, если он убил Лизу, Юра не попытался уйти из квартиры, не сбежал? Он, правда, находился в шоковом состоянии и твердил, что Лиза сама позвонила ему и попросила якобы открыть замок на ее двери, что она не может выйти из дома... Но я уверена, что Юру подставили. Лизу убил кто-то другой, и этот «другой», знал, что отец Юры, начальник областного УВД, сделает все, чтобы спасти сына... Так что это вовсе не Лиза звонила ему и приглашала к себе, чтобы он помог ей открыть замок.

— И что было с Юрой?

— Его даже не взяли под стражу. Пока велось следствие, он сидел дома, к нему приходили врачи, лечили его от депрессии, а потом, когда доказать его вину так и не удалось и следствие зашло в тупик, дело закрыли, а Юра как-то очень спешно женился (или его женили) и уехал отсюда. А недавно вернулся и снова поселился здесь, в этом доме, но уже с женой и сынишкой. Такие дела.

— А Пермитин никого не подозревал в убийстве своей жены?

— Этого я не знаю, но многие из тех, кто долгое время следил за развитием этих событий, утверждают, что у Юры был роман с Лизой. Есть даже версия, что Пермитин застал их двоих в тот роковой вечер и сам убил свою жену. Это было первое, что пришло в голову абсолютно всем. Но в том-то и дело, что у Пермитина было железное алиби — все продавцы и работники самых крупных магазинов города, где он искал эту несчастную люстру, в один голос утверждали, что видели его в то самое время, когда было совершено убийство.

— Понятно... А что Зверев? Вы знали его?

— Что значит «знала»? Я и сейчас его знаю. Очень порядочный молодой человек, вежливый такой, умеет работать и скромный. Чего еще надо? Ему тоже приписывали роман с Лизой.

— Странно...

— Чего же тут странного? Вы ее просто не видели, а ведь она такая красавица была — неудивительно, что Пермитин не пожалел для нее своих денег. Он прямо-таки пылинки с нее сдувал...

— Но когда же вы успели увидеть, как он сдувает эти самые пылинки, если они прожили здесь всего месяц?

— А они не стеснялись в выражении чувств... Когда возвращались откуда-нибудь, он всегда обнимал ее за талию.

— Скажите, у них была машина?

— Да, была, какая-то шикарная иномарка, я в них, к сожалению, не разбираюсь. Я даже не знаю, какой марки машины у моего мужа, их целых три! Но Пермитин продал ее почти сразу.

— Вместе с квартирой?

— Нет. Квартиру он продал совсем недавно, но все эти пять лет здесь не жил, заходил только иногда, а сам перебрался в квартирку поскромнее, но тоже где-то в центре. Я понимаю его — после всего, что здесь произошло, не так-то легко находиться в этих стенах.

— Маргарита Евгеньевна, вы так много мне рассказали... Я вот только не поняла, у Лизы действительно был роман с кем-нибудь из соседей — Бурмистровым ли Зверевым — или нет?

Маргарита Евгеньевна плеснула себе еще мартини и выпила залпом.

— Понимаете, какая история... Я уж не знаю, было ли что у Зверева с Лизой или нет, но он места себе не находил после ее смерти и все пытался доказать, что

ее убил Пермитин. Он прямо замучил его, затеррори-
зировал...

— А вам это откуда известно?

— От мужа, от кого же еще! И похоже, он всех достал, что называется: завалил письмами нашу прокуратуру, посылал телеграммы в Москву, в прокуратуру
России — словом, куда только не писал. А нашим
властям это нужно? Конечно, ему намекнули, что,
мол, хватит жаловаться на бездействие органов, что
далеко не все преступления раскрываются и что это
нужно понимать... Но он все равно продолжал искать
убийцу, и если бы ваше агентство в то время существовало, то он непременно обратился бы к вам... Я уж
не знаю, что ему сказали и КТО, но что-то произошло, и он уехал. Резко. В один день. И мы долго не
могли понять, как же так: квартира осталась без хозяина, и все такое... Затем кто-то пустил слух, что квартиру уже продали и что вот-вот приедут новые хозяева, и
они приехали, но только не хозяева, а хозяин, настоящий хозяин — господин Зверев. Я когда его увидела,
прямо глазам своим не поверила... Он сильно изменился, возмужал, похорошел, просто сказка, а не мужчина!

— А он мне сказал, что купил эту квартиру недавно...

— Сказал и сказал, это его право, что говорить.
Возможно, ему было так проще, чем объяснять вам
что-то.

— А вы не знали агента по недвижимости Александра Павлова?

— Сашу-то? Знала, конечно. Он постоянно приходил сюда к Пермитину, они решали какие-то дела, думаю, что именно с подачи Саши он и купил ту, вторую
квартиру, а эту, в нашем доме, он все-таки продал. Говорят, что решил жениться на молодой женщине, учительнице, вот и продал квартиру... Здесь еще одна девушка появлялась, тоже агент, но она больше обща-
лась с Белотеловой...

— Вы не дружите с ней?

— Нет. Вот сейчас мы и подошли с вами к тому, о

392

чем я еще никому не говорила... Помните, когда мы только начали наш разговор, я сказала, что боюсь, что меня примут за сумасшедшую? Так вот. Хотите, я вам скажу, кто такая эта Лариса Белотелова?

— Конечно... — у Юли от волнения перехватило дыхание, а волосы на голове зашевелились, как если бы она увидела перед собой нечто необъяснимое, странное, страшное. Возможно, Маргарита Евгеньевна была прекрасной рассказчицей, иначе откуда столько эмоций?

— Только обещайте, что не позвоните в больницу... Мне туда еще рано.

— Да ладно вам, обещаю... — нервно рассмеялась Юля. — Не мучьте меня!

— Так вот, сыщица вы моя, Лариса Белотелова — это и есть Лиза Пермитина... Та самая, — Маргарита Евгеньевна перешла на шепот, — которой отрезали голову. Только у нее другая прическа, другой цвет волос и, быть может, даже глаз... Но фигурка и походка — ее! Я очень внимательна к таким вещам... Но меня удивляет, что до сих пор никому в голову не пришло, что это Лиза. Почему?

— А какая прическа была у Лизы?

— Очень простая. Короткая стрижка при черных волосах. И ярко-красные губы, вот как у меня примерно. Обычная молодежная стрижка... — повторила она. — Вы состригите ей волосы или наденьте парик, пригласите Бурмистрова или Зверева и посмотрите на их реакцию... Они же умрут от разрыва сердца, мужчины намного впечатлительнее нас...

* * *

Из машины Юля позвонила Сазонову:

— Петр Васильевич, помните, у Масловой нашли адрес Никольского роддома, женской консультации. Вы не проверяли, Маслова была там? И у кого?

— Наконец-то я слышу здравую и бодрую речь! А то, кому ни позвони, все пьяные... Праздник, что ли, сегодня какой?

Чувствовалось, что у Сазонова отличное настроение.

— Петр Васильевич, вы узнали что-нибудь о Масловой или нет? Вы извините, но у меня очень мало времени...

— Узнал. Она не записывалась на прием ни к одному из гинекологов, но зато была в самом роддоме, справлялась, не требуются ли им санитарки, и даже расспрашивала у одной из них, сколько им платят, какие условия... Фамилия этой санитарки — Карачарова. Ну что, я помог тебе?

— Даже и не знаю... Спасибо, Петр Васильевич. А что с машиной Михайловых, машину осматривали? Что произошло, еще не определили?

— Определили. Кто-то перерезал им тормозной шланг...

— Так я и знала.

— Мне бы поговорить с тобой, а, Юлечка?

— Нет, Петр Васильевич, не сейчас; кроме того, я приблизительно знаю, на какую тему вы собираетесь со мной говорить. Но только ничего у вас не выйдет.

И она бросила трубку. Она не хотела в очередной раз услышать предостережения о Пермитине...

...Никольский роддом находился в самом центре города, возле Театрального бульвара, и выходил своими матовыми окнами прямо на пышные кроны каштанов. Юля приехала туда поздно ночью. Она загадала: если санитарка с фамилией Карачарова сейчас на дежурстве, то расследование надо будет довести до конца. Если же нет, то она вернется к Харыбину, извинится перед ним за то, что сбежала, поужинает жареной рыбкой и ляжет спать. Как паинька.

Но санитарка Карачарова оказалась на месте.

* * *

Шубин ждал ее звонка, ждал, как и раньше. И хотя город за окном уже озарился бисером ночных фонарей, он знал, что где-то там, за шумящей листвой тополей и притихшими домами, живет и дышит его Юля Земцова, что она наверняка сейчас не спит и, пытаясь освободиться от мыслей, связанных с работой, учится жить с новым для нее мужчиной. А тот, в свою очередь, мечтает завладеть не только ее нежным телом, но и мозгами — Шубин не верил в искренность чувств такого таинственного человека, как Харыбин, привыкшего находиться в эпицентре всех событий города и знающего, как правило, их изнаночную сторону. Он был уверен, что Харыбин рано или поздно завербует Юлю в свою секретную бригаду, работающую либо на самого губернатора, либо на других лиц, чуть поменьше рангом. Поэтому ему вот уже несколько дней хотелось встретиться с ней и поговорить, предупредить ее об этом и выветрить, если удастся, из ее головы эту кажущуюся любовью дурь.

Когда в одиннадцать часов вечера зазвонил телефон, он чуть не опрокинул стул, за который зацепился ногой, чтобы успеть схватить трубку прежде, чем прекратятся звонки. Услышав Юлин голос, он, расслабленный, сел и блаженно вздохнул: она не забыла его, не забыла о своей работе, о своей жизни... Это означало, что ПОКА ЕЩЕ она принадлежит себе! Он даже не понял сначала смысла слов, которые она скороговоркой выпалила, а потому ему пришлось переспрашивать.

— Шубин, ты что, тоже пьяный? Я позвонила Крымову, он едва языком ворочал... Что вообще происходит? Что случилось? Праздник какой? Или вы все решили перейти на службу в ФБР и теперь радуетесь и пьете до поросячьего визга? Ты хотя бы знаешь, что Крымов устроил сегодня у себя в загородной резиденции вечеринку, куда были приглашены все официальные лица, как-то: Щукина (само собой), Чайкин (куда же без бывшего мужа?) и его величество Корнилов Виктор Львович... Ну как?..

— Разборки в маленьком Токио, как мне кажется. Крымов просто так ни за что не пригласил бы Корнилова. А у тебя что стряслось? Ты откуда звонишь? —

Ему было важно представить декорации, окружающие ее в этот поздний час.

— Из машины, откуда же еще?! Значит, так, Игорек, ты мне нужен сейчас позарез. Бросай все свои дела и выходи из дома, я жду тебя прямо под твоими окнами. Прихвати пузырек с клофелином, фотоаппарат и пару наручников. Все. Никаких возражений не принимаю...

Позже, уже в машине, Юля, выруливая на проезжую часть дороги, спросила Шубина:

— Помнишь все эти чулки, беретки и английские зеленые платья?

— Ну, помню, конечно. И что?

— Их привезли из НИЛСЭ?

— Да. Они в приемной, в сейфе, где у нас обычно хранятся вещдоки.

— Значит, едем туда. Или стой... Сначала в театр.

— В какой еще театр?

— В любой. Мне необходим парик. Затем в агентство, а уж потом к ней.

— К кому?

Но Юля ограничилась напряженным молчанием.

Спустя два с половиной часа, которые им потребовались для того, чтобы «арендовать» в драмтеатре парик, перчатки и кое-что из грима, а затем, прихватив из агентства папку с документами по двум делам и пакет с вещдоками, они остановились возле ворот напротив дома на улице Некрасова.

— Она не спит. Интересно, чем занимается в столь позднее время? И Бурмистров тоже не спит. А вот у Зверева темнота...

И тут они одновременно вспомнили о том, что в ванной комнате агентства до сих пор лежит труп Зверева.

— Слушай, Шубин, я не знаю, как ты, но я зачерствела... Ведь я с ним еще вчера целовалась в подъезде, вернее, он меня поцеловал, а сегодня он валяется на полу, мертвый, а я о нем даже не вспомнила. Что со мной?

— Я же говорю: выходи за меня замуж и рожай себе потихоньку...

— А почему потихоньку?

— Чтобы никто не знал... до поры до времени.

— Шубин, ты — прелесть! — И она, внезапно повеселев, повернулась к нему и поцеловала его в нос. — Надо возвращаться и звонить Сазонову. Скажем ему, как все было, пусть сам думает, как лучше представить дело, точнее — труп.

Им пришлось возвратиться в агентство.

— Запаха никакого... — Юля первая включила свет в холле и распахнула дверь в ванную комнату. Но там, на кафельных плитках, не было даже следа крови. И трупа тоже не было. — Ты чего-нибудь понимаешь?

— Звони Крымову... Это его работа. Поэтому они все и напились. Избавились от тела и устроили себе праздник.

Юля позвонила, трубку взяла Надя.

— Ты что это, подруга, не спишь? — спросила Юля дрожащим голосом.

— Да разве с ними уснешь! — как-то тепло, по-дружески отозвалась Надя из своего ночного лесного мира, где ее окружала нечистая сила в лице подвыпивших мужчин. — Сначала они сильно пили, затем набросились на еду и съели абсолютно все, что только отыскалось в доме, а потом начали горланить песни... Благо что здесь мы совсем одни, а елкам все равно... Что-нибудь случилось?

— Где ОН? — спросила Юля и затаила дыхание, боясь пропустить слово.

— Мы позвонили Сазонову, и он все устроил, — спокойно, со знанием дела ответила Надя. — Так что не переживайте. Крымов попытался ИМ шантажировать Виктора Львовича, но потом они решили, что дружба всего дороже, и напились... Я боялась, что к нам и Сазонов заявится, но бог уберег...

— Спасибо, Надя. Ты, да и все вы здорово нас выручили. А теперь слушай меня. Мне кажется, что уже утром я скажу вам, кто убил Льдова, Ларчикову и вообще всех, кто ранил Олю Драницыну, и расскажу кое-что интересное про Ларису Белотелову... Так что пусть утром никто не расходится — мы приедем к вам с Шубиным... Пора, Надечка, давно пора заканчивать эти затянувшиеся дела.

— Тогда привезите кофе, — попросила хозяйственная Щукина, — и хлеба с маслом...

— Я все поняла. Пока. — И обращаясь к Игорю: — Ты все слышал?

— Это они разобрались в ванной?

— Они. Так что поехали снова на Некрасова...

Глава 18

Лариса Белотелова открыла им дверь не сразу. И это при том, что охранник, встретивший Юлю и Шубина у ворот, по телефону предупредил ее о прибывших гостях.

— Ты не спишь? — по-свойски, запросто спросила Юля находящуюся в недоумении по поводу столь позднего визита Белотелову. — А мы на огонек... Ехали с Игорем, увидели в твоих окнах свет и подумали, а почему бы не заехать и не проведать нашу Ларису...

— Проходите, пожалуйста... — Лариса выглядела уже не такой простецкой и легкой в общении, как в их прошлую встречу, когда Зверев готовил им ужин. «Как же давно это было», — подумала Юля, и сердце ее при воспоминании о Сергее, который еще сегодня днем был жив, кольнуло. — Вы, наверное, все знаете от Крымова... Я так виновата перед вами, я не хотела никого обижать, просто мне показалось, что вы недостаточно серьезно занимаетесь моим делом... Но ведь мы с ним уже все выяснили...

Юля с Шубиным переглянулись. Но чтобы не попасть впросак, они, не сговариваясь, решили сделать вид, что все понимают и одновременно прощают ее. Для них сейчас самым важным было поднять настроение Ларисы и уговорить ее выпить и расслабиться.

Или же, наоборот, плеснуть на какое-нибудь зеркало крови (у Юли в сумочке лежала припасенная специально для этого случая пробирка, наполненная свежей кровью и закрытая плотной резиновой пробкой — подарок санитарки Карачаровой) и подкинуть в спальню Белотеловой женские кружевные перчатки, позаимствованные на время в драмтеатре, после чего разволновавшейся Ларисе плеснуть водочки...

Но ничего такого предпринимать им не пришлось, потому что Лариса и так уже находилась в крайне взволнованном состоянии: она буквально пару часов тому назад узнала об убийстве Зверева. Ей позвонила соседка, Маргарита Евгеньевна, которая сама видела, как к дому подъезжала милицейская машина и люди, которые вышли из нее, поднялись на второй этаж и принялись взламывать дверь...

— Эта Маргарита всегда и все про всех знает. У нее муж — большая шишка, его почти никогда нет дома, а она от скуки интересуется всеми, кто живет рядом... Сплетница, короче... Так вот, оказывается, Сережу Зверева убили, а теперь пришли с обыском в его жилище... Какой кошмар!

Они сидели за столом на кухне, и Лариса готовила закуску.

— Скажи, ты была знакома с Сергеем до того, как тебя ранили? До того, как он поехал за тобой в больницу?

Лариса не ответила. Она продолжала накрывать на стол, как будто не слышала вопроса.

— У тебя с ним был роман? Да ты не тушуйся, мы же по делу спрашиваем, ведь это убийство может быть напрямую связано с нападением на тебя!

— Да не было у меня с ним никакого романа! Подвозил меня однажды на машине, разговорились. Он же все-таки мой сосед. Но какой-то странный, всегда так рассматривал меня, как будто я сделана не из кожи, костей и плоти, а инопланетянка. Но он мне, конечно, нравился.

— Хочешь, я объясню тебе, почему он так на тебя

смотрел? — Юля уже готова была раскрыть свои карты, но Шубин перебил ее:

— Знаете что, вы потом поговорите о своих женских делах, а сейчас давайте выпьем.

— Правильно, — поддержала его Лариса, — помянем его... Господи, да что же это такое происходит? Молодой парень, красавец... и убили... Пьем не чокаясь.

— Подожди, мне бы водички кипяченой, — попросил Шубин.

— Ну ты прямо как женщина, — проворчала Лариса, вставая и наливая воду в стакан.

— И мне, если можно, — поддержала Шубина Юля. Пока Лариса разливала кипяченую воду по стаканам, Шубин насыпал ей в рюмку клофелина и даже успел слегка размешать.

А спустя приблизительно час бесчувственную Ларису переодели в ту самую одежду, детали которой в свое время она нашла в этой квартире. И если эластичное белье еще можно было кое-как натянуть на тело, то с зеленым английским платьем пришлось повозиться; Юля приняла решение слегка распороть боковой шов, чтобы протиснуть в вырез платья Ларисины плечи и бедра. Даже чулки, и те надели на ноги, а на шею повесили крестик, который Крымов так и не успел, в силу то ли своей занятости, то ли расхлябанности, отдать на экспертизу. Они прихватили его из сейфа в агентстве.

Когда Юля достала из сумки черный стриженый парик и надела его на голову Ларисы, предварительно спрятав под него ее длинные и светлые волосы, она вдруг вспомнила слова Маргариты Евгеньевны: «Они же умрут от разрыва сердца, мужчины намного впечатлительнее нас». Как это верно сказано. Действительно, Лариса, лежащая пока еще на кровати в спальне, где и происходило ее переодевание, была не похожа сама на себя. Во-первых, она казалась меньше, моложе... Да и вообще это была совершенно другая женщина.

Шубин перенес Ларису на ковер, и Юля принялась за работу. В ее задачу входило превратить Ларису в Лизу Пермитину с отрезанной, но приставленной головой. То есть надо было при помощи грима и еще одной пробирки, привезенной из роддома, изобразить на шее разрез с запекшейся кровью, на веки наложить синеватые тени, а губы сделать вообще черными...

Когда «покойница» была готова, Юля, рискуя быть непонятой, позвонила Маргарите Евгеньевне.

— Я разбудила вас?

— Кто это?

— Юля Земцова. Нас никто не подслушивает?

— Нет. — Голос старой сплетницы приободрился, и Юля уловила в нем авантюрную нотку. — Я вас слушаю. Что-нибудь случилось? Вы уже знаете, что Зверева убили?

— Маргарита Евгеньевна, я сделала ТАК, КАК ВЫ ПОСОВЕТОВАЛИ.

Последовала пауза.

— Я поняла. Вы хотите, чтобы я пришла и посмотрела? Хорошо, только приму сердечные капли...

— Тогда, может, не стоит?

— Стоит-стоит. Только обещайте мне, что пригласите еще одного человека... Понимаете, мне важно, чтобы ЮРА увидел ее. Тогда уж никто не скажет, что я сумасшедшая.

Маргарита Евгеньевна пришла через четверть часа. Она выглядела словно актриса, о которой не вспоминали двадцать лет и вдруг пригласили на главную роль: ярко накрашенная, одетая в брючный летний костюм и с газовой косынкой на груди...

— Вы готовы? — спросила Юля, пытаясь взять ее под руку на случай, если сердце молодящейся дамы не выдержит и она рухнет без чувств.

— Я совершенно готова, и не держите меня...

Она бодрым шагом направилась в спальню, Юля едва поспевала за ней. Но на пороге, увидев лежащую на полу брюнетку с залитым кровью горлом и посиневшим лицом, Маргарина Евгеньевна рухнула, как сноп.

— Я же говорил тебе! — зашипел на Юлю Шубин и кинулся поднимать несчастную. — А что, если она сейчас умрет?

— Не умру, — прошелестела Маргарита Евгеньевна побелевшими губами. — Ну вы даете, ребятки... Помогите-ка мне подняться...

Она открыла глаза и, уже не глядя на распростертое на полу тело, прошептала:

— Это она. Я всегда знала, что это она... А теперь позвоните Юре и пригласите его.

— Но кто это должен сделать?

— Думаю, что удобнее всего это сделать Юле, потому что у нее молодой и приятный голос, совсем как был у Лизы... Господи, прости меня... Но это же надо!

Теперь Маргарита Евгеньевна смотрела на загримированную Белотелову более смело: вздымавшаяся пышная грудь Ларисы вернула ее в глазах перепуганной женщины в мир живых. Она даже опустилась на колени, чтобы получше рассмотреть творение Юлиных рук.

— А кровь-то как настоящая...

Но Юля и Шубин ей ничего не ответили, да и что они могли сказать, если кровь действительно была самая что ни на есть настоящая.

Юля взяла телефонную трубку и набрала подсказанный ей Маргаритой Евгеньевной номер Бурмистрова-младшего.

— Юра? Ты не спишь? — пропела в трубку Юля, постепенно входя в роль убитой (или все-таки НЕ убитой Лизы Пермитиной) и получая от этого острейшие, захватывающие дух впечатления.

— Кто это? — Голос Бурмистрова был сонным и тревожным.

— Да это же я, Лиза Пермитина... Представляешь, у меня что-то с замком, заело. Ты бы не мог взять свои инструменты и открыть меня. Мужа нет, он уехал покупать люстру... Ты чего молчишь? Сможешь прийти?

— Люстру? Но ведь сейчас ночь... — Он говорил с большими паузами.

— Ты придешь или нет? — Тон из просящего перешел в капризный.

— Хорошо, сейчас приду...

Юля положила трубку:

— Вы должны спрятаться на кухне, но сейчас ты, Игорь, пойди и быстренько отопри все двери, а то еще он действительно начнет взламывать замки. И не забудь взять в руки фотоаппарат. В тот момент, когда он, войдя в спальню, заслонит собой хотя бы верхнюю часть тела, ты и щелкнешь, хорошо? Ну что ты так на меня смотришь? У нас нет другого выхода. Думаешь, я не понимаю, что мы наносим парню психологическую травму, но иначе мы все окажемся в дураках — это во-первых, нам придется возвращать деньги, во-вторых. — Она говорила с жаром, уже не обращая внимания на присутствие соседки. — Ну а в-третьих, только таким образом мы будем иметь в руках доказательство причастности Бурмистрова-младшего к убийству Лизы Белотеловой...

Она не успела договорить — послышался скрип двери, после чего стало очень тихо. Бурмистрову не пришлось взламывать замок, поскольку все двери были открыты. Тихие осторожные шаги. Высокий молодой человек в серых брюках и синей рубашке, бледный как полотно, вошел в ярко освещенную гостиную и оглянулся. Потом, словно лунатик, вошел в спальню, и Юля услышала характерные звуки работающего фотоаппарата.

— Юра? — Юля возникла у него за спиной. — Не бойся, это не сон. Это ОНА?

Бурмистров-младший медленно повернул голову и посмотрел на Земцову. Взгляд его был полон ужаса и недоумения.

— Да, это она... Но только... только... с головой... Вы нашли голову?

Шубин принес ему стакан водки и предложил выпить.

Маргарита Евгеньевна, понимая, что она здесь лишняя и только отвлекает всех своим присутствием, подмигнула Юле и тактично удалилась.

Бурмистров выпил и тупо уставился перед собой.

— Что это? Что со мной?

— Я думаю, что тебе пора рассказать все, что произошло в ту самую ночь, когда ты обнаружил здесь труп Лизы. Скажи, это ты убил ее и отрезал ей голову?

— Я? Нет, это не я. Она уже была... мертвая. Я все рассказал тогда. Отпустите меня. Я здесь ни при чем. Отец сказал, что все кончено и я могу вернуться домой. Только мне теперь все время приходится пить лекарства.

— Ты не знаешь, кто ее убил?

— Нет, ничего не знаю. А кто лежит там? Она?

— Она.

— Ты это точно знаешь?

— Да, это она, но только с головой.

От водки его развезло, очевидно, она смешалась с транквилизаторами и дала эффект полной невменяемости. Шубин проводил Бурмистрова домой. Вернувшись, он сказал:

— Думаю, утром он решит, что ему все это приснилось. Очередной кошмар. Но заснять его в спальне я успел.

— А теперь сделай несколько кадров с Ларисой — подарим ей на память.

Под утро Юля переодела Ларису, смыла с ее шеи и лица грим и кровь и, уложив спать, пристегнула ее руки наручниками к батарее.

— Теперь к Михаилу Яковлевичу. Хотя подожди. У нас появилась уникальная возможность обыскать ее квартиру. Ты побудь рядом с ней на случай, если она придет в себя, а я только посмотрю документы Ларисы и сразу же вернусь...

В четыре часа утра они подъехали к дому, где жил Пермитин.

— Значит, действуем по плану, как договорились.

Пистолет у меня есть, так что не переживай. Игорь, ну что ты так на меня смотришь? Понимаешь, мне НАДО довести это дело до конца...

— Зачем? Неужели ты еще не поняла, КТО стоит за Пермитиным?

— А мне плевать. Я должна доказать Харыбину (если ты еще не понял, насколько для меня это важно!), что вполне могу обойтись без его помощи и поддержки. Я не могу, понимаешь, НЕ МОГУ никому принадлежать полностью и тем более от кого-нибудь зависеть. У меня генетика совсем другая. И он должен, должен это понять.

— И после этого ты с ним расстанешься?

— Я еще ничего не решила. Если ты не со мной, то я пойду одна. Я достану этого мерзавца из-под земли и сорву с него маску, а точнее — вторую кожу...

— А ты уверена?

— Уверена. Иного объяснения всему этому абсурду я не вижу.

Они вышли из машины и поднялись на лестничную площадку, где, как показалось Юле, она была только что. «Как же быстро пролетело время», — подумала она, вспомнив свой визит к Драницыной и альбомы в ванной комнате второй квартиры Пермитина.

Шубин собирался было уже открыть дверь ВТОРОЙ квартиры Пермитина, той самой, где, по их мнению, и жил настоящей жизнью «несчастный вдовец», но был поражен, когда дверь открылась сама... Открыта была и другая дверь, ведущая в первую квартиру. Обе квартиры были ПУСТЫ! Юля, включив везде свет, была потрясена и обманута в своих лучших ожиданиях: он скрылся, этот матерый преступник, этот волчище! Этот убийца стольких невинных душ!

И тут нервы ее не выдержали, и она разрыдалась на груди Шубина.

— Игорь... Как же так? Столько усилий, трудов, и все напрасно? Я потеряла и Харыбина, и себя, понимаешь, СЕБЯ!

— Пойдем отсюда, он не оставил нам ни своих альбомов, ничего... Думаю, что он уже далеко... Мы немного опоздали. Поедем домой, я уложу тебя спать. Ты же едва стоишь на ногах.

— Нет. Я должна позвонить одной своей знакомой, связанной с железной дорогой.

И Юля, превозмогая ломоту в уставшем теле и головную боль, позвонила. Ей повезло: спустя несколько минут в ее блокноте появился адрес Мартыновой Татьяны Петровны — той самой проводницы, которая сопровождала девятый «Б» до Москвы.

— Игорек, это последняя поездка, я тебе обещаю... — И она назвала адрес.

* * *

В восемь часов утра, открыв глаза и обнаружив, что она дома, в своей залитой солнечным светом постели, Юля встала и начала собираться. Ей не терпелось к своим — к Крымову, Чайкину, Корнилову и даже Щукиной, — чтобы поделиться всем, что она наконец-то выяснила за эту, пожалуй, самую безумную и тяжелую ночь в ее жизни

Шубин, который спал в другой комнате на диване, пытался ее образумить:

— Ты никуда не поедешь... Ты же спала всего четыре часа!

Но она ничего не хотела слышать:

— Я пошла умываться, а ты заводи машину, я сейчас спущусь...

По дороге они заехали в магазин, где купили все, что просила Надя, плюс два пакета, набитые разными продуктами. Юля оставила себе гроздь бананов и теперь, сидя в машине, спокойно завтракала ими, время от времени скармливая их и Шубину.

Решив сократить путь, они въехали в лес и чуть не столкнулись с летящей им навстречу другой машиной.

Юля вжалась в сиденье и замерла. Шубин остановился: машину Харыбина он узнал сразу.

Дмитрий тоже затормозил и бросился к Юле, которая к тому времени открыла окно и решила для себя, что не выйдет из машины до тех пор, пока не доедет до крымовского дома и не сделает то, что задумала. Она смотрела в глаза Харыбина с сознанием почти выполненного долга.

— Ты... с... ним?

— Я сама по себе. Я работала целую ночь. Мы упустили Пермитина. Думаю, что его уже нет в городе. Если хочешь, поедем со мной к Крымову, там сейчас все наши. А Игорь... Это совсем не то, что ты думаешь. Все, Игорь, поехали...

И Шубин, который только и ждал этого момента, рванул вперед, чуть не сбив облокотившегося на крыло Харыбина.

— Он поехал за нами, — сказал Игорь, когда они уже выехали на проселочную дорогу и впереди посреди лесного пейзажа в солнечной дымке появился особняк Крымова. — Так что не переживай...

— С чего ты взял? — прошептала Юля, глотая слезы. — И вовсе я не переживаю...

Они остановились у ворот, и на крыльце почти тотчас появился Корнилов. Он, конечно же, курил.

— Вот и кофе привезли! А то мы здесь уже все извелись... Рад тебя видеть, Юлечка... — И он поцеловал Юлю в щеку. — У тебя утомленный вид.

— Продукты в машине, так что идите, помогайте...

Боковым зрением она заметила, как позади ее машины, за рулем которой все это утро был Шубин, остановился красный джип Харыбина.

Но, увидев перед собой озабоченное и в то же время радостное лицо Крымова, она почувствовала, что ей снова дурно, а ноги подкосились... На глазах выступили слезы, и Юля просто возненавидела себя...

— Привет, Земцова, — уловив момент, когда их никто не видел (какое-то мгновение!), он поцеловал ее прямо в губы. Его глаза были влажными и словно извинялись перед нею за то, что он уже не принадлежит ей. Крымов прошептал: — Я чуть с ума не сошел...

И уже более громко:

— Прямо к завтраку.

Даже Надя встретила Юлю улыбкой:

— Привет, подружка. Как дела? Тришкин там еще не заявил на меня?

Надя сварила овсянку, вместе с Юлей они приготовили бутерброды. Вскоре по дому поплыл запах кофе, и все собрались в гостиной за большим столом. Харыбин выглядел не лучшим образом, видно было, что он не спал ночь, переживал и теперь, быть может впервые в своей жизни, не знал, как себя вести с этой дерзкой и самолюбивой Земцовой.

Когда разлили кофе по чашкам, за столом установилась необычайная тишина. Все смотрели на Юлю.

— Я могу начинать?

Она вдруг почувствовала себя обманутой: а что, если они давно все знают и только ждали момента, чтобы посмеяться над нею? Возможно, что подобные мысли были вызваны усталостью или тем, что напротив нее сидел и смотрел ей в глаза человек, который, испытывая к ней необычайно нежные чувства, пытался понять причину, по которой с ним так жестоко обошлись! И что, что он хотел тогда сказать ей своей фразой: «Успокойся, еще не время»?

— Хорошо.

Юля придвинула к себе толстую кожаную папку, набитую документами, раскрыла ее и достала газету, развернула ее и прочла:

«Вчера, второго декабря, в Якутии произошла трагедия: бронированная машина, перевозившая ящики с золотом с прииска в поселке Дражный на ближайший аэродром, была взорвана в шестнадцати километрах от поселка. Охрана и инкассаторы погибли в результате полученных огнестрельных ран. Золото, в том числе уникальные самородки, исчезли. Ведется следствие».

— Это «Российская газета» за четвертое декабря 1993 года. А теперь вырезка из другой газеты, датированной уже январем 1994 года. Читаем:

«В тридцати километрах от поселка Дражный, что в Якутии, спустя почти месяц обнаружили лагерь, предположительно принадлежавший бандитам, напавшим на бронированную машину, взорванную в декабре прошлого года, которая перевозила золото с прииска на аэродром. Все украденное золото находилось в банках из-под топленого масла и было зарыто неподалеку от палатки, в которой местные жители нашли четыре трупа. Создается впечатление, что бандиты (которых, кстати, так никто до сих пор и не опознал) не поделили награбленное и перестреляли друг друга. Золото возвращено государству. Ведется следствие».

— И, наконец, еще один документ, который мне удалось обнаружить в сумочке одной небезызвестной вам особы. — С этими словами Юля пустила по кругу небольшую цветную фотографию. На ней, среди пальм и цветов, обнявшись, стояла пара — мужчина средних лет и совсем юная девушка, брюнетка с короткой мальчишеской стрижкой и улыбкой киноактрисы. На обороте синими чернилами было написано: «Ларочка, завидуй нам! Здесь так тепло и хорошо, что просто не хочется возвращаться в наш холодный, пусть и золотой дом. Думаю, что осенью мы все-таки покинем вас с Андреем. Целуем, Лиза и Миша Пермитины. Июль 1994 г.».

И они, Миша и Лиза Пермитины, действительно покинули свой «холодный и золотой» дом, то есть поселок Дражный, где Михаил Яковлевич Пермитин работал главным специалистом и был на хорошем счету, а молоденькая повариха Лиза варила щи в приисковой столовой, и по совету их общего друга Николая Ирганова перебралась сюда, в более теплый край, на Волгу, где и решили обосноваться. Пермитин к тому времени накопил вполне достаточно средств, чтобы купить себе здесь приличную квартиру, машину и дачу. Кроме того, сделав запрос в Якутию через вашего, Виктор Львович, друга Соболева, я узнала, что местных жителей, нашедших лагерь бандитов неподалеку от поселка, то есть тех, кто непосредственно отыскал золото, представлял один-единственный человек — Пермитин. Сейчас невозможно выяснить, взял ли он золото только из банок из-под топленого масла или недрог-нувшей рукой присвоил себе самородки, потому что самородки могли быть украдены кем-то другим, ведь неизвестно, сколько на самом деле было бандитов... Но самородки исчезли! Хотя все это можно уточнить уже более официальным путем. Как бы то ни было, но на деньги и золото Пермитина позарился этот самый Николай Ирганов, я повторяю, лучший друг Пермити-на по прииску. Ведь это именно по его совету Пермитины решили переехать в С., потому что у Ирганова здесь жил какой-то очень влиятельный родственник. Выехав из поселка Дражный в С. за две недели до Пермитиных якобы для того, чтобы осмотреться и по-дыскать жилье для себя и своих лучших друзей, Ирга-нов находит ту самую квартиру в только что построен-ном доме на улице Некрасова и с помощью родст-венника начинает оформлять ее на себя, назвавшись ПЕРМИТИНЫМ! Здесь начинается самое страшное и невероятное. Лариса Черных, подружка Ирганова с прииска, находясь в сговоре с Иргановым, приезжает в С. дня на два позже Ирганова и первым делом идет в парикмахерскую, где из блондинки превращается в брюнетку, да еще коротко стриженную, после чего по-является в новом доме, на глазах будущих соседей, в качестве жены Пермитина, Лизы. А в это время насто-ящие Пермитины тратят в Москве деньги на одежду и рестораны... Словом, люди отдыхают. Ирганов, полу-чив от них телеграмму о прибытии в С., встречает их в аэропорту на только что купленной иномарке, но по дороге в город убивает своих «лучших друзей», а трупы прячет, возможно, закапывает их в посадках неподале-ку от аэропортовской трассы. Таким образом, уже спустя пару часов после прибытия самолета из Мос-квы в С. Ирганов окончательно превращается в Ми-хаила Яковлевича Пермитина, обладателя крупной суммы денег в валюте, паспортов и двух большущих чемоданов, в кармашке одного из которых и были, как мне кажется, спрятаны самородки. Теперь Лариса Черных становится его официальной женой — Елизаветой Пермитиной. Что касается внешней схожести с фотографиями на документах, то Ирганов не теряется и убеждает Ларису, что ему достаточно изменить прическу, и он будет похож на настоящего Пермитина. Я просто уверена, что именно это и подтолкнуло Ирганова на создание его дичайшего плана: они действительно были похожи. Русоволосые, неприметные, обыкновенные... Главная ставка делалась на Ларису Черных, которая после парикмахерской сама себя не узнала в зеркале! Она была так легкомысленна, что уже очень скоро, оформив окончательно квартиру и переехав в нее, начала открыто флиртовать с живущим на первом этаже Юрием Бурмистровым. Но старательно избегала появившегося в их доме новосела по фамилии Зверев, тоже приехавшего сюда из Дражного и тайно влюбленного в настоящую Лизу Пермитину. С большим трудом разыскав ее в Поволжье, Зверев поставил перед собой цель отбить Лизу у мужа, который был значительно старше ее. Он пытался подойти к ней, объясниться, но самозванка всячески уклонялась от встреч с ним. Рассказав Ирганову о том, что в их доме появился опасный свидетель, который может в любую минуту их разоблачить, Лариса посоветовала ему обратиться к своему могущественному родственнику, чтобы тот помог избавиться от Зверева, а попросту — выжить его из города. И Зверева — выжили! Подробности мне, разумеется, неизвестны. Но тут в «семье» Пермитиных происходит серьезный конфликт: Лиза, то бишь Лариса Черных, решает бросить своего любовника и сообщника Пермитина и уйти к влюбленному в нее Бурмистрову. Происходит крупный скандал. Ирганов боится за свою шкуру, потому что убивал Пермитиных он своими руками... А Лариса, выходит, остается чистой и даже не считает себя сообщницей! Но и Лариса Черных понимает, что Ирганов становится опасным, что он не доверяет ей, постоянно следит за нею... Словом, жить вместе стало невозможно, хотя прошло всего-то ничего — недели три, не больше. И тогда Лариса предлагает Ирганову поделить деньги и расстаться. Но чтобы о «жене» Пермитина никто не вспоминал, они решают инсценировать ее убийство, для чего и нанимают нечистого на руку Александра Павлова, который ради денег был согласен на любую авантюру. Это он вышел на Тришкина и купил у него труп вокзальной шлюхи (за что его Ирганов потом и убьет, как человека, который слишком много знает). Обезглавив вокзальную дамочку, Ирганов показал ее сбежавшимся соседям и милиции как труп своей горячо любимой жены. Поскольку настоящая Лиза Пермитина везла из Москвы полный чемодан вещей, решено было одеть труп несчастной девицы именно в Лизину одежду. В сущности, рассудил Ирганов вместе с Черных, в этом случае они как будто и не совершали никакого преступления, ведь девица-то была уже мертвая! Главным для них теперь было покровительство родственника Ирганова, который за один крупный самородок взялся замять дело с «убийством». Но чтобы обеспечить себе в этом содействие городского управления внутренних дел, этот родственник посоветовал Ирганову подставить Бурмистрова-младшего, сына начальника УВД, заманив его каким-нибудь образом на квартиру Пермитиных в тот самый момент, когда там его будет поджидать труп обожаемой Лизы... Что и было с блеском проделано! После этого Лариса Черных, получив свою долю, уезжает в Петрозаводск, где пытается выгодно пристроить денежки, но сначала «прогорает» с местным вором по кличке Золотой, затем с Соляных. Однако он как-то выкручивается, но Лариса (которая в Петрозаводске купила себе паспорт на имя Белотеловой) уже не доверяет ему и принимает решение уехать из Петрозаводска. К тому же за пять лет она заметно поиздержалась, и теперь ей стало казатся, что Ирганов поступил с нею нечестно, отдав лишь часть денег, не поделившись еще и самородками. И Лариса приезжает в С. с тем, чтобы, разворошив старый улей, напугать Ирганова, но сделать это не своими руками, а чужими. Она звонит ему и требует самородки, причем угрожает тем, что у нее сохранилась одежда настоящей Лизы Пермитиной, та самая, в которой Лиза была в момент убийства. Мне думается, что Лариса предупредила его, что если с ней что-то случится, то заявление, которое она якобы написала прокурору, будет тотчас выслано, и не советовала своему сообщнику портить с ней отношения. Посудите сами, что еще могло сдержать Ирганова, которому ничего не стоило убить человека, от того, чтобы пристрелить Ларису — единственную живую свидетельницу преступлений?

Итак, спустя пять лет после убийства Пермитиных, Лариса возвращается в С., звонит Ирганову и ставит свои условия: деньги, самородки и квартиру... А почему бы и нет? Во-первых, это капитал, а во-вторых, эта квартира нужна ей теперь уже и для другой цели — для осуществления плана, связанного с разоблачением Ирганова. Она решила весьма оригинальным способом привлечь внимание людей к личности мнимого Пермитина. Здесь сразу же возникает вопрос: зачем ей было затевать сложнейшую игру с кровью и вещами Лизы, если можно было просто написать письмо прокурору с просьбой начать расследование по делу об исчезновении настоящих Пермитиных. Но нет, она этого не делает. Значит, Ирганов тоже поставил перед нею какие-то условия. Как бы то ни было, одно из ее требований он выполняет: при помощи все того же Саши Павлова он продает ей свою квартиру за мизерную сумму. Думаю, что, помимо этого, он помог ей устроиться маникюршей, ну и, конечно, дал немного денег. Он явно стремился к тому, чтобы избежать каких-либо осложнений.

Дело в том, что приезд Ларисы помешал ему в реализации планов, связанных с большими деньгами. Отхватив крупный куш, он намеревался уехать за границу. К тому времени, когда в городе появилась Лариса, Ирганов с Ларчиковой уже работали в паре, поставляя определенному кругу лиц девочек и мальчиков. Уверена, что основным местом встреч подобного рода являлась как раз дача Ларчиковой. Соседи ее, Михайловы, многого не видели или не придавали значения, разве что удивлялись появлению в их проулке роскошных машин с тонированными стеклами... Я уверена, что некоторые из лиц, пользовавшихся услугами псевдо-Пермитина, обещали ему помочь с кредитом. В создавшейся ситуации самым логичным для Ирганова было бы бегство...

Трагедия, разыгравшаяся на даче у Ларчиковой, связана, на мой взгляд, с Олей Драницыной, точнее, с ревностью Ларчиковой, собиравшейся выйти замуж за Ирганова. Скорее всего Пермитин, то есть Ирганов, давно уже находившийся в связи с Олей, решил привезти ее туда же, куда прежде возил ее сверстниц и сверстников. На этот раз для себя. Хотя не исключаю, что он уговорил Олю отдаться еще кому-то, пообещав ей хорошие деньги. Ведь в кармашке юбки Оли нашли стодолларовую купюру!

Ларчикова приехала на дачу неожиданно, и то, что она увидела, вывело ее из себя. Ирганов, который уже устал от скандалов и угроз Ларисы Черных, не в силах был перенести угрозы, исходящие теперь еще и от Ларчиковой. Наверняка она грозилась разоблачить «детского фотографа» и его связи с чеченской террористической организацией. И тогда Ирганов убил ее, перерезав горло. Оля Драницына, ставшая свидетельницей убийства, пыталась убежать, но Ирганов выстрелил в нее. Только случайно девочка осталась жива.

— А Михайловы? — спросил Крымов. — Ты думаешь, что они что-то увидели?

— Безусловно. Поэтому-то Ирганов и разрезал тормозной шланг в их машине как раз тогда, когда вы все находились в саду и допрашивали их... После того как он убил Ларчикову и ранил Олю, Ирганов отогнал свою машину, которая наверняка была зарегистрирована на чужую фамилию, куда-нибудь в лес, затем вернулся, подошел к воротам михайловской дачи и разрезал тормозной шланг стоявшего там их «жигуленка».

— А как он мог узнать, расскажут ли они о том, что

видели прямо сейчас, в саду, или нет? Зачем было их убивать?

— Они бы ничего не сказали в тот день, потому что им было важно поскорее уехать оттуда, ведь они обворовали дачу Ларчиковой! Но потом, уже избавившись от наворованных вещей, они могли бы рассказать все, что угодно. Да я бы сама пришла к ним и выпотрошила из них все до мелочей. Я бы сумела это сделать.

Теперь вернемся к Ларисе, перед которой встал вопрос: каким образом привлечь внимание к псевдо-Пермитину, чтобы им заинтересовалась милиция? Ведь она хотела тонкой и искусной игры, чтобы, не дай бог, нигде не проскользнуло ее имя. Вот она и придумала эти кровавые рисунки на зеркалах...

— Но откуда она брала кровь? — внимательно слушавший ее все это время Крымов не выдержал. — Да еще беременных женщин?

— Агент Маслова покупала пробирки со свежей кровью в Никольском родильном доме у одной знакомой санитарки ДЛЯ КОСМЕТИЧЕСКИХ ЦЕЛЕЙ. Возможно, что в чисто женской беседе Масловой и Белотеловой (а Маслова была вхожа к ней в дом, поскольку действительно собиралась оказать ей посредническую услугу в покупке хорошей дачи на берегу Волги), агентша рассказала ей о том, как полезна человеческая кровь в косметических целях или что-нибудь в этом духе, что и послужило толчком для создания основы этого кровавого спектакля. Я разговаривала сегодня ночью с этой санитаркой, и она объяснила мне, что крови у них много, ее собирают сразу после родов и затем выливают в раковину...

— Она ненормальная, эта Белотелова! — возмущенно фыркнула Надя, ее всю передернуло от отвращения. — Извращенка несчастная!

— Подобные ей люди постоянно находятся в поисках острых ощущений, — спокойно заметил Крымов.

— Так вот. Подбрасывая себе вещи убитой Лизы Пермитиной и чуть ли не поверив в то, что сама придумала, Белотелова пришла к нам и попросила выяснить причину этих «паранормальных» явлений.

— Но ведь платье-то появилось У ТЕБЯ НА ГЛАЗАХ, когда Белотеловой не было дома! — воскликнул Шубин.

— Правильно. А ты видел ее светильники из соляных блоков? Так вот, сегодня я осмотрела их изнутри и знаете что обнаружила? Порванные и расплавленные тончайшие проволочки, которые, если их расположить крест-накрест, могут удержать определенное время плотно свернутую вещь: платье, берет, чулки... Включенная лампа нагревается, проволочка рвется или плавится, и уложенная на нее вещь падает вам почти на голову... Как это и произошло со мной. Больше того, в гостиной, прямо над потолком, висит самая большая люстра, и в ней я обнаружила спрятанные примерно таким же образом подошвы от мужских кроссовок. Уверена, что это те самые, которыми она оставляла следы на полу, ведущие к окну, чтобы показать, что убийца агентши сбежал через окно...

— А кто же убил Маслову? — спросил Корнилов.

— Белотелова и убила, а себя ранила, слегка... Ей важно было выставить себя ЖЕРТВОЙ! И заодно избавиться от Масловой, которая становилась навязчивой или заинтересовалась, зачем Ларисе понадобилось столько крови... Маслова была знакома с Павловым, которого убил Ирганов. По той же причине: ради собственного спокойствия.

— А где пистолет, которым Лариса убила Маслову и ранила себя? — спросил Корнилов.

— У меня было мало времени, чтобы осматривать лампы, но думаю, что он спрятан где-нибудь таким же оригинальным способом. Ну подумайте сами, кому придет в голову искать пистолет или подошвы башмаков НАВЕРХУ?! В люстрах, лампах, светильниках?!

— А с какой целью труп Павлова в течение месяца перевозили из одного морга в другой? — спросил Чайкин. — Ведь меня из-за него чуть не убили!

— Я думаю, что труп Ирганову и тем, кто обеспечивал ему все это время безопасность и покровительство, был нужен уже для другого спектакля... — Юля бросила взгляд на Харыбина, сидящего с непроницаемым видом напротив. — Уверена, что после того как Ирганов получил бы кредит, часть этой суммы он отдал бы своему влиятельному родственнику, уже поживившемуся золотом и самородками, а сам бы уехал, предварительно инсценировав СВОЮ СОБСТВЕННУЮ СМЕРТЬ. Вот для чего им был нужен мужской труп.

— Да я бы им даром отдал всех мертвых бомжей, честное слово... Я не Тришкин, «жмуриков» на «Фольксвагены» не меняю! — воскликнул Чайкин.

— А Зверев? — спросил Крымов. — Сунул нос не в свое дело? Проявил чрезмерную активность?

— Зверев вернулся сюда, должно быть рассчитывая на то, что за пять лет все утряслось, поселился в своей квартире и сначала не обращал внимания на Белотелову, но позже, как раз в тот вечер, когда мы собрались у нее все вместе — помнишь, Игорь? — он вдруг узнал в ней погибшую Лизу Пермитину и сбежал... Он испугался, что это галлюцинация, и пришел к нам в агентство, чтобы мы выяснили, кто же убил и убил ли Пермитину... Но едва он переступил наш порог, как об этом стало известно Ирганову. С помощью своих людей он дал понять Звереву, что ему нечего здесь искать... Пренебрегая опасностью, Сергей встретился со мной и хотел поделиться своими подозрениями. Ирганов убил и его.

— Ты хочешь сказать, что этот тип убил столько людей? Ларчикову, Павлова, Михайловых, Пермитиных? И что ему помогал в этом его родственник, которого он завалил золотом? Это сколько же золота надо было привезти сюда, чтобы в течение такого долгого времени совершать преступления, не опасаясь наказания?

— Не забывайте о том, что в этой истории не последнюю роль играет Бурмистров. Ему практически ничего не стоило оберегать Ирганова... Он понимал, что, если схватят так называемого Пермитина, тот сразу же даст показания против его сына Юры, якобы убившего и обезглавившего Лизу.

— Ты обещала рассказать и про Льдова. Его что, тоже убил Пермитин-Ирганов? — спросила Надя.

— Во всяком случае, Вадим догадывался, чем занимается его классная руководительница вместе с Пермитиным, и, как истинный сын своего отца, он попытался извлечь из этого открытия выгоду...

— Шантаж? — удивился Корнилов, который меньше всего связывал имя Льдова с делом Пермитина.

— Представьте себе!

— Так его тоже убил псевдо-Пермитин?

Но тут Юля замолчала. Она не хотела раскрывать имя настоящего убийцы Вадика Льдова, потому что история, которую она услышала сегодня ночью от проводницы Мартыновой, потрясла ее.

— Думаю, что да, — произнесла она нерешительно. — А вы сами спросите его...

Каша в тарелках остыла и покрылась желтоватой коркой, кофе тоже стал холодным. Каждый сидящий за столом пропускал через себя услышанное и в глубине души отказывался верить в существование этой твари, этого оборотня, вросшего в чужую кожу, выродка, для которого смерть человека — ничтожный пустяк: выстрелил — и нет проблем! Опустил топор на голову подростка — и нет еще одной проблемы. Перерезал горло женщине — и она никогда ничего никому не скажет...

— А Ларчикова была знакома с Белотеловой? — спросила Надя.

— Я думаю, — проговорила Юля, — что Белотелова ревновала Ларчикову к своему бывшему любовнику и, чтобы отвратить ее от Ирганова, рассказала ей об убийстве Пермитиных. Ларчикова испугалась, что в один прекрасный день Ирганов точно так же поступит и с ней... Быть может, именно после этого разговора она и помчалась на дачу выяснять отношения и застала его там с Драницыной... Это было уже слишком! Кстати, Белотелова сейчас пристегнута к батарее в своей квартире... Это моя работа. Думаю, что ее надо арестовать. А Ирганов сбежал. Я очень устала, да и голос сел... Игорь, расскажи им все про вторую квартиру Михаила Яковлевича... А ты, Надя, налей, пожалуйста, мне горячего чаю...

Вместо эпилога

Юля встретилась с Вероникой Льдовой в летнем кафе.

— Знаете последнюю новость? — Вероника дрожащей рукой достала сигарету, но потом, сломав ее, бросила в пепельницу. — Про Тамару Перепелкину?

Юля, которая уже упустила инициативу разговора и теперь не представляла себе, как же она сейчас будет переходить от сплетен и новостей к самому главному, ради чего они и встретились здесь, на нейтральной территории, покачала головой: она не знала.

— Перепелкина вышла замуж за друга ее отца, некоего Сперанского, и они уехали в Египет. Не знаю уж, почему именно в Египет, но думаю, чтобы быть подальше от всех. Тамара красивая девочка, развитая, думаю, что они будут счастливы. — Вероника улыбнулась одними губами, словно актриса, которую заставили выйти на сцену в день смерти близкого человека и играть комическую роль.

— Разве физическое развитие — залог счастья? — попыталась поддержать разговор Юля.

— Да нет, она развитая не только в физическом плане, но и в интеллектуальном. Я слышала, что она и до Сперанского встречалась с мужчинами, но не осуждаю ее за это. Каждый волен выбирать себе путь, как ни банально это звучит. Я вот, например, тоже знала, на что иду, выходя замуж за Льдова. Ему очень подходила и до сих пор подходит эта холодная фамилия. У него вместо сердца — ледышка, как в сказке Андерсена. Вот и мы с Вадькой жили как в сказке, но только очень холодной... А что же вы молчите про Корнилова? Они же с Людой Голубевой тоже куда-то уехали, не за границу, конечно, а в какой-то пансионат на

Волге или в деревню... Муж у нее — мерзавец, она так измучилась с ним. Люда — личность неординарная, она большая умница, но ей необходимо надежное мужское плечо. Я буду рада, если она уйдет от мужа и останется с Корниловым. Он хоть и мрачный с виду дядька, но обаятельный, добрый. Юля, я чувствую, что вы хотите сказать мне что-то очень важное... Говорите, я готова выслушать ПРАВДУ. Тем более что никаких иллюзий относительно своего сына я никогда не строила — я его слишком хорошо знала. — Вот теперь Льдова закурила.

— То, что я сейчас расскажу вам, Вероника, лишь мои предположения. И если вы будете настаивать, то я дам им ход и все проверю. Но вы сначала послушайте, а потом решайте, стоит это делать или нет... Вы — мать, и всегда будете оправдывать поступки своего сына.

— Я уже подготовилась к самому худшему. Постараюсь быть объективной... — Вероника щурилась на солнце и то и дело поправляла развевающиеся на ветру волосы. Сидящие за соседним столиком мужчины с интересом поглядывали на серьезно разговаривающих молодых женщин. — Давайте возьмем кофе с коньяком... А то меня что-то колотит...

— Конечно... Так вот. Вы были правы, когда подумали, что причину убийства Вадика надо искать в той самой поездке в Москву... Дело в том, что среди его одноклассников и одноклассниц была одна девочка, не состоящая в их группировке... Вы же понимаете, о чем я говорю? Из скромной семьи, хорошая девочка, воспитанная, и все такое... Она была девственницей. И этот факт не давал покоя вашему сыну. Он поклялся перед СВОИМИ, что лишит ее девственности уже осенью, и сказал ей об этом. У девочки был нервный стресс, но она так никому ничего и не рассказала... Между тем Вадик не шутил. Он неоднократно подкарауливал ее в тихих местах — за школой, например, в ее же подъезде, вечером возле дома, когда вокруг ни души, — и требовал от нее откупного. То есть денег или то, что можно продать, чтобы выручить деньги. И девочка приносила ему мамины украшения, словом, все самое ценное, что было в семье. Отца у них нет, поэтому просить защиты ей было не у кого. А мать постоянно болела и подолгу лежала в больнице. И вдруг — эта недорогая поездка в Москву. Мама сама настояла, чтобы дочка поехала и немного развеялась. И она поехала.

— Как зовут девочку? Я ее знаю?

— Вера Корнетова...

— Вера? Я помню ее, такая высокая, тоненькая, с большими темными глазами. И что же?..

— Проводница вагона, в котором ехал класс, заглянув в одно купе, где были как раз ваш Вадик и парень, по описанию похожий на Олеференко, увидела следующую картину... Девочка — а это была Вера Корнетова — стояла на коленях перед Вадимом, и сами понимаете, что он ей делал, в то время как Олеференко держал ее за волосы... Девочка потеряла сознание после того, как проводница, увидев эту картину, закричала, обозвала парней самыми последними словами и, конечно же, кинулась к классной руководительнице, едущей в другом купе... Но развития эта история, как ни странно, не получила. Ларчикова постаралась замять этот инцидент. Никто не был наказан. А Вера после этой поездки стала реже появляться в школе. У них в классе есть еще одна девочка — Жанна Сенина. От нее я узнала, что было потом. Вадик не отступался от задуманного и несколько месяцев, вплоть до апреля, терроризировал Веру, звонил ей, говорил разные мерзости, а потом, в присутствии как раз Жанны Сениной, сказал ей, что если она не придет пятого апреля в кабинет географии и не отдастся ему, то они ее вместе с Олеференко и Горкиным затащат в посадки и сделают с ней то же самое, что и с интернатской девчонкой... И они бы сделали это, тем более что ваш сын, не имея ни прав, ни паспорта, уже спокойно разъезжал на отцовской машине... И тогда Жанна Сенина, девочка, о которой все в школе отзываются как о самой жестокой и распущенной в классе, вдруг пожалела Веру и написала записки Голубевой и Драницыной, в которых от имени Льдова приглашала их в тот же вечер в кабинет географии. Она даже не стремилась подделать почерк, а написала печатными буквами на авось. Она понимала, что Вера придет из страха перед будущим, перед перспективой быть изнасилованной сразу тремя одноклассниками. И она пришла, но только не в пять, а на полчаса позже. Почти одновременно с Голубевой. Потому что раньше всех пришла Оля Драницына. Они целовались с Вадиком, когда их увидела Голубева. Она разрыдалась и выбежала из класса... Оля, рассмеявшись, сказала, что она все поняла, что Льдов разыграл их, и ушла, договорившись встретиться с ним на следующий день на квартире Иоффе...

— И обо всем этом знала Жанна?

— Да, представьте! А потом, дождавшись, когда девочки уйдут, в кабинет вошла Вера... Ваш сын курил возле открытого окна и разговаривал с нею даже не поворачивая головы. Жанна Сенина, которая подсматривала за ними в замочную скважину и которая, как она мне призналась, была готова вступиться за Веру, глазам своим не поверила, когда Вера достала из пакета, из обычного полиэтиленового цветного пакета, топор и, продолжая разговаривать с Вадимом...

— Подождите... Вы соображаете, что говорите?! Вера?! Это она?.. — Вероника дрожащей рукой достала из сумочки пачку сигарет, извлекла одну и закурила в сильнейшем волнении.

— Да. Он приказал ей запереться на швабру (что она, кстати, и сделала) и начать раздеваться. А Вера, ухватившись за топор обеими тоненькими руками, подняла его над своей головой и опустила... Жанна не могла отойти от двери — она словно приросла лбом к скважине... ОНА ВСЕ ВИДЕЛА. Потом Вера взяла тряпку, которой стирают с доски мел, протерла топор и выбросила его из окна, предварительно высунувшись и убедившись, что там, на газоне, никого нет... Я спросила Жанну, какое же у Веры при этом было лицо, и знаете что она мне ответила?

Вероника сидела, опустив голову и прикрыв ладонью глаза.

— Она сказала, что у Веры НЕ БЫЛО ЛИЦА. Там был только «белый страх». Она так и сказала... Жанна Сенина... Потом она убежала, чтобы Вера ее не увидела, а сама Корнетова вышла из класса и пошла домой. В тот же самый день они с матерью уехали в деревню, к родственникам. Насовсем. Я принесла список тех, кто заходил в тот день в столярку... Видите: «Корнетова пришла за скалкой»... Мальчики на «трудах» вытачивали на станках скалки. Преподаватель не заметил, что она взяла еще и топор... Конечно, никто не обратил внимания на... девочку...

— А Голубева? Значит, это не она была свидетельницей? Значит, ее не убили?

— Нет, она не хотела отравиться до смерти, хотела просто попугать Льдова, чтобы он обратил на нее внимание, но не рассчитала... И это мне тоже, представьте, сказала Жанна Сенина. А она слышала это от самой Наташи, которая просила ее раздобыть немного димедрола или другого снотворного. Вы можете мне, конечно, не поверить. Но я... я была у Корнетовых, ездила к ним в деревню...

Юля побывала там вместе с Харыбиным и разговаривала с матерью Веры. Они представились социальными педагогами, прибывшими из областного центра для составления списка малообеспеченных детей. Говорили ни о чем и обо всем... Юля спросила, как учится Вера в новой школе, и услышала: «Отличница». А ведь когда она подъезжала к дому Корнетовых, то, представляя себе разговор с ее матерью, больше всего боялась услышать, что Веры больше нет, что она умерла... Или кричит по ночам.

— Ну и как там она? — спросила Вероника, закуривая следующую сигарету.

— Жизнь продолжается... Теперь, когда вы все знаете, сами решайте, что делать...

— А что Пермитин, — Льдова неожиданно отошла от темы, — этот убийца? Его схватили?

— Нет... Он сбежал... Объявлен в розыск.

Юля вспомнила, как нервничала, когда люди Корнилова вместе с прибывшим подкреплением прочесывали посадки вдоль трассы, ведущей из аэропорта в город, чтобы найти могилу настоящих Пермитиных, и как вздохнула облегченно, когда захоронение было найдено: она оказалась права. Ее версия, над которой она работала беспрестанно, не посвящая в нее (из-за кажущейся абсурдности!) НИКОГО, оказалась единственно верной. Никто не знал, сколько труда она положила на то, чтобы разыскать газеты с упоминанием поселка Дражный. И если бы не Соболев, который так поддержал ее и помог конкретными делами, причем не задавая лишних вопросов, навряд ли ей удалось бы собрать столько материала для обвинения Ирганова. Ведь только узнав об украденных самородках, она начала строить свою версию.

— Но его все равно найдут... — Юля не могла сказать правду.

Ирганов был схвачен в аэропорту Домодедово спустя три дня после того, как с помощью Харыбина и Корнилова было возбуждено уголовное дело против «гр. Пермитина М. Я.». Возможно, Бурмистров так и вставлял бы палки в колеса, тормозя следствие и пытаясь отвести подозрения от «Пермитина», и без того принесшего ему великое множество хлопот, если бы не приехавшая из Москвы столичная группа следователей, занимающихся делом чеченской террористической группировки, на которую работал и Ирганов. Под таким нажимом не выдержал и могущественный покровитель преступника (лицо, судя по степени давления на высшие чины областного УВД, второе или третье после губернатора) — ловушка, дверцу которой долгое время держали открытой, наконец захлопнулась...

Юля не рассказала Веронике о поимке Ирганова, поскольку эта информация держалась в секрете и в интересах следствия не подлежала разглашению.

— А как Оля Драницына?

— Поправляется.

— Охрану сняли? Или ее не снимут, пока не схватят Пермитина?

— Нет, не сняли... — Лгать было трудно, тем более что Вероника смотрела прямо в глаза.

И вдруг:

— Как она учится? — Льдова подняла на Юлю мокрые от слез глаза и прикрыла ладонью дрожащие губы. — Как учится эта... Вера Корнетова?

— Отличница.

— Ну и слава богу... Закрываем дело. Это все, что мне хотелось узнать. И не трогайте девочку. Это возможно?

— Как скажете... — прошептала Юля.

* * *

Поезд увозил Юлю в Москву, к маме. Вот и еще одно расследование позади. Позади, как вся ее прошлая жизнь, полная переживаний, непонятных чувств и бесчисленных вопросов. Она даже не осталась на свадьбу Крымова — не смогла. И с Харыбиным не попрощалась как следует — тоже смелости не хватило. Только Шубин, милый Шубин проводил ее на вокзал и посадил на поезд. Он был удивлен, когда узнал, что она никому не сообщила точную дату своего отъезда.

— Как ты могла? — только и спросил он.

— Не люблю прощания-расставания. Я так устала от всего, что хочется побыть одной. Ты не обижайся... — Она поцеловала его в губы, как раньше. Теперь, когда поезд должен был вот-вот тронуться, она позволила себе это. Она целовала Шубина, ласкала его, как если бы еще любила. Но это была не любовь, а нечто другое, но тоже большое и настоящее. Она благодарила его за его любовь, за преданность и понимание.

Поезд тронулся — Игорь едва успел спрыгнуть на перрон.

Юля разрыдалась, глядя на него, бегущего за поездом, за нею, за ускользающим счастьем...

Немного успокоившись, она вдруг поняла, что в купе совсем одна — без соседей. Это было как подарок.

Она села, достала из сумочки пудреницу и посмотрела на себя в зеркальце. Черные потеки туши под глазами, распухший нос и размазанная помада... Да, в таком виде можно обниматься только с мамой.

В купе постучали.

— Войдите.

Она даже не посмотрела, кто вошел, а машинально протянула деньги за постель и билеты. На пальце ее под лучами солнца сверкнуло кольцо с бриллиантом, то самое, которое Харыбин ей подарил еще там, в Петрозаводске, и которое она, конечно же, не выбросила — в канализационную решетку полетела лишь красная сафьяновая коробочка... Она улыбнулась, вспомнив выражение его лица...

— Значит, так, — неожиданно услышала она и, резко повернув голову на знакомый голос, не поверила своим глазам: с Харыбина градом катился пот, рубашка на груди и под мышками потемнела, — у меня мало времени. Сейчас будет переезд, за ним станция Анисовка, где поезд остановится всего на одну минуту и только для нас, ты все поняла? Где твои чемоданы? Пошли к выходу, проводницу я уже предупредил... Через два часа самолет в Москву. Я тебе по дороге все объясню... — И вдруг, повернув ее к себе и внимательно посмотрев в ее глаза, спросил: — Ты плакала?

Но она так и не смогла ему ничего ответить: откуда-то издалека до нее донеслись выворачивающие душу звуки марша Мендельсона, и она УВИДЕЛА замутненную картинку — проплывающую в замедленном движении свадебную процессию с сонмищем расплывчатых лиц и белым облаком вместо невесты и Крымова в черном костюме и почему-то черных перчатках... Он что-то кричал сквозь стук колес, звал кого-то... И вдруг совсем близко, опаляя ее своим горячим дыханием, прошептал возле самого уха: «Привет, Земцова. Я чуть с ума не сошел...» И звуки искаженного синкопами марша, стук колес, биение сердец и его, Крымова, грустные глаза... полные слез.

Литературно-художественное издание

Данилова Анна Васильевна

САВАН ДЛЯ БЛУДНИЦ

Редактор *В. Татаринов*
Художественный редактор *С. Курбатов*
Художник *И. Варавин*
Технические редакторы
Н. Носова, Л. Панина
Корректор *Н. Овсяникова*

Изд. лиц. № 065377 от 22.08.97.

Налоговая льгота — общероссийский классификатор
продукции ОК-005-93, том 2; 953000 — книги, брошюры

Подписано в печать с готовых диапозитивов 11.08.99.
Формат 84×108 $^1/_{32}$. Гарнитура «Таймс».
Печать офсетная. Усл. печ. л. 22,7. Уч.-изд. л. 20,6.
Тираж 30 100 экз. Заказ 1295

ЗАО «Издательство «ЭКСМО-Пресс»,
123298, Москва, ул. Народного Ополчения, 38.

Отпечатано в полном соответствии
с качеством предоставленных диапозитивов
в ОАО «Можайский полиграфический комбинат».
143200, г. Можайск, ул. Мира, 93.

Книжный клуб "ЭКСМО" - прекрасный выбор!

Приглашаем Вас вступить в Книжный клуб "ЭКСМО"! У Вас есть уникальный шанс стать членом нашего Клуба одним из первых! Именно в этом случае Вы получите дополнительные льготы и привилегии!

Став членом нашего Клуба, Вы четыре раза в год будете БЕСПЛАТНО получать иллюстрированный клубный каталог.

Мы предлагаем Вам сделать свою жизнь содержательнее и интереснее!

С помощью каталога у Вас появятся новые возможности! В уютной домашней обстановке Вы выберете нужные Вам книги и сделаете заказ. Книги будут высланы Вам наложенным платежом, то есть БЕЗ ПРЕДВАРИТЕЛЬНОЙ ОПЛАТЫ. Каждый член Вашей семьи найдет в клубном каталоге себе книгу по душе!

Мы гарантируем Вам:

- Книги на любой вкус, самые разнообразные жанры и направления в литературе!
- Самые доступные цены на книги: издательская цена + почтовые расходы!
- Уникальную возможность первыми получать новинки и супербестселлеры и не зависеть от недостатков работы ближайших книжных магазинов!
- Только качественную продукцию!
- Возможность получать книги с автографами писателей!
- Участвовать и побеждать в клубных конкурсах, лотереях и викторинах!

Ваши обязательства в качестве члена Клуба:

1. Не прерывать своего членства в Клубе без предварительного письменного уведомления.
2. Заказывать из каждого ежеквартального каталога Клуба не менее одной книги в установленные Клубом сроки, в случае отсутствия Вашего заказа Клуб имеет право выслать Вам автоматически книгу – "Выбор Клуба"
3. Своевременно выкупать заказанные книги, а в случае отсутствия заказа – книгу "Выбор Клуба".

Примите наше предложение стать членом Книжного клуба "ЭКСМО" и пришлите нам свое заявление о вступлении в Клуб в произвольной форме.

По адресу: 101000, Москва, Главпочтамт, а/я 333, "Книжный клуб "ЭКСМО"

В заявлении обязательно укажите полностью свои фамилию, имя, отчество, почтовый индекс и точный почтовый адрес. Пишите разборчиво, желательно печатными буквами.

Отправьте нам свое заявление сразу же, торопитесь! Первый клубный каталог уже сдан в печать!

«ДЕТЕКТИВ ГЛАЗАМИ ЖЕНЩИНЫ»

Собрание сочинений Т.Поляковой

Что общего между любовью и... преступлением? А то, что по жизни они идут рука об руку. Сексуальные и умные, страстные и прагматичные героини романов Т.Поляковой не боятся крови и мертвецов, милиции и бандитов. Они шутя играют со смертью, они готовы преступить самую последнюю черту и не блефуют только в настоящей любви. Потому что спрятаться от самой себя невозможно!

Т.Полякова «Невинные дамские шалости»
Т.Полякова «Ее маленькая тайна»
Т.Полякова «Мой любимый киллер»
Т.Полякова «Капкан для спонсора»

Собрание сочинений П.Дашковой

Если от чтения у вас перехватывает дыхание, если вам трудно отложить книгу, не дочитав ее до конца, если, прочитав роман, вы мысленно возвращаетесь к нему снова и снова... Значит, все в порядке — в ваших руках побывал детектив Полины Дашковой. Ведь каждая ее книга — новое откровение для поклонников детективного жанра!

П.Дашкова «Место под солнцем»
П.Дашкова «Образ врага»
П.Дашкова «Золотой песок»

Собрание сочинений А.Марининой

Что ни говори, а книги Александры Марининой запали в душу читателей. Их любят молодые и старые, женщины и мужчины, утонченные эстеты и просто поклонники остросюжетного жанра. Александра Маринина – это детективное чудо, происходящее у нас на глазах. Ее популярности могут позавидовать и эстрадные звезды, и знаменитые актеры, и телеведущие. Ибо сегодня Маринину знают все.
Ее книги разыскивают, расхватывают, их «проглатывают». Но главное, их всегда ждут.

А.Маринина «Я умер вчера»
А.Маринина «Мужские игры»
А.Маринина «Светлый лик смерти»

Все книги объемом 500-600 стр., целлофанированная обложка, шитый блок.

«ЧЕРНАЯ КОШКА»

ПОЭЗИЯ

Жизнь без поэзии бледна и уныла, как без пения птиц, благоухания цветов, без любви и красоты. Язык поэзии – язык возвышенного движения души, великой радости и светлой печали. Не все говорят на нем, но понять его может каждый. Для тех, кто хочет обогатить свою жизнь бесценными сокровищами поэтического слова, издательство «ЭКСМО» готовит серию книг, в которую войдут лучшие творения отечественных и зарубежных поэтов. Домашняя библиотека поэзии – это хлеб насущный для трепетных сердец и пытливых умов. Прислушайтесь к голосам Орфеев нашего века, и вы согласитесь, что жизнь без поэзии – просто не жизнь.

НОВИНКИ СЕРИИ:

М.Цветаева «Просто – сердце»,
А.Пушкин «Я вас любил...»,
В.Высоцкий «Кони привередливые»,
А.Ахматова «Ветер лебединый»,
Хафиз «Вино вечности»,
М.Петровых «Домолчаться до стихов»,
«Гори, гори, моя звезда» (старинный русский романс),
У.Шекспир «Лирика»,
Л.Филатов, В.Гафт «Жизнь – Театр»,
Г.Шпаликов «Пароход белый-беленький»,
А.Пушкин «И божество, и вдохновенье...» (подарочное издание),
А.Пушкин «Евгений Онегин».

В планах издательства:
Сборники стихотворений Б.Ахмадулиной, Э.По, Р.Киплинга, Камоэнса, К.Бальмонта, Ф.Сологуба, И.Северянина, М.Петровых и др.

Все книги объемом 400-550 стр., золотое тиснение, офсетная бумага, шитый блок.